ENGLISH-JAPANESE

THE STUDENT'S DICTIONARY OF

PHYSICS

英和
物理 学習 基本用語辞典

用語監修者
藤澤　皖

用語解説者
北村俊樹

アルク

用語監修者

外務省大臣官房　人事課子女教育相談室　藤澤　皖

現在、外務省大臣官房人事課子女教育相談室長。財団法人外務精励会理事、社団法人国際
交流サービス協会理事、千里国際学園評議員。元・国際基督教大学高等学校教頭・帰国生
徒教育センター長、千里国際学園中等部・高等部初代校長。帰国子女を考える会会長、全
国私立中学高等学校国際教育研修会専門委員、私学研修福祉会私立学校海外セミナー企画
委員、ラジオ短波「海外子女教育アワー」企画委員、国際学校研究調査委員（文部省政策
課委託）、全国市町村国際文化研修所講師などを歴任。

主な著書に『はばたけ若き地球市民』（アカデミア出版、2000年）など。

用語解説者

東京都立青山高等学校教諭　　北村俊樹

早稲田大学理工学部金属工学科卒業。早稲田大学大学院理工学研究科金属工学専攻修士課
程修了（工学修士）。現在、都立青山高等学校教諭（物理）。日本物理教育学会評議員。著
書『Windowsで知る音声と運動の実験室（森北出版）』、『Windowsで知る電磁気・光と原子
の実験室（森北出版）』、『高校物理I・II教科書（共著：三省堂）』、『高校理科総合A教科書
（共著：三省堂)』『理解しやすい物理I・II（共著：文英堂）』。
NHK高校講座理科総合A講師
E-mail：PDF02120@nifty.ne.jp
Homepage：http://www.bekkoame.ne.jp/~kitamula/

用語監修者のことば

　いま、わが国では、「新しい学力」の必要性が叫ばれている。ものごとをよく覚えておくという意味での「知識」も必要であるかもしれないが、それ以上に、そのような知識をもとにして新しい事態をいかに分析しそれに対処していくかという、自主的で柔軟な思考力・判断力が求められているのである。国際化、高度情報化の時代にあっては、こうした「考える力」がますます重要になってくるであろう。

　これまでのわが国の教育では学力といえば知識の量のことであり、学力をつけるという名のもと、知識の詰め込みに重点が置かれてきた。「自分はどう考えるのか」という視点が欠けていたのではないだろうか。しかし、欧米の教育では、学力と言えば常識的に「自分はどう考えるのか」を引き出す力のことをさすのである。したがって、欧米で学んできた帰国生が日本の学校に通って、その知識吸収型の授業の進め方に戸惑い、カルチャー・ショックさえ覚えるのもそういった教育方法の相違によるところが大きい。

　いま、本書を手にしているのは、留学生だろうか、それとも、父母の海外勤務にともない海外で勉強している学生であろうか、あるいは日本でそのための準備をしている学生であるかもしれない。そういった人たちに、まずひとこと述べておきたいのは、アメリカやイギリスの学校で学ぶ場合は、英語ばかりにとらわれず、先にも述べた「考える力」を身につけることも大切なテーマであることを考えておいてほしいということである。当地の教師は、「考える力」を身につけさせるという面においては日本の教師よりも優れた点が多いはずである。優れたところは積極的に吸収するように心がけるといいだろう。

　また、海外の学校で学ぶ人には、学習面に限らず、自らの個性に磨きをかけてほしい。それとともに、多様な価値観を理解する柔軟性も身につけてほしいと思う。現地の家庭に受け入れてもらっている人は、特に学ぶ点が多いはずである。そこには、日本とは異なった習慣、考え方があり、それに日常的に肌で接することができるからだ。同時に、日本人でも、アメリカ人でも、また別の国の人でも、うれしいときには喜び、悲しいときには悲しむという人間として共通なことが多いことにも気づくだろう。ボランティア活動とか社会奉仕活動を進んでおこなっている人たちの姿もぜひ見てきてほしい。これからのグローバルな社会に生きていくためには、そのような身近な社会への関心はもとより、地球市民的な奉仕意識も大切になってくるからである。

　さて、本書は、英語を使用している学校の授業に少しでも早く慣れ、外国人のためのESLクラスに属している人のためのみならず、むしろ、普通の物理のクラスで、あるいは、国際バカロレア（略称IB：International Baccalaureate）の higher level や英国のGCE-Aレベルなどの物理のクラスに入って学習しても十分に成果があげられるよう、手助けしたいという願いから編纂したものである。

これまで日本語で学習をしていた人には、英語の学習用語を日本語に置き換えてみる
だけでも、すぐに理解できる用語が相当数あるのではないか。さらに、各用語の解説に
目を通していただければ、学習内容はより深いものになるに違いない。英語のレポート
なども書きやすいように、解説の中に出てくる学習用語についての英語表現も記載した。
外国で学習できる期間は短く、時間は貴重なものである。本書を効果的に利用して、そ
の限られた時間をできるだけ有意義に過ごし、できるだけ多くのものを吸収して下され
ば幸いである。

　用語の選定にあたっては、千里国際学園で理科を担当している真砂和典教諭（コネテ
ィカット大学大学院修士課程修了）にお願いした。学園内の他の理科教員やインターナ
ショナルスクール担当の教員とも相談して、英米の高校やインターナショナルスクール
のIB用の物理の教科書としてよく使用されている本を数冊選んで、その索引に出てい
る用語を中心に選んでいただいた。事実上の監修者である。なお、解説にあたられた方
には、なお、時間をかけてていねいに調べられ、制限されたページ数の中に要領よくま
とめていただいた。アルクの方にも、全体の構成などによく配慮をしていただいた。こ
こでこれらの方々に厚く謝意を表したい。

藤澤　晥

用語解説者のことば

　日本の中学・高校生が海外で学習するとき、大きな問題となるのが語学である。現在は英語の読解や会話を中心にした教材も多く出ているし、英語の学校も多い。これらを利用すれば、留学する前にある程度の語学力をつけることもできる。日常生活に不自由しないほどの語学力をつけることもできるだろう。

　しかし、実際に学校で授業を受けてみると困ることが多い。これは、各教科でよく使われる専門用語とその用法について理解していないために起こるのである。同じひとつの単語でも、日常生活で使われるときの意味と、科学などで特定の概念と結びついた専門用語として使われるときの意味が異なることがある。特に物理では、用語と概念とが結びついていることが多く、その言葉の意味がよくつかめないために学習が進まないということがあるだろう。

　また、帰国生であれば、英語で学習した専門用語の日本語での言い回しに慣れていないために、やはり学習が進まないということがある。英語ではひとつの用語が、日本語では異なるいくつかの専門用語に置き換えられているということがあるからだ。

　本書は、物理の授業でよく使われる専門用語とその用法をひとりで学べるよう、用語解説を主とした学習書である。特に、対象は中高生の留学生・帰国生としているため、解説はわかりやすさを心がけた。また、その項目を引いただけでも、ある程度物理概念について理解できるようになっている。

　収録した用語は主としてアメリカとイギリスの教科書を参考に拾い出されたものである。高校で用いられている専門用語を中心に、一部は大学レベルまで取り上げている。日本では「物理」というと物理関係の事柄しか取り上げない傾向があるが、海外では工学、数学、その他の科学、最新の話題、エネルギー・環境問題など、物理学に関連、派生する事項についても、適宜取り上げて授業をしている。このため、これら物理以外の用語についてもある程度選んで取り入れてある。また、巻末には日本語の索引があり、帰国生にとっても、日本での学習に利用できるだろう。

　本書を活用することで、物理を学ぶ困難さが少しでも軽くなればと思う。

北村俊樹

＝参考：アメリカ・イギリスの大学進学関連試験＝

● SAT（Scholastic Aptitude Test）

　アメリカ、カナダの大学に進学するのに必要とされる適性試験。英語、数学、文章構成能力のセクションからなる SAT Ⅰ と歴史、文学、フランス語などの外国語、数学、物理、生物学、化学などの教科別学力判定試験である SAT Ⅱ（Subject Test - 以前は AT、ACH[Achievement Test] として施行されていた）とがある。

● ACT（American College Test）

　SAT と同様、アメリカ、カナダの大学に進学するのに必要とされる適性試験。SAT よりも試験科目が多く、英語、数学、読解、科学的推量の４教科からなる。入学審査では ACT、SAT どちらかのスコアを提出すればよいとしている大学が多いが、学校によっては ACT、SAT どちらか一方の試験を指定することもある。

● GCSE（General Certificate of Secondary Education）

　イギリスの全国統一試験。通常、中等教育５年（16 歳程度）で 30 科目の中から能力に応じて受験科目を決めて受験する。

● GCE-A レベル（General Certificate of Education-A level）

　イギリスの大学（University）へ進学するときに必要になる資格試験。

● IB（International Baccalaureate）

　インターナショナル・バカロレア。欧米の多くの大学と日本の一部の大学への入学資格となる国際的な高校卒業資格。16 ～ 19 歳が取得対象。教育課程は６つの科目群からなり、各群より１科目ずつ計６科目を選択する。各科目の最低履修時間は上級レベル（Higher Level）で 240 校時（１校時は 60 分）、普通レベル（Subsidiary Level）で 150 校時である。通常２年間の準備期間修了時に試験を受け、６科目のうち３ないし４科目を上級レベルで、残りを普通レベルで受験する。

目次

■ 本書の構成

❶ 2210 の用語をアルファベット順に配列している。

❷ 訳語は日本の物理の授業で一般に使われる用語を記した。

❸ 重要な用語の場合は、さらにその概念をていねいに説明した。説明中にも、項目として取り上げている用語については＊で示し、理解が有機的におこなえるようにした。

---

❶ **chemistry**　　❷ 化学
❸ 物質＊を構成する原子や分子をもとに、その性質や構造、物質間の反応を調べる学問。

Cherenkov radiation　　チェレンコフ放射
物質＊中を荷電粒子が、その物質内の光速よりも速く運動するとき、粒子の軌跡に沿って（運動の接線＊の方向に）円錐形の波頭をもつ光を放射する現象。

chip　　チップ
半導体＊チップ。IC＊などの電子回路の組み込まれた小片。

Chladni's figures　　クラドニー図形
一点を支持した板に、コルク粉などの微粉末をばらまき、板をバイオリンの弓などでこすって振動＊させる。振動によってできた定常波＊の節＊に当たる部分に、コルク粉が集まり、振動の様子が模様になって見える。これをクラドニー図形という。

chlorofluorocarbon (CFC)　　フロン
クロロフルオロカーボン、別名フロンまたはフレオン。塩素、フッ素、炭素の化合物＊。スプレーや冷蔵庫の冷媒、洗浄用溶媒として用いられていた化学的に安定な気体。しかし、大気圏上空で紫外線＊との反応によりオゾン層＊を破壊することがわかり、使用や生産が制限されるようになった。

chromatic aberration　　色収差
レンズ＊では光の波長＊によって屈折率＊が異なるため、色によって焦点＊の位置が異なる。このため色のついた像＊では、像が焦点に集まらなくなり、ぼやける。これを色収差という。
❹ → aberration

Ci　　キュリー
放射能の強さ（放射性元素が放射能を出して壊変し、他の元素に変わっていく過程について、単位時間に起こる崩壊数）を表わす単位。記号 Ci（キュリー）。1 Ci は毎秒当たりの原子＊の崩壊数＊が、3.70×10^{10} 個であるような放射性物質＊の量をいう。これはおよそ、ラジウム 1 g の崩壊速度に相当する。
→ becquerel

44

---

❹関連の深い用語がある場合は、参照すべき用語を「→」で示し、より総合的に理解できるようにした。

❺必要に応じて図を掲載し、具体的なイメージをもって学習できるようにした。

circuit　　　　回路
電気＊や流体＊、エネルギー＊などが通る、輪状あるいは網状の通り道。通常は電気の通り道である電気回路＊を指す。
・closed circuit　閉回路＊
　回路の開始点と終点がつながっている回路。通常の回路。
・open circuit　開回路＊
　回路で、スイッチなどにより特定の部分が未接続になっているもの。閉回路に対して用いる。

circuit breaker　　　　ブレーカー、電流遮断器
回路＊を流れる電流＊が過大になったときに、回路の一部を遮断して、電流を止める安全装置。

circuit diagram　　　　回路図
回路＊とその構成部品を特定の記号やシンボルに対応させて描いた図。

circuit element　　　　回路素子
抵抗＊、コンデンサー＊、トランジスタ＊、ダイオード＊、IC＊など、電気回路を構成している部品。導線は含まない。

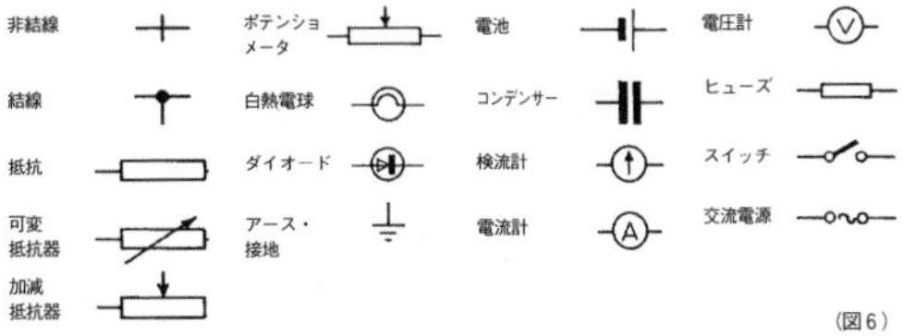

非結線		ポテンショメータ		電池		電圧計		❺
結線		白熱電球		コンデンサー		ヒューズ		
抵抗		ダイオード		検流計		スイッチ		
可変抵抗器		アース・接地		電流計		交流電源		
加減抵抗器								

（図6）

circuit tester　　　　テスター、回路計
直流や交流の電圧＊、電流＊、抵抗＊などを調べる測定器。ひとつの計器で測定できるように設計されている。

C

45

ix

■ 利用上の注意

1. 見出し語はアルファベット順に太字で示し、日本語の訳語をゴシック体で並記した。複数の意味をもつ用語は使用頻度の順に示し、必要に応じて解説をつけた。

2. 一般にひとつの外国語に対して日本語の「学術用語」が決められている。本書は学術用語を忠実に載せるようにした。

3. 説明文中の語句につけられた*は、その語が主見出し語として扱われていることを示す。本文と関連して参照することが望ましい。

4. 欧米の物理（Physics）の教科書の扱う範囲は、本来の物理学で扱う事象のほかに、数学、化学などの他の科学分野、工学、環境やエネルギー問題などが一部含まれている。詳しく学習したい場合にはこれらの分野の書物も参考にしてほしい。

5. 解説中には、数学や化学の知識を必要とする部分がある。これらを「理解している」という前提で記述している。これらについてわからない場合は、数学や化学の参考書に当たってほしい。用語ひとつを理解するにも、数学の基礎を数カ月から数年間勉強しておかねばならないケースもしばしばである。本書だけでこれらの分野までを理解するのは不可能であると心得てほしい。

6. 用語の選出は、アメリカのSAT、イギリスのGCSE, GCE-A レベルによったが、次の文献を参考にした。

Introduction to Physical Science, M. B. Leyden, G. P. Johnson, B. B. Barr, Addison-Wesley Publishing Company

Physical Science, G. P. Johnson, B. B. Barr, M. B. Leyden, Addison-Wesley Publishing Company

Focus On Physical Science, C. H. Heimler, J. Price, Merrill Publishing Company

Physical Science The Challenge of Discovery, M. A. Carle, M. Sarquis, L. M. Nolan, D.C. Heath and Company

PHYSICAL SCIENCE - TEACHER'S ANNOTATED EDITION, J. Prusko, J. M. Stone, Scott, Foresman and Company

PHYSICS - ITS METHODS AND MEANINGS, Fifth Edition, A. Taffel, Allyn and Bacon, Inc.

PHYSICS - Principles & Problems, Teacher Annotated Edition, P. W. Zitzewitz, J. T. Murphy, Merrill Publishing Company

CONCEPTUAL Physics, Sixth Edition, P. G. Hewitt, Harper Collins Publishers

このほかに、『岩波理化学事典』（久保亮五ほか編、岩波書店）、『マグロウヒル英和物理・数学用語辞典』（小野周ほか監訳、森北出版）、『文部省学術用語集物理学編』（日本物理学会編、培風館）を参考にした。

7 . 綴、用法についてはほぼアメリカ式を採用した。

8 . 簡単な和英辞典として索引を巻末につけ、掲載ページを示した。見出し語になっていない語句については、関連用語の解説の中に含まれている。

9 . 記号「→」は参照すべき用語を示している。関連用語や、より詳しい解説の見出し語を示してあるので、この項目も積極的に利用してほしい。また、よく使われる反意語は「↔」をつけて示してある。ペアで覚えてほしい。

10. 説明の必要に応じて、図を添えてある。

■ 本書の効果的な活用法

本書は、わからない用語が出てきたときに気軽に引くことができるように編集された辞典であるが、次のような利用法によって、より学習の効果が上がるだろう。

1 . 留学の前に、巻末の索引を利用して、既知の用語に対する英語を学。あるいは、日本語の用語に対する英語を思いつくままに調べてみるのもいい。いずれにしても、事前に英語の用語が少しでも頭に入っていれば、留学後の学習に大いに役立つだろう。

2 . わからない用語のみを引くのではなく、解説の中に出てくる用語についても調べる。解説を読み、教科書の内容と比較することによって、理解が深まるはずである。本書は単なる英和辞典ではなく、解説部分を教科書と読み比べて学習することを前提として書かれている。

A

Å   オングストローム
→ angstrom

A   アンペア
電流*の単位。電流のMKSA単位*。記号A（アンペア）。1 A＝1 C/sの関係がある。電流1 Aの定義は、真空中に距離*を1 m離して2本の無限に長く、細い平行な導線に、同じ大きさの電流を流したとき、これらの電線の1 mあたりに受ける力*が2×10^{-7} Nの力となるような大きさの電流。

amu.
→ atomic mass unit

aberration   **(1)** 収差　**(2)** 光行差
(1) レンズ*などの光学*系で、像*が焦点*などの一点に集まらないこと。像のゆがみやぼけを生ずること。レンズでは光の波長*によって屈折率*が異なるため、焦点位置も異なる。このため色のついた像では、色収差*を生ずる。
(2) 地球が運動*しているために、天体からの光の方向が変化して見えること。

aberration of light   収差
→ aberration (1)

abscissa   横座標
横軸の座標値。x軸とy軸とからなる平面座標(a,b)において、x座標*aを「横座標(abscissa)」といい、y座標*bを「縦座標(ordinate)」という。
→ ordinate
→ Cartesian coordinates

absolute   絶対の、絶対
絶対に静止している点を基準にすること。

↔relative

absolute deviation　　　　絶対偏差

ある測定値と、測定値の平均値＊との差をいう。

absolute error　　　　絶対誤差

ある物理量＊の真の値を a、測定値を k とするとき、2つの値の差の絶対値 $|k-a|$ をいう。測度の精度は絶対誤差では表わせない。

↔relative error

absolute humidity　　　　絶対湿度

体積＊1 m³の大気＊中に含まれる水蒸気＊のグラム数をいう。

↔relative humidity

absolute index of refraction　　　絶対屈折率

真空＊を1としたときの物体＊の屈折率＊を絶対屈折率という。光が真空中から物質中に進む場合の屈折率。物体中の光速度＊を v、真空中の光速度を c とすると物体の屈折率 n は

$$n = \frac{c}{v}$$

で表わされる。

↔relative index of refraction

absolute motion　　　　絶対運動

絶対に静止している点を基準とした座標系に対して、基準点からみた物体の運動のようす。実際には、このような座標系は存在しない。

↔relative motion

absolute refractive index　　　絶対屈折率

→ absolute index of refraction

↔relative refractive index

absolute space　　　　絶対空間

エーテル＊に対して静止している空間。物理法則が完全な形で表わされる空間。相対性原理＊によって、その存在は否定された。

→ether

→general theory of relativity

→special theory of relativity

absolute temperature　　　絶対温度

ケルビン温度(Kelvin scale)ともいう。熱力学*的に考えられる温度*の最低点（理論的に分子の熱運動がなくなる温度）を絶対温度0 K、摂氏温度*0℃を273.15 K に対応させた温度の表わし方。単位はK（ケルビン、ケー）を使う。摂氏温度 t [℃]と絶対温度 T [K]の間には $T = t + 273.15$ という変換式がある。

absolute temperature scale　　　絶対温度目盛り、絶対温度

ケルビン温度目盛り(Kelvin scale)ともいう。温度*の基準点として、摂氏温度*−273.15℃を絶対温度0 K、水の三重点*である0.01℃を絶対温度273.16 K とした温度の目盛りの決め方。単位はK（ケルビン、ケー）。

→absolute temperature

absolute zero　　　絶対零度

熱力学*から考えられる温度*の最下点。摂氏温度*−273.15℃、絶対温度*0 K をいう。絶対零度では理論的に分子の熱運動がなくなるとされる。

absorption spectrum　　　吸収スペクトル

連続スペクトル*をもつ光*が吸収物質を通過した後では、スペクトル*に暗い線や帯の部分が見えるようになる。この暗い部分をいう。吸収スペクトルは暗線(dark line)ともいう。吸収物質によって、暗い部分の波長*をもつ光が吸収されたために起こる。低温度の物質に自分が出す光と同じ波長の光を吸収する性質があるために起きる。

→line spectrum

↔continuous spectrum

AC　　　交流

→alternating current

acceleration　　　加速度

物体*が運動しているとき、時間*の変化 $\varDelta t$ に対する、速度*の変化 $\varDelta v$ を加速度という。加速度は単位時間に速さの変化する割合である。単位*はm/s²。加速度

をaとすると、

$$a = \frac{\Delta v}{\Delta t}$$

で表わされる。たとえば、物体が時間t_1のときに速度v_1、時間t_2のときに速度v_2であるとき、平均加速度$\bar{a}$は

$$\bar{a} = \frac{v_2 - v_1}{t_2 - t_1}$$

で表わされる。数学的に加速度を求めるには、速度の関数vを時間で微分すればよい。このとき、加速度aは

$$a = \frac{dv}{dt}$$

acceleration due to gravity　　重力加速度

→ acceleration of gravity

acceleration of gravity　　重力加速度

物体*が地球の重力*に引かれて下向きに生ずる加速度*をいう。この加速度は物体の質量にかかわらず、一定の値をとる（真空中では紙片も鉛の玉も一緒に落ちる)。地表付近での重力加速度 g はおよそ、$g = 9.8$ [m/s^2] である。

acceleration voltage　　加速電圧

電界*中に電子*などの電荷*を帯びた粒子*をおくと、電界から力を受けて加速される。このとき、電界の両端の電圧*を加速電圧という。荷電粒子*の電気量*をq、加速電圧をV、電界から粒子がされる仕事*をWとすると、$W = qV$となる。この仕事が、荷電粒子の運動エネルギー*に変化する。

accelerator　　加速器

電子*、陽子*、原子核*、イオン*など電荷*を帯びた粒を、磁界*（磁場）や電界*（電場）を用いて加速する装置。例：サイクロトロン*、ベータトロン*、線形加速器*。

acceptor　　アクセプター

半導体*にガリウムなどの３価の不純物*を入れると、まわりの結晶*から電子*を奪う。このため電子が不足し、電子のあな（正孔*）が残され、半導体の電気伝導度*を増加させる。このように、半導体中で正孔を作るのに必要な作用物質をア

クセプターという。アクセプターを入れた半導体をP型半導体という。P型半導体では正孔が電流の担い手となる。

→donor

accidental error　　　　偶然誤差

同じ測定物を何回か測定*するときに、測定値がばらつく。こうして、測定値と真の値とのばらつきとなってあらわれる差をいう。偶然誤差は統計的性質をもっている。

accuracy　　　　精度、確度、正確さ

測定値と真の値とが近いこと。error（誤差）が小さいこと。

acoustic diffraction　　　　音波回折

物体のために音源*から影になっている点でも、音*が回り込んで聞こえること。音の波動的性質のひとつ。波長の長い音（低い音）ほどよく物体の背後に回り込み、高い音ほど回折しにくく、物体の背後へは伝わらない。

acoustics　　　　音響学

材料が、音*の生成や動きなどにどのような影響を与えるかを研究する学問。

action　　　　作用

(1) 一方が、他方になんらかの影響を与えること。

(2) 物体*間にはたらく力。

→action force

action at a distance　　　　遠隔作用

２つの物体*の間にはたらく力*が、途中の空間の物理的変化*を伴わずに、空間を超えて瞬時にはたらくという考え方。静電気力*や磁気力*、万有引力*などは物体どうしが離れていても作用するため遠隔作用の力と考えられていたが、現在では近接作用*の力であることがわかっている。

↔action through medium

action force　　　　作用の力

物体*に加える外力*。物体が外から受ける力。作用の力に対して、ニュートンの運動の第３法則*より、必ず反作用の力*が生じている。

→law of action and reaction

→reaction force

action through medium　　近接作用

物体＊にはたらく力＊が、力を伝達する「媒質＊」の物理的変化＊によって伝わる
という考え方。たとえば、ばねを波＊が伝わるときは、「媒質」であるばねが伸び
たり縮んだりの弾性＊変化をして、ある点での振動＊や力が少しずつ遅れて隣のば
ねの点に伝わっていく。

↔action at a distance

action-reaction forces　　作用－反作用の力

→action-reaction pairs

action-reaction pairs　　作用－反作用の力

力＊は必ず２つペアで生ずる。力は常に２つの物体の間で作用しあい、物体Aか
らBへ力がはたらけば、物体BからAに対しても力がはたらく。作用の力＊があ
れば、必ず大きさが等しく、向きが逆の力が同時に生じている（作用・反作用の
法則＊）。この２つの力のことを、作用・反作用の力という。

→law of action and reaction

activation energy　　活性化エネルギー

物質がある状態＊から別の状態に移行するには、この２つの状態の間にあるエネル
ギーの高い状態を越えなければならない。この高い状態とはじめの状態とのエネ
ルギーの差が活性化エネルギーである。物質が別の状態に移行するためには、こ
れ以上のエネルギーが与えられなければならない。

active power　　有効電力

回路＊で実際に消費される電力＊のこと。単位はワット（W）またはキロワット
（kW）。電圧 V＊と電流 I＊の実効値＊の積 VI を皮相電力＊というのに対し、実際に
消費されるので有効電力という。消費電力ともいわれる。皮相電力に対する有効
電力の比を、力率＊という。

→apparent power

→power factor

A

AD converter
→ ADC

ADC　　　　　　　　　　**AD 変換器、AD コンバーター**
電流、電圧などの連続的なアナログ信号を、1 と 0 のディジタル信号*に変換する装置。
↔ DAC

addition　　　　　　　　加算、足し算

additive color　　　　　　加法的な色
光の 3 原色*である赤、緑、青は、それらを適当な割合で混ぜる（加法）することにより、任意の色*を合成することができる。これは各光が視覚に与える効果の合成による。このため、加法的な（原）色という。この 3 つを等量に混ぜると、白色光*となる。
→ primary colors

additive color mixture　　　加法混色
何種類かの光*を重ね合わせて、元と異なる色*を生ずること。

additive method　　　　　相加法
光の 3 原色*を混ぜて、任意の色*の光を作ること。3 原色を均等の割合で混ぜると白色となる。

additive primary colors　　　加法的な原色
光の 3 原色*である赤、緑、青のこと。
→ additive color

adhesion　　　　　　　　接着、付着
異なった分子*の間にはたらく力*。あるいは、異なった分子がくっつくこと。

adiabatic　　　　　　　　断熱の
物体*と外界との熱*の出入りがないこと。

adiabatic change　　　　　断熱変化、断熱過程
物体*と、外界との熱*の出入りがないような変化。たとえば、外界との熱の出入りを断つような容器に気体を入れ、外部との間で熱の出入りができないようにしておいて、その圧力や体積、温度を変化させること。また、変化が速すぎて外界との熱の出入りができないような変化も断熱変化という。熱力学の第1法則*より、断熱変化では外力*が気体にした仕事*の分だけ、内部エネルギー*が増加し、気体の温度*が上昇する。
→adiabatic compression
→adiabatic expansion

adiabatic compression　　　断熱圧縮
外界との熱*の出入りを伴わないで圧縮*すること。また、熱の出入りを伴わずに、すばやく圧縮することも含む。気体の断熱圧縮では、圧縮の仕事が気体の内部エネルギーとなり、温度が上がる。フェーン現象は断熱圧縮の例である。

adiabatic expansion　　　　断熱膨張
外界との熱*の出入りを伴わないで膨張*すること。また、熱の出入りを伴わずに、すばやく膨張することも含む。気体の断熱膨張では、気体の内部エネルギーが外圧に対する仕事に使われるため、温度が下がる。高圧二酸化炭素CO_2ガスを大気圧*中に放出*するときに、温度*が下がりドライアイスになるのは断熱膨張の例である。

adiabatic process　　　　　断熱過程、断熱変化
→adiabatic change

adiabator　　　　　　　　　断熱材
グラスウールや発泡スチロールなど、熱伝導*率が低くて熱*を伝えにくい材料。

aerodynamics　　　　　　　空気力学
物体*が空気中を動く際に生ずる力*についての学問。

aerotropy　　　　　　　　　非等方性
anisotropyのこと。

air column　　　　　　　気柱

フルートや笛などを鳴らす場合には、笛の管内の空気の部分が振動＊している。この空気の柱を気柱という。厳密にいえば、断面積に比べて長さの長い管内の気体。

→ closed tube

→ open tube

air resistance　　　　　　空気抵抗

空気中を物体＊が運動＊するとき、物体は空気を押しのけて進むために空気抵抗を受ける。空気抵抗は物体が空気から受ける摩擦力＊の大きさである。空気抵抗の大きさは、物体の形状や速さ、温度などによって変わる。

allotrope　　　　　　　　同素体

同じ元素＊からできていながら、結晶＊や結合＊の形が異なるため、物理的性質＊、化学的性質＊が異なる物質＊どうしを互いに同素体という。

例：炭素原子の場合でダイヤモンドと炭。酸素原子の場合で酸素 O_2 とオゾン O_3。

α decay　　　　　　　　　α 崩壊

→ alpha decay

alpha decay　　　　　　　α 崩壊

放射性物質＊が崩壊＊する際に、原子核＊から陽子 2 個と中性子 2 個がひとかたまりになった α 粒子＊を放出して、原子核の構成が変化すること。α 粒子の質量数は 4 であるから、α 崩壊によって原子核は質量数＊が 4 減少する。原子核の電気量は＋2e 減少するので、原子番号＊は 2 減少する。

→ alpha (α) particle

alpha(α) particle　　　　　α 粒子

ヘリウム ^4He の原子核＊で、2 個の陽子＊と 2 個の中性子＊からなる。放射性物質＊が α 崩壊＊するのに伴って放出＊される。

→ alpha decay

α radiation　　　　　　　α 線放射

→ alpha radiation

alpha radiation　　　　　　α線放射

　　α粒子＊を放出＊すること。

　　→alpha (α) particle

α ray　　　　　　　　　　α線

　　→alpha ray

alpha ray　　　　　　　　α線

　　高速のα粒子＊の流れ。磁界、電解での曲がり方が少なく、速度はβ線より小さい。
　　物質を透過する性質は3種の放射線中、最も弱いが、電離作用は最も強い。

　　→alpha (α) particle

alternating current (AC)　　交流

　　磁界＊内でコイルを一定の速さで回転させると、コイルを貫く磁束が周期的に変化
　　する。するとファラデーの電磁誘導の法則により、コイルの両端の間に連続的に
　　誘導起電力＊が発生する。この起電力は周期的に電圧の向きが逆転するので、周期
　　的に電流＊の向きと大きさが変わる。こうした電流を交流という。

　　↔direct current

alternator　　　　　　　交流発電機、オルタネーター

　　交流＊を発生する発電機＊。

　　→alternative current (AC)

altitude　　　　　　　　**(1)** 高度、海抜高度　　**(2)** 天体の高度

　　(1)山などの基準面、または海抜面からの高さ。
　　(2)天体と地平面とのなす角度。

ammeter　　　　　　　　電流計

　　電流＊の大きさを測る装置。回路＊に直列＊に入れる。測定するものが直流＊か交
　　流＊かによって、直流電流計と交流電流計とに大別される。

amorphous　　　　　　　非晶質の、アモルファス

　　結晶＊ではなく、各分子がどの方向にも均等にばらばらの向きに散らばっている状
　　態。ガラスなど。等方均質＊な状態。分子が不規則に配列しており、どの方向に対
　　しても均一である。金属を急冷するとアモルファスになる。

ampere アンペア

電流*の単位。記号 A（アンペア）を使う。1 [A] の電流は、毎秒導線を 1 [C] の電荷*が流れることを意味する。1 [A] ＝ 1 [C/s]。

→A

Ampere's rule アンペールの法則

電流*と、その電流が作る磁界*との関係を表わしたもの。＋1 Wb の磁極が、電流のつくる磁界の中を任意の閉じた曲線に沿って 1 周するとき、磁界がその磁極に対してする仕事は、その閉曲線の内部を通る電流の大きさの和に等しい。ただし、電流は、磁極を右ネジの回る向きに動かすとき、右ネジの進む向きに流れる場合を正の向きとする。ビオ・サバールの法則*と同じ内容を別の表現で述べたもの。

→Biot-Savart law

amplifier 増幅器

入力信号*の電圧*や電力*を、大きくして外部に送り出す装置。半導体*を利用したトランジスタ*など。

Amplitude modulation (AM) 振幅変調、AM

信号*の変調法のひとつ。送りたい信号の変位*を、搬送波*という高い振動数の波*の振幅*に変換して送る方法。変調、復調の回路が簡単で、古くから利用されている。日本の AM 放送はこの方式。

amplitude 振幅

波の変位*の最大値をいう。振動*や波動*において、平衡*の位置からのずれの最大値。波動の山*の高さ、または谷*の深さを示す。

AMU 原子質量単位

→atomic mass unit

analog-to-digital converter AD 変換器、AD コンバーター

→ADC

AND circuit AND 回路、論理積回路

いくつかの入力端子にすべて信号がある(on) ときのみ、出力信号が出される(on) 回

路。

anemometer　　　　　　風速計

風速または風力を測る機械。

aneroid barometer　　　　アネロイド気圧計

気圧計＊のひとつ。薄い箔片でつくった容器内の圧力を小さくし、気圧の変化に応じて変わる容器の厚みによって気圧＊を測る。

angle of friction　　　　摩擦角

物体＊を斜面において斜面の角度を増すとき、あるところで物体が滑り出す。この滑り出す斜面の角度を摩擦角という。静止摩擦係数＊を μ、摩擦角を θ とすると $\mu = \tan \theta$ の関係がある。

angle of incidence　　　　入射角

波＊の入射方向と、入射点を通る入射面＊の法線＊とがなす角度。

→incident ray

angle of polarization　　　　偏光角、ブルースター角

→Brewster's law

angle of reflection　　　　反射角

波＊の反射＊方向と、入射点を通る入射面＊の法線＊（垂直線）とがなす角度。

→reflection

angle of refraction　　　　屈折角

波＊の屈折＊方向と、入射点を通る入射面＊の法線＊（垂直線）とがなす角度。

→refraction

angstrom　　　　　　オングストローム

長さの単位で、光の波長や結晶の原子間距離などを示すのに使われる。1Å(オングストローム) ＝ 10^{-10}m。

angular acceleration　　　角加速度

時間＊の変化 Δt(s) に対する、角速度＊の変化 $\Delta \omega$(rad/s) の値である $\dfrac{\Delta \omega}{\Delta t}$ をいう。

angular frequency　　　　　角振動数、角周波数

振動数＊をfとして、これに角度2πをかけた値の$2\pi f$を角振動数という。交流＊の場合は角周波数と呼ぶ。

angular impulse　　　　　角力積

力のモーメント＊と時間＊の積。

→moment

angular momentum　　　　　角運動量

(1) 質点＊の位置ベクトルをr、質点がrと角θの向きに運動量Pで運動するとき、角運動量Lは2つの量の外積＊で表わされる。$L = r \times P$。これは大きさが$rP\sin\theta$、向きがrとPのつくる平面に垂直で、rからPへ右ネジを回すときにネジの進む向きとなるベクトル量として定義される。また原点の回りの角速度＊をω、質量＊をmとすると、$L = mr^2\omega$で表わされる。

(2) 回転軸の回りを角速度ωで回転する物体の角運動量は慣性モーメント＊と角速度の積で表わされる。

→angular velocity

→rotational inertia

angular velocity　　　　　角速度

物体が円周に沿って一定の速さで回るとき、時間＊の変化Δt(s) に対する、角度の変化$\Delta\theta$(rad) を角速度ω(rad/s) という。

$$\omega = \frac{\Delta\theta}{\Delta t}$$

anion　　　　　陰イオン

原子＊や分子＊に電子＊がくっつき、負の電気＊を帯びた状態。一般に、非金属の原子は陰イオンになりやすい。

↔cation

anisotropy　　　　　異方性

方向が異なると物質の性質が変化すること。物質の性質が方向に依存すること。

↔isotropy

anode　　　　　**(1)** 電池の負極　**(2)** 電気分解の陽極　**(3)** アノード

(1) 電池＊のマイナス極。

(2) 電気分解＊での陽極＊、電池の＋をつなぐ側の極。

(3) 真空管＊の陽極、電池の＋極をつなぐ側。プレート(plate) ともいう。

↔cathode

anode ray　　　　　　　　陽極線

真空管＊内での、正電荷＊をもつ、陽イオン＊または原子核＊の流れ。陽極＊から陰極＊へ向かう。

antenna　　　　　　　　アンテナ、空中線

送信器＊から電磁波＊を送信したり、電磁波を受信機＊で受信するために使う装置。扱う電磁波に共振＊する導体を用いる。

→resonator

anti-　　　　　　　　反－

「反－」を表わす接頭語。

anticathode　　　　　対陰極

X線＊発生用真空管＊で、陰極から発生した電子＊を衝突させてX線を発生する極。陽極＊をいう。原子量の大きい金属（重金属）を用いる。

→Coolidge tube

antielectron　　　　　陽電子

電子＊の反粒子＊。電子と電気＊の符号が逆である以外、質量＊などの他の性質はまったく同じ粒子。人工放射性元素（核反応によってつくられた放射能をもつ元素）の核内で生成され、放射される。空間にγ線＊を入射＊すると、電子と陽電子がペアになって生成・消滅する。

→pair creation

antimatter　　　　　反物質

陽子＊、中性子＊、電子＊などから構成されている物質＊に対し、その反粒子＊である反陽子＊、反中性子＊、陽電子＊などから作られている物質をいう。

antineutrino　　　　　反ニュートリノ

ニュートリノ＊の反粒子＊。

antineutron　　　　　反中性子

中性子*の反粒子*。中性子*と磁気モーメント*の符号が逆な点以外は、同じ性質・特性をもつ。

antiparticle　　　　　反粒子

素粒子*には、粒子と反粒子がある（電子と陽電子*など）。互いに、質量*やスピン*は同じであるが、電荷*や磁気モーメント*は大きさが等しく符号が逆である。粒子と反粒子はペアで生成・消滅することができる。
→ pair creation

antiproton　　　　　反陽子

陽子*の反粒子*。陽子と質量*、スピン*は同じだが、電荷*は陽子が＋eであるのに対し−eである。

aperture　　　　　口径

レンズ*や鏡で、光*を取り入れる部分の直径*。

aphelion　　　　　遠日点

惑星が太陽を回る軌道*を通るとき、太陽から一番遠ざかる点を遠日点、太陽に一番近づく点を近日点という。
↔perihelion

apogee　　　　　遠地点

衛星*がある天体を焦点*とする軌道*を回っているとき、その天体から一番遠ざかる点を遠地点といい、その天体に一番近づいた点を近地点*という。
↔perigee

apparent force　　　　　見かけの力

加速度*系（加速度運動をしている座標系）でニュートンの運動方程式*$f=ma$を成り立たせるために、導入する力。実際には存在しない。例:遠心力*。

apparent power　　　　　皮相電力

交流*回路で、電圧*の実効値*Vと電流*の実効値Iとの積。単位はボルトアンペア（VA）またはキロボルトアンペア（kVA）。
↔active power

→effective value

approximation　　　　　近似
真の値に近いこと、または真の値に近い値を求めること。

arc discharge　　　　　アーク放電
放電＊の一方法。2本の炭素または鉄の電極間に電流＊を流すことで得られる。強い白熱＊光を発する。

arc tangent
tan θ の逆関数。tan^{-1} θ で表わす。

Archimedes' principle　　　アルキメデスの原理
「液体中の静止している物体＊は、物体を周囲の液体で置き換えたときの重力＊と同じだけの浮力＊を受ける」。紀元前220年頃、アルキメデスが発見したといわれている。

areal velocity　　　　　面積速度
太陽と惑星とを結ぶ線分が、一定時間に描く扇形の部分の面積。それぞれの惑星について一定であり、ケプラーの第2法則＊（面積速度一定の法則）がある。

arm　　　　　　　　　腕
物体にはたらく力 F により生じる点 O の回りの力のモーメント＊は、点 O からその力の作用線に下ろした垂線の長さと力の大きさの積で表わされる。この垂線をいう。たとえば、てこ＊などで、力の作用点＊と支点の間の垂直距離。

armature　　　　　　　電機子
モーター＊や発電器＊の中の鉄芯にコイル＊を巻いて作った部分。直流機では回転する。発電器の場合は発電子、モーター＊の場合は電動子ともいう。

artificial intelligence　　　人工知能
コンピュータ＊を人間の思考に近づけたもの。

artificial satellite　　　　人工衛星
地球を回る軌道＊にある人間の作った天体。

A

association law　　　　結合法則

ある演算＊について、(a＊b)＊c＝a＊(b＊c) が成り立つことを結合法則とい
う。足し算、かけ算は結合法則が成り立つ。

→commutative law

astigmatism　　　　非点収差

一点から出た細い光線＊が、球面にあたって反射＊、屈折＊した後に、いくつかの
光軸＊に分かれ一点に集まらなくなる現象。

astronomical unit　　　　天文単位

おもに惑星空間にある天体の距離を表わす長さの単位。地球と太陽の平均距離を
1天文単位(AU) と定義している。1 AU = 1.496×10^8 km。

astronomical velocity　　　　宇宙速度

ロケットなどの運動について用いられる。地球の表面すれすれを円軌道で飛ぶた
めにロケットに与える水平方向の初速度を第1宇宙速度＊といい7.9 km/sである。
地球の重力＊から脱出するための速度＊（脱出速度）を第2宇宙速度＊といい、
11.2 km/sである。また、太陽系から脱出する速度を第3宇宙速度＊といい、16.7
km/sである。

astronomy　　　　天文学

天体を対象とする学問。

at rest　　　　静止の、静止状態

atmosphere　　　　大気

地球の表面をおおう気体。空気のこと。

atmospheric pressure　　　　大気圧

地球の空気の重さによる圧力＊。下の空気が上の空気の重さによって押されること
によって起こる。大気圧＊の数値として1 atm（気圧）をよく用いる。1 atm =
1.013×10^5 N/m^2 = 1.013×10^5 Pa。

atom　　　　原子

すべての物質＊を構成している要素。正の電気＊をもつ原子核＊の周りを、負の電

気をもつ電子＊が回っている構造をもつ。原子核はさらに正の電気をもつ陽子＊と、電気的に中性な中性子＊からなる。原子のもつ陽子の個数と電子の個数は等しく、全体として電気的に中性である。

atomic mass　　　　　　　原子質量
　→atomic mass unit

atomic mass number　　　質量数
　→mass number

atomic mass unit　　　　原子質量単位
原子核の質量を正確に求めるため、質量数＊12の炭素原子の質量＊を12.00000と定義し、その$\frac{1}{12}$を単位として、1原子質量単位とした。1原子質量単位＝1.66054×10⁻²⁷kg。これによって各原子の質量の値（相対値）を示す。

atomic nucleus　　　　　原子核
原子＊の中心にある正の電荷＊を帯びた粒子で、正の電荷をもつ陽子＊と、中性の中性子＊からなる。原子核は原子の大きさの10万分の1程度だが、原子の質量＊の大部分を占める。

atomic number　　　　　原子番号
原子の質量の小さいほうから順につけた番号。原子核＊中の陽子＊数で表わされる。

atomic weight　　　　　原子量
質量数12の炭素原子¹²Cの質量を12と定義し、その12分の1の質量を単位として測った各原子の相対質量＊。

attenuation　　　　　　減衰
振動＊などで、その強度（例：振幅＊）が減少すること。電気振動では、コイルなどに抵抗があるので、振動の振幅が次第に小さくなる。

attraction　　　　　　　引力
離れている2つの物体＊の距離を縮める向きにはたらく力＊。例：万有引力＊。
　↔repulsive force

A

audio frequency 　　　　可聴周波（数）

人の耳に聞こえる音*の振動数*。個人差があるが、範囲はおよそ20 Hz から
20000 Hz である。

audio signal 　　　　音声信号

音*の情報を電気的な信号*に変換したもの。

autumnal equinox 　　　　秋分、秋分点

昼と夜の長さが等しい秋の日。

average 　　　　平均の

average acceleration 　　　　平均加速度

物体が2点を通るときの加速度*の平均値。時間*t_1 のときに速さ*v_1、時間 t_2 のと
きに速さ v_2 とすると平均加速度 $\overline{a}$ は

$$\overline{a} = \frac{v_2 - v_1}{t_2 - t_1}$$

で表わされる。

→acceleration

average speed 　　　　平均速さ

物体が2点を通るときの速さ*の平均値。移動距離を移動時間で割ったもの。途中
の速さの変化は無視する。時間*t_1 のときに位置 x_1、時間 t_2 のときに位置 x_2 とする
と平均速さ $\overline{v}$ は

$$\overline{v} = \frac{x_2 - x_1}{t_2 - t_1}$$

である。平均速さは、x－t グラフ上では、2点を通る傾きで表わされる。

average value 　　　　平均値

測定値の合計を、測定値の数で割った値。n 個の測定値 $x_1, x_2, x_3, \cdots x_n$ を合計し、
その個数 n で割ったものを相加平均という。

average velocity 　　　　平均速度

2点を通る速度の平均値。向きと大きさをもつベクトル*。平均速度の大きさが平
均速さ*である。

→ average speed

Avogadro's constant　　　　アボガドロ定数
　1 mol の物質＊に含まれる分子＊あるいは原子＊の個数。6.02×10^{23} 個である。

Avogadro's law　　　　アボガドロの法則
　→ Avogadro's principle

Avogadro's number　　　　アボガドロ数、モル分子数
　→ Avogadro's constant

Avogadro's principle　　　　アボガドロの法則
　「同温・同圧・同体積の気体には、気体の種類にかかわらず同数の分子＊を含む」。
　0 ℃、1 atm の気体の体積は常に22.4 *l* であり、なかに 6.02×10^{23} 個の分子がある。

axis（複数形 **axes**）　　　　軸
　座標＊を定める際の基準となる直線。平面を表わす直交座標系＊では x 軸＊と y 軸＊
　の２つの軸がある。
　→ Cartesian coordinate system

axis of abscissas　　　　横軸
　２次元の直交座標での水平方向の軸。xy 座標で x 軸＊。

axis of ordinates　　　　縦軸
　２次元の直交座標での垂直方向の軸。xy 座標で y 軸＊。

axis of rotation　　　　回転軸
　物体が回転運動＊しているときの、その回転の中心線。

axle　　　　回転軸
　物体が回転しているときの、その中心線をいう。また、車軸のことをいう場合が
　ある。たとえば the axle of earth（地軸）は地球の自転運動の回転軸。

B

back electromotive force　　逆起電力

回路 * を流れる電流 * の変化によって生ずる起電力 *。回路の電流の変化を打ち消す向き（逆向き）に生ずる。たとえば、スイッチを閉じてコイルに電流を流そうとすると、自己誘導（コイルをつらぬく磁束が変化し、コイル自身に誘導起電力が生じること）によって、コイルに逆起電力が生じる。

back emf.　　逆起電力

→ back electromotive force

background　　バックグランド

放射線 * を測定するときに、測定したい線源以外からの放射線の計数値をいう。たとえば、地面や壁、宇宙線 * などの環境放射線や、測定器自体からの放射線によってバックグランドが計測される。

background radiation　　バックグランド放射、背景放射

絶対温度 * で約 3 K に相当する電磁波 * の放射 *。宇宙のどの方向からもやってくる。ビッグバン理論 * の証拠とされる。

backscattering　　後方散乱

入射 * 方向と 90 度以上の角度をなす散乱 *。

→ scattering

balance　　(1) てんびん　(2) 平衡

(1) 中央を支点 * とする「てこ *」の片端におもり * をのせ、物体の質量 * を測定する装置。

(2) つりあいの取れていること。

balanced　　平衡状態の

つりあいの取れた状態 * にあること。例として、左右の力 * がつりあい物体 * が静止している状態（力学的平衡）や、熱 * の移動がない状態（熱的平衡）、化学反応 * が見かけ上進まない状態（化学的平衡）などがある。

balanced forces　　　　つりあいの力
　物体＊にはたらく２つの力＊が、向きが逆で大きさが等しいとき、つりあいの力
という。２力の大きさは等しく、作用線は共通で、向きが反対である。このとき、
物体は運動の第１法則＊より、静止あるいは等速直線運動＊を続ける。

Balmer series　　　　バルマー系列
　水素原子の発光による線スペクトル＊のうち、可視光＊部分に現れる線スペクト
ルをいう。規則正しい配列がみられるため、その振動数＊と波長＊との間に何ら
かの法則があると考えられ、バルマーが 1885 年に振動数の計算式を見い出した。
励起状態＊から量子数＊２の状態に移るときに放出＊する光に相当する。
　→ excited state
　→ line spectrum

band　　　　バンド、帯域
　周波数＊や光のスペクトル＊がある幅をもっていること。

banked curve
　内側より外側の方が高くなっているような曲線状の通路。

bar　　　　バール
　圧力＊の単位。記号 bar（バール）を使う。1 m² について 10⁵ N の力が作用すると
き 1 bar とする。1 bar ＝ 1.0 × 10⁵ Pa、1 atm ＝ 1013.25 mb。

bar graph　　　　棒グラフ
　測定値を棒の長さで表わしたグラフ。棒の長さで量を表わすグラフ。

bar magnet　　　　棒磁石
　一端が N 極＊で、他端が S 極＊となっている棒状の磁石＊。

barometer　　　　気圧計、圧力計
　大気の圧力＊を測定する装置。よく使用されているのは水銀気圧計（大気圧と等
しい圧力を与える水銀柱の高さを測定）とアネロイド気圧計＊の２つ。

baryon　　　　バリオン
　素粒子＊の中で強い相互作用＊をする粒子（ハドロン）のうち、スピン＊が 1/2

または 3/2 の値をもつ（フェルミ粒子＊）ような粒子のことをバリオンという。バリオンは重粒子ともよばれる。ちなみに、ハドロンのうち、スピン＊が 0 または整数の値をもつ（ボース粒子）ような粒子をメソンという。バリオンの例は陽子＊、中性子＊、Λ，Σ，Ξ粒子がある。メソンは中間子ともよばれ、π 中間子や K 中間子などがある。メソンはクォーク＊と反クォークの束縛状態であり、バリオンは 3 個のクォークの束縛状態である。

→ elementary particle

base   **(1)** 底、**(2)** ベース

(1) 対数を考えるときの基本になる数。指数関数＊の定数。$y = a^x$ と表わされるときの a。

(2) トランジスタ＊の一部。規定部にあたる。

→ emitter

basic equation   基本方程式、基本式

未知の量と既知の量を対応させた方程式。

basic law of electrostatics   静電気学の基本法則

「同種の電荷＊は互いにしりぞけ合い、異種の電荷は互いに引き合う」。正電荷を＋、負電荷を－で表わすと、同種の電荷間には斥力がはたらき、異種の電荷間には引力がはたらく。

battery   電池

2 個以上の電池＊を組み合わせたもの。回路＊に電流＊を流すことができる。dry battery は乾電池、storage battery は蓄電池、solar battery は太陽電池。

→ cell

beam   ビーム、光の束

粒子や光＊、電磁波＊の細い流れ。

bearing   軸受け

物体が回転しているとき、その回転軸＊を支える装置。ベアリング。

beat   うなり

振動数＊のわずかに異なった 2 つの波＊が、波の重ね合わせ(superposition)で、周

期的に振幅＊が大きくなったり小さくなったりする現象。振動数のわずかに異なる2つの「音さ＊」を同時に鳴らすと音が大きくなったり小さくなったりするのは、うなりの一例。

becquerel　　　　　　　　　　ベクレル
　放射能＊の単位。記号 Bq で表わす。物質の放射線を出す強度を示すもの。1 Bq（ベクレル）は1秒当りの崩壊数が1個であるような放射能をいう。また 1 Ci（キューリー）＝ 3.7×10^{10} Bq の関係がある。1 Ci はラジウム 1 g の放射能に等しい。

Bernoulli's principle　　　　　ベルヌーイの法則
　液体の圧力＊に関して、作用する体積力が重力だけのとき、「流速が速い場所では圧力が低く、流速が遅い場所では圧力が高い」とするもの。実際には圧力、速さとともに、基準面からの高さが影響する。

beta decay　　　　　　　　　β崩壊
　→ β decay

β decay　　　　　　　　　　β崩壊
　放射性物質＊が崩壊＊する際に、電子＊と反ニュートリノ＊を出すことを β‐崩壊、陽電子＊とニュートリノ＊を出す過程を β＋崩壊という。両者を合わせて β崩壊という。β‐崩壊では原子核＊の中性子＊が陽子＊に変化し、電子を放出＊するので、原子番号＊が1増える。β＋崩壊では原子核の陽子が中性子に変化し、陽電子を放出するので、原子番号が1減る。

beta particle　　　　　　　　β粒子
　→ β particle

β particle　　　　　　　　　β粒子
　放射性物質＊から放出＊された、高エネルギー電子のこと。

beta radiation　　　　　　　β線放射
　→ β radiation

β radiation　　　　　　　　β線放射
　原子核が β粒子＊を放出＊すること。

→ β particle

beta rays　　　　　　　　β 線

β粒子＊の流れ。放射性物質＊から放射＊される高エネルギー電子の流れ。質量が小さく、磁界＊・電界＊から受ける力によって曲がりやすい。物質透過能力と電離作用は３つの放射線の中間の強さ。

betatron　　　　　　　　ベータトロン

電子＊の加速装置。電子を電磁誘導＊の原理を使って加速する。1940 年にアメリカのケルストが実現した。

bias　　　　　　　　バイアス

ある動作の動作基準点を、電圧＊などの作用を加えてずらすこと。

Big Bang Theory　　　　ビッグバン理論

超高密度、超高温の塊の状態が爆発（この爆発をビッグバンという）し、その膨張＊によって温度が下がる過程で宇宙ができたとする考え方。膨張宇宙論ともいう。1970 年代以降、宇宙論の主流となった。

bimetal　　　　　　　　バイメタル

熱膨張率＊の異なる２種類の金属板を張り合わせたもの。温度＊の変化により、２つの金属板の伸びが異なるため曲がる。サーモスタットはバイメタルを利用したもの。

binary star　　　　　　連星、２重星

接近した２つの恒星＊が、お互いに重力＊で引き合いながら回っている状態。

binary system　　　　　　２進法

０と１を使って数値を表わす方法。右から n 桁目の数が 2^{n-1} に相当する。たとえば、7 は $2^2 + 2^1 + 2^0$ で 111 となる。

binding energy　　　　結合エネルギー

いくつかの粒子が結合＊しているとき、この結合を断ち切って粒子をばらばらの状態にするのに必要なエネルギー＊。結合エネルギーといえば、単に、原子核＊の結合エネルギーを指す場合がある。

→ binding energy of nucleus

binding energy of a satellite　　人工衛星の結合エネルギー
衛星＊が重力＊に打ち勝ち、地球を脱出するのに必要なエネルギー＊。

binding energy of nuclear particle　　核子１個の結合エネルギー
原子核＊から核子１個を取り出すのに必要なエネルギー＊。

binding energy of nucleus　　原子核の結合エネルギー
原子核＊をばらばらにして、陽子＊と中性子＊の状態にするのに必要なエネルギー＊。

Biot-Savart law　　ビオ・サバールの法則
電流＊による磁界＊の強さは、電流＊の強さに比例し、電流からの距離＊の２乗に反比例する。アンペールの法則＊と表現は異なるが内容は同じ。

bit　　ビット
コンピュータ＊で取り扱うことができる２進法＊情報の桁数。
→ byte

black body　　黒体
表面にあたったすべての波長＊の放射＊を100％吸収するような理想的な物体＊。光があたっても反射しないので黒く見える。完全黒体ともいう。熱放射の理論研究に重要。

black body radiation　　黒体放射、黒体輻射
黒体＊から放出＊される電磁波＊をいう。黒体の温度によって、放射＊される電磁波の波長＊と密度＊の分布は決まっている（プランクの放射則）。量子力学＊の基礎のひとつ。
→ cavity radiation

black box　　ブラックボックス
ある装置に関して、どういう原理＊で動くかなどの内部の構造を問題にせず、外から見た特性＊や動作のみを問題にするとき、その装置をブラックボックスという。テレビの構造を知らないで、テレビを見る場合は、テレビはその人にとって

ブラックボックスとなる。

black hole　　　　　　　ブラックホール

非常に質量＊の大きい物体＊が、きわめて小さい体積＊の場所に集まった状態。
物体の重力場＊のために、空間がゆがみ、周囲の物質や光＊を吸収してしまう。
アインシュタインの一般相対性原理＊から導かれた解である。太陽より数倍大き
い星が燃え尽きて、自身の重力＊によって崩壊＊するときにできると考えられて
いる。

blue shift　　　　　　　ブルーシフト、青方偏移

red shift の逆の状態。
↔red shift

body　　　　　　　　　物体

形と大きさがあり、空間を占めるもの。

Bohr atom model　　　　ボーア原子モデル

ボーアが考えた水素原子のモデル＊。電子＊の軌道＊は古典力学の運動方程式＊
に従うだけでなく、次の2つの条件をもつとした。これにより、水素原子の発光
スペクトル＊が線スペクトル＊になることをうまく説明した。
(1) 量子条件：原子＊内の電子軌道＊の安定な状態（定常状態＊という）は、とび
とびのエネルギー状態（エネルギー準位＊という）をとる。いいかえると、電子
が安定なのは、電子の運動量の大きさと円周の長さとの積がプランク定数＊の正
数倍に等しいときだけである。これを式で表わすと、電子は

$$mvr = \frac{nh}{2\pi}$$

（ただし、電子の質量を m、半径＊ r、速度 v、プランク定数 h、n は自然数）
の条件の軌道のみが許される。ここで、n は量子数＊という。
(2) 振動数条件：電子があるエネルギー準位の定常状態から、別の定常状態に変わ
るとき、そのエネルギー差に相当する光子＊を放出あるいは吸収する。つまり、
電子のエネルギー準位の差が光子のエネルギーとなり、光が放射されたり吸収さ
れたりする。これを式で表わすと、$h\nu = En - En'$（ただし、エネルギー準位 En、
En'、光の振動数＊ ν）となる。

Bohr radius ボーア半径

水素原子の半径＊。0.053 nm。

boiling 沸騰

液体を加熱していき一定の温度＊に達すると、液体表面だけでなく、液体内部からも盛んに気化＊するようになる。この状態をいう。また、液体が沸騰する温度を沸点＊という。

→ boiling point

→ vaporization

boiling point 沸点

大気圧＊と、液体の蒸気圧とが等しくなる温度。沸騰＊が起こる温度。水の場合は大気圧１気圧のもとで、100 ℃である。

Boltzmann constant ボルツマン定数

記号は k。$k = 1.380658 \times 10^{-23}$ J/K。気体定数＊R を 1 mol の分子数であるアボガドロ数＊で割ったもの。理想気体の分子の平均運動エネルギーは絶対温度に比例するが、これを表わす式の定数がボルツマン定数である。

→ Avogadro's constant

bond 結合

分子＊や原子＊、イオン＊が電子＊を得たり、失ったり、共有したりすることで互いに結び付くこと。化学結合。結合の種類には、イオン結合＊、共有結合＊、金属結合＊がある。

bond dissociation energy 結合切断エネルギー

原子＊を結合＊から引き離すのに必要なエネルギー＊。

Bose particle ボース粒子、ボソン

スピン＊が 0 または整数の値をもつ粒子。例としては、スピンが 0 の K 中間子、π 中間子などの素粒子＊、スピンが 1 の光子＊がある。この他に、偶数個の核子＊から構成された原子核＊、たとえば重水素 ^{4}He（スピン 0）や ^{2}H（スピン 1）もボース粒子である。この中で素粒子のボース粒子は、物質＊をつくる粒子であるフェルミ粒子＊に対し、相互作用の力＊を伝える媒介をする。

→ elementary particle

B

boson ボース粒子、ボソン
→ Bose particle

boundary condition 境界条件
範囲が限られたある場所での物理現象について、その場所と周囲との境界で、物理現象の起こり方を規定する条件。たとえば、固定端＊での波＊の反射＊の場合、固定端での変位＊＝0が境界条件となる。

bow wave 頭部波
波＊の伝わる速さ＊より物体＊が速く進むときにできる、物体＊を頂点とする円錐状の波＊。衝撃波ともいう。たとえば水の上を船が水波より速く伝わるときにできるV字型の波。
→ shock wave

Boyle's law ボイルの法則
温度＊が一定の条件の下で、気体の圧力＊Pと体積＊Vは反比例する。$PV =$一定

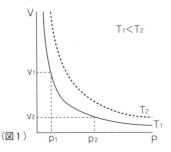

（図1） $T_1 < T_2$

Boyle-Charle's law ボイル・シャルルの法則
理想気体＊の状態方程式＊$PV = nRT$をいう。Pは圧力＊、Vは体積＊、nは気体のモル数＊、Rは気体定数＊、Tは絶対温度＊。「温度が一定のとき、一定量の気体の圧力と体積は反比例する」というボイルの法則と、「気体の体積は絶対温度に比例する」というシャルルの法則をまとめたもの。実在気体では、圧力が小さく、絶対温度が高い場合によく近似できる。
→ Boyle's law
→ Charle's law

Bragg condition ブラッグの条件
→ Bragg equation

Bragg equation　　　　ブラッグの式

結晶＊にＸ線＊を入射＊するとき、Ｘ線は平行ないくつかの原子価で反射し、同方向に進むものが互いに干渉＊する。ここで 2d sin θ = m λ （m は整数、d は原子＊の格子間隔、 θ は入射角＊、 λ は Ｘ 線の波長＊）の条件が満たされるとき、反射 Ｘ 線が干渉して強め合う（Ｘ線回折）。回折＊を利用して、入射角とＸ線の波長の値をもとに結晶の構造を調べることが行われている。

Bragg reflection　　　　ブラッグ反射

ブラッグの式＊が成り立つ反射＊。反射方向では回折波＊が現れる。

→ Bragg equation

Braun tube　　　　ブラウン管

陰極管＊（陰極線管）の一種。電子線＊を、電気信号＊を加えた偏向コイル（磁界）＊または偏向板（電界）＊で偏向＊させ、蛍光膜に衝突＊させて、衝突位置や輝度で信号を観察する装置。各種の電磁信号を光学像として見ることができる。テレビの画面表示部分に使われているものは偏向コイルを用いているものが多い。

→ cathode ray tube

breaking radiation　　　　制動放射

→ bremsstrahlung

breeder reactor　　　　増殖炉

消費した核燃料＊よりも、多くの核分裂＊物質性を作り出す原子炉＊。

bremsstrahlung　　　　制動放射

荷電粒子が強い電界の中を通って加速度＊を受けるとき、まわりの電磁界がふり落とされて放射＊する電磁波＊。高速の電子がターゲット（陽極）にあたってＸ線＊を出すのは制動放射による。

Brewster angle　　　　ブルースター角、偏光角

→ Brewster's law

Brewster's law　　　　ブルースターの法則

透明な物質に自然光を入射すると、一部は屈折し一部は反射する。1815 年、ブルースターは「屈折率＊n の透明な物質の表面に自然光が入射するとき、入射角＊ θ

B

がtan $\theta = n$ を満たす場合、反射光が入射面に垂直な電界 * ベクトルをもつ直線偏光 * になる」という法則を発見した。このときの角度のことを、ブルースター角 * あるいは偏光角 * という。

British system 　　　英国式単位系

アメリカで用いられている単位系。長さにフィート (feet)、質量 * にポンド (pound)、時間 * に秒 (second)、電気量 * にクーロン (coulomb) をそれぞれ単位とする。

British Thermal Unit 　　　英国熱量単位、**BTU**

熱量 * の単位。記号 BTU。1 BTU = 1.05506 kJ。

brittleness 　　　脆性、もろさ

物体 * に力 * を加えたときに、ごくわずか変形しただけで破壊されてしまうこと。延性や靭性の反対の概念。
↔ductility
↔toughness

Brownian motion 　　　ブラウン運動

液体や気体中に微粒子 * を置くとき、液体や気体の分子が微粒子にばらばらに衝突 * するために、微粒子が不規則ででたらめな運動をすること。分子の熱運動 * の証拠である。

Brownian movement 　　　ブラウン運動
　→ Brownian motion

brushes 　　　ブラシ

モーター * や発電機 * などの回転子に接触して、外部からの電流 * を供給するもの。炭素、黒鉛や金属黒鉛（黒鉛に金属粉を混ぜたもの）などを使用する。

bubble chamber 　　　泡箱

液体中の小さい泡の発生によって、高エネルギーの荷電 * 粒子の軌跡を可視化する装置。容器中の液体を加熱し高圧下に置いて沸騰しないようにしておき、急激に減圧させると過熱状態になる。ここに荷電粒子が飛び込むと、通過した跡に泡が発生する。

buffer　　　　　　　　　緩衝器、バッファー
衝突や衝撃を和らげる装置。

buoyancy　　　　　　　　浮力
→ buoyant force

buoyant force　　　　　　浮力
液体中で、物体＊が上向きに受ける力＊。浮力の大きさは、物体がおしのけた液体
部分にはたらく重力＊に相当する。
→ Archimedes' principle

byte　　　　　　　　　　バイト
2進法＊で表わされる8桁 (8bit) のデータ＊。例：11011001。

C

C クーロン

電気量（電荷）＊の単位＊。記号 C（クーロン）。電気量の MKSA 単位＊。1 A の電流が 1 秒間に運ぶ電気量を 1 C という。

cal カロリー

→ calorie

calibration 検度、較正

物質の測定＊をはじめる際に、測定器の目盛りの値とその物質の真の値の関係を調べること。たとえば、電流計＊の目盛り＊である点が 1.0 A と表示されていても、それが真に 1.0 A を流したときに針が指す位置とは限らない。これを実験の前に調べて知っておく必要がある。

calorie カロリー

熱量＊の単位。記号 cal（カロリー）。1 気圧の下で、純水 1 g を 14.5 ℃から 15.5 ℃まで上昇させるのに必要なエネルギー＊を 1 cal という。1 cal ＝ 4.19 J の関係がある。

calorimeter 熱量計

熱量を測定する装置。カロリメーターともいう。

candela カンデラ

→ cd

capacitance **(1) 電気容量、静電容量　(2) 容量**

(1) コンデンサー＊や絶縁＊された導体＊に電気量＊Q を与えて、物体＊の電位＊が V だけ上昇したとき、Q と V の比 $\dfrac{Q}{V}$ を電気容量という。電荷＊をたくわえる容器としての導体の性能を表わす量。導体の電位を 1 V 上昇させるのに必要な電荷。また、静電容量あるいは単に容量という場合もある。電気容量の単位は F（ファラッド）。多量の電気をたくわえるためには、電気容量の大きいものほどよい。
(2) 電力機器の能力をいう。取り扱える皮相電力＊の大きさで表わす。

capacitive reactance　　　容量（性）リアクタンス

交流電圧 * をかけたときに、流れる電流 * の位相 * が 90 度進んでいるようなリアクタンス *。単位は Ω（オーム）。リアクタンスは交流回路 * における抵抗 * としての効果（大きさ）を表わす。コンデンサー * は容量性リアクタンスの例である。コンデンサー * の場合の容量性リアクタンスの大きさは、$\dfrac{1}{\omega C}$ となる。ただし、かけた交流の角周波数 * を ω、コンデンサーの電気容量 * を C とする。
→ inductive reactance

capacitor　　　コンデンサー、蓄電器

電気をたくわえるためのもので、2 つの導体 * の間に不導体 * をはさみ静電容量 * をもたせている。静電誘導 * の原理で電荷 * をためることができる。

capacity　　　**(1) 容量　(2) 静電容量、電気容量**

(1) ある物理量 * を入れられる容器の大きさを表わす。電気容量 *、熱容量 * などに用いる。
(2) → capacitance (1)

capillarity　　　毛管現象

液体に毛細管を入れると、液体が管を伝わって昇ってきたり、押し出されたりすること。液体の表面張力による。

carbon dating　　　炭素年代測定

測定物体中の放射性元素 * ^{14}C の量を測り、^{14}C の半減期 * から、年代を決定する方法。

carbon 14 dating　　　炭素 14 年代測定

→ carbon dating

carburetor　　　キャブレーター

ガソリンエンジン * で、霧状の燃料 * と空気との混合ガスを作る装置。

Carnot cycle　　　カルノーサイクル

カルノーが考え出した熱のサイクル * で、作業物質 * は次の 4 つの準静的な過程（物体を変化させるとき、常に平衡状態からはずれないような変化の過程）をたどる。カルノーサイクルは可逆変化 * である。カルノーサイクルによる熱機関 * は、

可逆熱機関となる。
(1) 等温膨張→ (2) 断熱膨張＊で温度を下げる→ (3) 等温圧縮→ (4) 断熱圧縮＊で
元に戻る。

carrier wave 搬送波
振幅変調＊(AM) や振動数変調＊(FM) では、一定振動数の高周波を、送りたい音声
などの信号波を使って変調してから電波＊として送信＊する。このときの高周波
を搬送波という。

Cartesian coordinates デカルト座標、直交座標
空間上の点を互いに直角に交わる軸を使って表わした点の集まり、集合。

Cartesian coordinate system デカルト座標系、直交座標系
空間上の点の座標を互いに直交する軸（直交軸。orthoaxis という）を使って表わ
す座標系。たとえば、3 次元（縦、横、高さをもつ立体）内のある点 P の座標
(Px, Py, Pz) は、原点を通る 3 つの直交軸（x, y, z 軸）からの距離を使って表わさ
れる。このとき、Px は y 軸と z 軸の作る平面と点 P との距離になる。

catalyzer 触媒
自身は変化しないのに、他のものの化学反応を促進あるいは抑制する物質＊。

cathode **(1) 電池の正極** **(2) 電気分解の陰極** **(3) カソード**
(1) 電池＊のプラス極。
(2) 電気分解＊での陰極＊、電池の－をつなぐ側の極。
(3) 真空管＊の陰極＊、電池の－極をつなぐ側。
↔anode

cathode ray tube (CRT) 陰極線管、ブラウン管
電子線を電界＊や磁界＊で偏光＊させ、蛍光体＊に当てて、その衝突位置や輝度
などの信号をもとに字や図形を映し出す装置。テレビのブラウン管など。
→ Braun tube

cathode rays 陰極線
真空管＊内での、電子＊の流れ。陰極＊から陽極＊へ向かう。

cation　　　　　　　　　　陽イオン

原子＊や分子＊が電子＊を放出＊し、正の電気＊を帯びた状態。一般に金属原子は陽イオンになりやすい。

↔anion

causality　　　　　　　　　因果律

すべての事物・現象について、原因と結果の間に一定の関係があるとする原理＊。どんな現象でも、最初の条件を決めておけば、結果は同じものになると考える。古典物理学＊では正しいとされたが、量子力学＊ではあてはまらない。

↔uncertainty principle

cavitation　　　　　　　　キャビテーション

船のスクリューなどの、液体中で高速運動をする物体＊の表面に、水蒸気＊や、水中にとけていた気体が気泡として出てくること。

cavity radiation　　　　　　空洞放射

電磁波＊を通さない壁で囲まれた空洞の内部で、温度＊が一定（熱平衡）の状態にある電磁波＊放射をいう。空洞にごく小さい穴を空けたときの放射は、黒体放射＊と同じと考えられる。量子力学＊の基礎のひとつである。

→ black body radiation

cd　　　　　　　　　　　　カンデラ

光度＊の単位＊。白金の凝固点＊にある黒体＊の輝度を 600,000 cd/m^2 と定める。

celestial body　　　　　　天体

宇宙にある物質＊の集まりをいう。恒星、惑星、衛星、星団、すい星など。

cell　　　　　　　　(1) 電池　(2) 電解槽

(1) 化学変化＊を電気エネルギー＊に換える装置。電解質溶液中にイオン化傾向の異なる２種類の金属を入れ、金属と溶液中の原子や原子団との間の化学変化によって、金属と溶液との間に接触電位差（電圧＊）が生じることを利用する。化学変化で２つの電極＊の間に電位差を作り出し、外部に電流＊を流すことができる。

(2) 電気分解が行われる装置のこと。電気エネルギーを化学変化に換える。イオン＊を含む溶液＊の容器に、外部から電極を通して電流を流すと、電極表面で化学変化が起こる。

C

→ electrolysis
→ electrolyte cell

Celsius scale　　　　　　　セ氏温度目盛り、摂氏温度
→ Celsius temperature scale

Celsius temperature scale　　セ氏温度目盛り、摂氏温度
セルシウス温度ともいう。単位℃（度シー）。水の凝固点 * を 0 ℃、沸点を 100 ℃
としたきの温度 * の表わし方。摂氏温度 t [℃] と絶対温度 T [K] の間には
$T = t + 273.15$ の変換式がある。
→ absolute temperature
→ Fahrenheit temperature scale

center of curvature　　　　曲率中心
曲線や曲面、たとえば凹凸面鏡やレンズ * などで、表面に接する円あるいは球の
中心点。
→ curvature

center of gravity　　　　　　重心
→ center of mass

center of mass　　　　　　質量中心
物体 * に外力 * が加わるとき、物体の全重量が一点に集中し全外力が一点に加わ
るのと同じはたらきをする点。物体の各部分にはたらく重力の合力の作用点。重
心(center of gravity) ともいう。位置 *$x_1, x_2, x_3, \cdots x_n$ に、質量 *$m_1, m_2, m_3, \cdots m_n$
が分布している物体の質量中心は $\dfrac{\Sigma\, mx}{\Sigma\, m}$ で表わされる。

centi-　　　　　　　　　　センチー
単位 * の 1/100 を表わす接頭語。もともと 100 分の 1 という意味のラテン語。
例：1 cm = 1/100m

centimeter　　　　　　　　センチメートル
1 メートルの 100 分の 1。1 cm = 1/100 m = 0.01 m

central force　　　　　中心力
運動する物体＊にはたらく力＊が常にある一点を通り、その力の大きさが定点と
物体までの距離＊によって決まるとき、この力を中心力という。中心力ではその
定点（力の中心という）のまわりの角運動量＊が保存される。中心力の例として、
万有引力＊やクーロン力＊がある。

central processing unit (CPU)　　　　中央演算処理装置
コンピュータ＊の中で外部とのデータ＊の入出力を制御したり、加減乗除などの
算術演算や論理演算を行う装置。

centrifugal　　　　　遠心の
円の中心に向かう向きと逆の向き。
↔centripetal

centrifugal force　　　　　遠心力
等速円運動＊する物体にはたらく慣性力＊。向心力＊の慣性力で、向心力と向き
が逆で大きさが等しい力＊。たとえば、物体＊も観測者もともに円運動＊をして
いるとき、物体には向心力と逆の力が作用しているように見えたり、感じたりす
る。この逆向きの力が円運動の遠心力である。
↔centripetal force

centrifugal machine　　　　遠心分離機
→ centrifugal separator

centrifugal separator　　　　遠心分離機
物体＊の円運動＊の遠心力＊を利用して、密度＊や質量＊の異なる物質＊を分け
る機械。

centripetal　　　　　向心の
円の中心を向くこと。
↔centrifugal

centripetal acceleration　　　　向心加速度
等速円運動をする物体に生じている円の中心を向く加速度＊。向心力＊によって受
ける加速度。

C

centripetal force　　　　向心力

物体＊が力＊を受けて運動＊しているとき、運動の軌跡の接線＊方向にはたらく力＊と、運動の軌跡に接する円の中心方向（接線と 90 度の方向）にはたらく力に分解できる。このときの後者を向心力という。等速円運動の場合は、物体にはたらく力は向心力だけであり、これは円軌道の中心を向く。向心力を F、円の半径を r、角速度を ω、物体の速さを v とするとき

$$F = mr\,\omega^2 = \frac{mv^2}{r}　となる。$$

↔centrifugal force

ceramics　　　　セラミックス

無機非金属物質を高温処理して製造したもの。粘土や砂などを高温で焼き固めてできた陶器や磁器は、古典的セラミックスともいい、現在はニューセラミックス、ファインセラミックスなどが盛んに研究されている。

cermet　　　　サーメット

金属＊の粉末とセラミックス＊の粉末を圧縮成形し、高温で焼き固めた材料。合金とセラミックスの特性を合わせもつ。

chain reaction　　　　連鎖反応

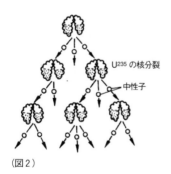

（図2）

(1) ひとつの反応が起こったとき、その反応でできた生成物が次の同じ反応のための条件を作り出して、繰り返し反応が続いていくこと。鎖がつながっている形からいう。
(2) 核反応で生じた中性子＊が、次の核分裂＊を引き起こし、次々と核分裂反応を続けていくこと（左図）。1 個の中性子が核分裂してできる中性子が 1 個より多いと、その中性子が別の原子核に吸収され、また核分裂を起こす。こうしてねずみ算的に中性子が増え続け、短時間で爆発してしまう。これを利用したのが原子爆弾である。

chaos　　　　カオス

混沌。力学法則に従いながら、確率的法則によって支配されている不規則な運動。例：乱流＊。初期条件と境界条件＊が同じならば、以降の運動は決まるはずだが、実際は初期にすべての分子の位置や状態を知ることはできないため、初期条件が

同じにみえても不規則な運動が起こる。

character frequency　　固有振動数

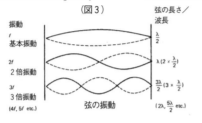

(図3)

振動体が振動＊するときに、振動体に
よって決まった振動数＊をとること。
笛などの気柱＊では、気柱の長さで決
まる基本振動＊と、そのN倍の整数倍
振動が生ずる。このときのそれぞれの
振動を固有振動＊といい、その振動数
が固有振動数である。

character X-rays　　固有X線、特性X線

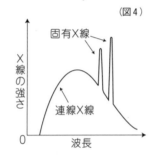

(図4)

金属＊を陽極（対陰極）＊にして電子＊を衝突＊さ
せてX線＊を発生させると、加速電圧＊によらずに、
金属の種類特有の波長＊をもつX線が観測される。
これを固有X線という。外からの加速電子が原子＊
に衝突したことで、原子核＊に近い軌道を回ってい
る電子（核外電子）がエネルギー準位＊の高い状態
から低い状態へ移るときにそのエネルギー＊の差を
固有X線として放出する。

→ continuous X-rays

characteristic vibration　　固有振動

振動体が自由に振動＊するとき、振動体の特性＊と振動体の置かれた条件によっ
て定まる、特定の振動をする。これを固有振動という。

→ forced vibration

charge　　(1) 電荷　(2) 帯電　(3) 充電する

(1) 電荷＊(electric charge) のこと。＋または－の電気＊を帯びた粒。または、帯び
ている電気の量（電気量＊）。帯びる電気量は電子＊の電荷 e = 1.60 × 10⁻¹⁹ C の
整数倍である。

(2) ＋または－の電気をもつようになること。他の帯電体＊との接触や、摩擦、静
電誘導＊、誘電分極＊によって起きる。接触や摩擦の場合は、電子の移動によって
起きる。電子を失うと＋の、電子を受け取ると－の電気を帯びる。

→ electrostatic induction

→ induced polarization

(3) コンデンサー＊や蓄電池＊などに、別の電源＊をつないで電流＊を流して、電気エネルギー＊を与えてやること。

→ charging

charge body　　　　　　帯電体

＋または－の電気＊を帯びている物体＊。

charged　　　　　　帯電した、荷電の

＋または－の電気＊をもっている状態。電子＊の移動によって起きる。電子を失うと＋の、電子を受け取ると－の電気を帯びる。

charged particle　　　　荷電粒子

電気＊を帯びた小さい粒。電子＊(electron)、陽イオン＊(cation)、陰イオン＊(anion)、陽子＊(proton) など。

charge polarization　　　誘電分極

→ induced polarization

charging　　　　　　充電

コンデンサー＊や蓄電地＊などに、別の電源＊をつないで電流＊を流して、電気エネルギー＊を与えてやること。

charging by contact　　接触による帯電

帯電体＊に、物体＊が接触したり摩擦したりすることによって、電子＊の移動が起こり、物体も電気＊を帯びること。

→ polarization

charging by induction　　（静電）誘導による帯電

金属＊でできた導体＊の近くに帯電体＊を置いたり電界＊をかけると、静電誘導＊によって、帯電体に近い側に異種の電荷＊、遠い側に同種の電荷を生ずる現象をいう。導体では、自由電子＊をもち、電界をかけることにより、電界の＋側に自由電子が移動し－に帯電＊する。一方、－側では自由電子を失った＋の金属イオン＊が残るため、＋に帯電する。

→ electrostatic induction

→ polarization

Charles' law　　　　　シャルルの法則

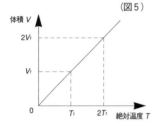

（図 5）

「圧力 * が一定の条件の下で、気体の体積 *V は絶対
温度 *T に比例する」という法則。ゲイ・リュサックの法則ともいう（$\frac{V}{T}$ ＝一定）。本来の形は、「一
定圧力の下で、気体の体積は温度が 1 ℃上昇するごとに 0 ℃の体積の 1/273 だけ増える」である。

chemical　　　　　　　化学の
→ chemistry

chemical action　　　　化学作用
化学変化 * を起こさせること。

chemical bond　　　　　化学結合
分子 * や、原子 * や分子が集まってできる結晶 * を結び付けているもの。物質内
での原子と原子の結び付き。、共有結合 *(covalent bond)、イオン結合 *(ionic
bond)、金属結合 *(metallic bond) などがある。

chemical change　　　　化学変化
→ chemical reaction

chemical combination　　化合
2 種類以上の元素 * が、化学変化 * により別の物質 * を作ること。化合してでき
た物質を、化合物 * という。

chemical energy　　　　化学的エネルギー
原子 * 間の結合 * によってたくわえられているエネルギー *。原子の配列による
位置エネルギー * と考えてよい。

chemical equation　　　化学反応式、化学方程式
化学反応 * のようすを式に表わしたもの。反応物を左辺に、生成物を右辺に書く。

物質間の量的関係も示すように係数をつけて、左辺と右辺で原子の総数が変わらないようにする。

chemical equilibrium 化学平衡

可逆変化である化学反応式＊において、右へ進む反応＊と左へ進む反応の速さが等しく、見かけ上反応が停止して見える状態。正反応の速さと逆反応の速さがつり合っている。

chemical formula 化学式

元素記号の組み合わせで物質＊の化学組成を表わす式。実験式、分子式、示性式、構造式などがある。詳しくは化学の教科書などを参照のこと。

chemical property 化学的特性、化学的性質

ある特定の物質について、どのような化学物質とどのように結び付くかという性質。

chemical reaction 化学変化

物質における原子＊や分子＊の組み合わせが変わり、異なった性質をもった別の物質＊になること。

chemical symbol 元素（化学）記号

化学物質を表わすのに使う記号で、元素＊ごとに定まっている。水素 H、ナトリウム Na、酸素 O など。

chemically combined 化合した

→ chemical combination

chemically stable 化学的に安定、不活性な

ヘリウムやアルゴンのように、最外殻の電子軌道＊が電子＊で満たされている状態。通常の条件では、化合物＊を作ることがない。

→ monoatomic molecule

chemically unstable 化学的に不安定な

ナトリウム原子や塩素原子などのように、最外殻の電子軌道＊に数個の電子＊が余っていたり不足している状態。他の物質＊と化学変化＊を起こしやすい。

chemistry　　　　　　　　化学

　物質＊を構成する原子や分子をもとに、その性質や構造、物質間の反応を調べる学問。

Cherenkov radiation　　　　チェレンコフ放射

　物質＊中を荷電粒子が、その物質内の光速よりも速く運動するとき、粒子の軌跡に沿って（運動の接線＊の方向に）円錐形の波頭をもつ光を放射する現象。

chip　　　　　　　　　　チップ

　半導体＊チップ。IC＊などの電子回路の組み込まれた小片。

Chladni's figures　　　　　クラドニー図形

　一点を支持した板に、コルク粉などの微粉末をばらまき、板をバイオリンの弓などでこすって振動＊させる。振動によってできた定常波＊の節＊に当たる部分に、コルク粉が集まり、振動の様子が模様になって見える。これをクラドニー図形という。

chlorofluorocarbon (CFC)　　フロン

　クロロフルオロカーボン、別名フロンまたはフレオン。塩素、フッ素、炭素の化合物＊。スプレーや冷蔵庫の冷媒、洗浄用溶媒として用いられていた化学的に安定な気体。しかし、大気圏上空で紫外線＊との反応によりオゾン層＊を破壊することがわかり、使用や生産が制限されるようになった。

chromatic aberration　　　色収差

　レンズ＊では光の波長＊によって屈折率＊が異なるため、色によって焦点＊の位置が異なる。このため色のついた像＊では、像が焦点に集まらなくなり、ぼやける。これを色収差という。

　→ aberration

Ci　　　　　　　　　　　キュリー

　放射能の強さ（放射性元素が放射能を出して壊変し、他の元素に変わっていく過程について、単位時間に起こる崩壊数）を表わす単位。記号 Ci（キュリー）。1 Ci は毎秒当たりの原子＊の崩壊数＊が、3.70×10^{10} 個であるような放射性物質＊の量をいう。これはおよそ、ラジウム 1 g の崩壊速度に相当する。

　→ becquerel

C

circuit　　　　　　　　　　回路

　電気＊や流体＊、エネルギー＊などが通る、輪状あるいは網状の通り道。通常は電気の通り道である電気回路＊を指す。

　・ closed circuit　閉回路＊

　　　回路の開始点と終点がつながっている回路。通常の回路。

　・ open circuit　開回路＊

　　　回路で、スイッチなどにより特定の部分が未接続になっているもの。閉回路に対して用いる。

circuit breaker　　　　　ブレーカー、電流遮断器

　回路＊を流れる電流＊が過大になったときに、回路の一部を遮断して、電流を止める安全装置。

circuit diagram　　　　　回路図

　回路＊とその構成部品を特定の記号やシンボルに対応させて描いた図。

circuit element　　　　　回路素子

　抵抗＊、コンデンサー＊、トランジスタ＊、ダイオード＊、IC＊など、電気回路を構成している部品。導線は含まない。

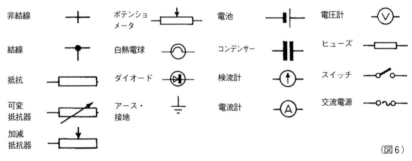

非結線		ポテンショ メータ		電池		電圧計	
結線		白熱電球		コンデンサー		ヒューズ	
抵抗		ダイオード		検流計		スイッチ	
可変 抵抗器		アース・ 接地		電流計		交流電源	
加減 抵抗器							

（図6）

circuit tester　　　　　テスター、回路計

　直流や交流の電圧＊、電流＊、抵抗＊などを調べる測定器。ひとつの計器で測定できるように設計されている。

circular coil　　　　　　円形コイル

導線を円状に巻いたもの。流す電流 * を I [A]、コイル * の半径を r [m]、コイル
の中心付近の磁界 * を H [A/m] とすると H $= \dfrac{I}{2r}$ で表わされる。

circular current　　　　　円電流

円形コイル(circular coil) を流れる電流。

circular method　　　　　弧度法

角度を表わす方法。単位 rad（ラジアン）。角度を、その角度の扇型の弧の長さを
半径で割った値で表わす。半径 r の円で長さ r の弧が中心に張る角の大きさが 1
rad。角度を θ、弧の長さを l、半径 * を r として $\theta = \dfrac{l}{r}$ 。$360° = 2\pi$ rad。

circular motion　　　　　円運動

物体の運動の軌跡が一定の円周を描くもの。

　→ uniform circular motion

circumference　　　　　　円周

円の曲線部分の長さ。円の半径 * を r とすると、円周の長さは $2\pi r$ である。

clamp　　　　　　　　　　クランプ、つかみ

ねじでしめる締めがね。

Clarsius' principle　　　　クラジウスの原理

温度の異なる物体を接触させると、熱は高温物体から低温物体のほうに移り、そ
の逆にひとりでに移動することは決してない。「熱 * が、高温の物体 * から低温の
物体へ、他のなんらの変化を残さずに移動する過程は不可逆な * 過程である」。こ
れは、熱力学第 2 法則 * の表現のひとつである。

　→ second law of thermodynamics

classical mechanics　　　　古典力学

ニュートンの運動の法則 * をもとにした力学。

　→ Newton's laws of motion

classical physics　　　　　古典物理学

17 ～ 19 世紀末頃までの量子論 * 以前の物理学。ニュートン力学（古典力学

classical mechanics)、マックスウェル電磁気学など。

clockwise rotation　　　　時計回り
時計の針の動く方向に進むこと。右回り。

closed　　　　閉じた

closed circuit　　　　閉回路
回路 * で、接続が閉じていて、電流路が完成している回路のこと。開回路 * に対して用いる。
→ open circuit

closed loop　　　　閉じたループ
閉回路 * を流れる電流 *。

closed system　　　　閉じた系、閉鎖系
外界とエネルギー * や物質の交換をしない系 *、世界。
↔open system

closed tube　　　　閉管

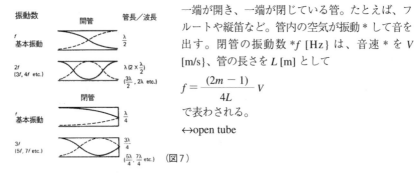

一端が開き、一端が閉じている管。たとえば、フルートや縦笛など。管内の空気が振動 * して音を出す。閉管の振動数 *f [Hz] は、音速 * を V [m/s]、管の長さを L [m] として

$$f = \frac{(2m - 1)}{4L} V$$

で表わされる。
↔open tube

（図7）

closed universe　　　　閉じた宇宙
宇宙膨張説で、われわれの宇宙の質量 * が十分大きければ、ある点で膨張 * が止まり万有引力 * によって収縮 * がはじまるという考え方。
→ open universe

cloud chamber　　　　　　霧箱

（図8）

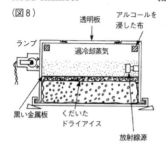

透明板　　アルコールを浸した布

ランプ

過冷却蒸気

黒い金属板　　くだいたドライアイス

放射線源

荷電粒子の飛跡を視覚化する装置。容器にアルコールを入れ飽和＊させてから、急激に断熱膨張＊させると温度＊が下がり、その中を放射線が通過すると荷電粒子の軌跡に沿って霧が発生する。これは、荷電粒子の通り道にある分子＊が、粒子との衝突＊でイオン＊になり、霧の核となるためである。ウィルソンの霧箱＊ともいう。

coaxial tube　　　　　　同軸ケーブル

中心においた導線の周囲を、網や円筒などの同心状の導体でおおったもの。電波＊などの高周波信号の伝達に使われる。

Cockroft-Walton's apparatus　コックロフト・ウォルトン装置

加速器＊のひとつ。多くの整流器＊とコンデンサー＊を使って、交流電流を数十万Vの高電圧の直流＊にする。1932年、コックロフトとウォルトンは、この装置で陽子＊を加速してリチウムに衝突＊させ、はじめて人工核分裂を行った。

coefficient　　　　　　（化学反応の）係数

化学反応式＊で化合物＊の前に書かれる数字。化合＊する物質の個数の比を表わす。

coefficient of area expansion　　　　面膨張率

温度変化によって、物体＊の面積が元の面積に対してどれだけ増加するかの割合。

coefficient of cubical expansion　　　　体膨張率

温度変化によって、物体＊の体積＊が元の体積に対してどれだけ増加するかの割合。

coefficient of expansion　　　膨張率

　　→ coefficient of area expansion
　　→ coefficient of cubical expansion
　　→ coefficient of linear expansion
　　→ coefficient of thermal expansion

coefficient of friction　　摩擦係数

物体 * が面から受ける力を抗力 * という。抗力の面と水平な成分を摩擦力 f、面に垂直な成分を垂直抗力 *N という。摩擦係数 * μ とは摩擦力の大きさ f と垂直抗力 N との比であり、$\mu = \dfrac{f}{N}$ で表わされる。

→ coefficient of static friction

→ coefficient of sliding friction

coefficient of linear expansion　線膨張率

温度変化によって、物体 * の長さが元の長さに対してどれだけ増加するかの割合。

coefficient of restitution　　反発係数、はね返り係数

2つの物体 * が衝突するときのはね返り具合いを表わす。2物体の衝突前の速さ * を v_1, v_2、衝突後の速さを v_1', v_2' とするとき、反発係数 *e は

$$e = -\frac{v_2' - v_1'}{v_2 - v_1}$$

で表わされる。$0 \leqq e \leqq 1$ である。反発係数 $e = 0$ のときを完全非弾性衝突といい、衝突により2物体が合体する。$e = 1$ のときを弾性衝突 * といい、衝突後も運動エネルギー * が保存される。$0 < e < 1$ のときは非弾性衝突 * という。非弾性衝突では運動エネルギーは保存しない。

→ elastic collision

→ inelastic collision

coefficient of sliding friction　　運動摩擦係数、動摩擦係数、滑り摩擦係数

水平面に置いた物体をすべりながら横に引くとき等速度運動 * になる大きさの力がある。これを、運動摩擦力 F という。物体の垂直抗力を *N とすると、運動摩擦係数 μ' は $\mu' = \dfrac{F}{N}$ で与えられる。運動摩擦係数はふつう静止摩擦係数 * よりも小さい。

coefficient of static friction　　静止摩擦係数

水平面に置いた物体 * を横に引くとき、力 * を大きくしていって動き出す瞬間の力を最大静止摩擦力 F という。物体の垂直抗力 * を N とすると、静止摩擦係数 μ は $\mu = \dfrac{F}{N}$ で与えられる。ふつう静止摩擦係数 * は運動摩擦係数よりも大きい。

coefficient of thermal expansion　　熱膨張率

温度変化を加えたとき、物体の体積や面積、長さなどが元の値に対してどれだけ

変化するかの割合。温度変化には通常 1 K をとる。

cogeneration　　　　　コジェネレーション
燃料から、電気エネルギー＊と比較的温度の低い熱エネルギー＊を同時に発生させること。

coherence　　　　　干渉性、可干渉性
2つ以上の波が同じ時刻に同じ場所に到達したとき、干渉＊を起こすことができること。コヒーレンスともいう。水波などでは、同一波長＊と同じ位相＊をもつ2つの波源からの波はよく干渉性を示す。

coherent light　　　　　コヒーレント光
レーザー光などの干渉性＊をもつ光＊。位相＊のそろった光が空間的かつ時間的に無限に続く状態。原子から出るレーザー光は、振動数、振幅、位相、方向がよく一致した光である。一般には光は干渉性をもたない。

cohesion　　　　　凝集、凝集力
原子＊や分子＊、イオンなどが集まって個体や液体の状態になっていること。またこの集まった状態にはたらく力。この力のために液体や個体は一定の体積をとる。

coil　　　　　コイル
導線をらせん状に巻いたもの。電流＊を流すことで、磁界＊を生ずることができる。円状コイル＊、円筒状コイル＊（ソレノイド＊）などがある。
→ circular coil
→ solenoid

cold neutron　　　　　冷たい中性子
－250 ℃以下の熱エネルギー＊をもつ速度＊のきわめて遅い中性子＊。
↔thermal neutron

collector　　　　　コレクタ
→ emitter

colliding-beam accelerator　　　　　衝突型加速器
加速した粒子どうしを高速で正面衝突させることで、高エネルギー現象を調べる

C

加速器 *。非常に高エネルギーの衝突ができる。シンクロトロン * など。

→ high-energy particle

collision　　　　　　　衝突

２物体 * が接触して互いに力 * を及ぼし合い、運動方向を変えること。

→ coefficient of restitution

→ elastic collision

→ inelastic collision

colloid　　　　　　　コロイド

直径 1 ～ 500 nm 程度の粒子が溶液 * 中に溶けないで散らばっている（分散）状態。

color　　　　　　　色

光 * の振動数 * あるいは波長 * の違いによって、人間が感じる視覚。

color mixture　　　　　混色

色 * をいくつか混ぜ合わせること。

color spectrum　　　　　色のスペクトル

分光器で白色光 * を分解すると見える色の列。波長 * の長い方から、赤、だいだい、黄、緑、青、紫の順に並んでいる。光の色によって屈折率が異なるため光が分散し、スペクトルの原因となる。

combination law　　　　結合法則

→ association law

combined gas law

→ Boyle-Charle's law

combined resistance　　　合成抵抗

いくつかの抵抗 * を、抵抗全体の結果値と等しい抵抗値をもつ抵抗で表わしたもの。合成の仕方は、オームの法則 * で与えられる。直列接続 * の場合は各抵抗値の和になる。

comet　　　　　　　　彗星

太陽をひとつの焦点＊とする細長い楕円軌道を運動する天体。氷や、凝固＊した気体、岩などからできている。

common logarithm　　　　常用対数

10 を底とする対数。$10^x = y$ のとき、x を「10 を底とする y の対数」といい、$\log_{10} y$ と表わす。たとえば、$100 = 10^2$ より、$\log_{10} 100 = 2$。

→ natural logarithm

commutative law　　　　交換法則

ある演算＊について、a ＊ b ＝ b ＊ a が成り立つことを交換法則という。足し算、かけ算は交換法則が成り立つ。ベクトルの内積＊は成り立つが、外積＊は成り立たない。

→ association law

commutator　　　　　　整流子

直流発電器や直流モーターで、電機子＊に流す電流＊の向きを変える（直流にする）装置。

→ armature

compass　　　　　　　羅針盤

自由に動ける浮いた状態の小さい磁石＊によって、地球の南北方向を知る装置。

compensation　　　　　補正

測定値の誤差＊を知って、真の値に近づけるために測定値を修正すること。

complementarity　　　　相補性

物理の 2 つの量の間に、一方の値を確定するともう一方が不定となる関係があるとき、2 つの量は相補的であるという。たとえば、量子力学＊では不確定性原理＊より、粒子の位置と運動量を同時に決めることができず相補的である。

complete burning　　　　完全燃焼

可燃性の物質、たとえば炭素と水素からなる化合物＊が十分な酸素と化合＊（燃焼）して、炭素の変化した CO_2 と水素の変化した H_2O だけを出すこと。

C

complimentary colors 補色

2つの色を混ぜ合わせたときに、白色あるいは灰色になるとき、2つの色は互い
に補色であるという。例：赤と緑。

component 成分

component force 分力、力の成分

力 * をいくつかの方向の成分に分けたもの。xy 平面で x 軸 * と力ベクトル * $\vec{F}$ が
角度 θ をなすとき、$\vec{F}$ の x、y 方向の成分 $\vec{Fx}$、$\vec{Fy}$ はそれぞれ $\vec{Fx} = \vec{Fcos}\ \theta$、$\vec{Fy} =$
$\vec{Fsin}\ \theta$ で表わされる。これらの力を、力の成分、あるいは分力という。力を成分
に分けることを、力の分解(decomposition of force) という。

↔resultant force

component of force 分力、力の成分

→ component force

components of a vector ベクトルの成分

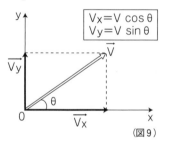

$$V_x = V \cos\theta$$
$$V_y = V \sin\theta$$

（図9）

ひとつのベクトル * をいくつかの方向に分解 *
するとき、各方向のベクトルを元のベクトルの
成分という。たとえば、xy 平面で速度ベクト
ルが $\vec{v}$ で表わされるとき、x 方向の成分は $\vec{v}$ の
x 方向の物体の速度にあたり、v の x 方向の射
影 * となっている。

→ resolve

↔resultant

composite vibration 合成振動

2つ以上の単振動 * が、重ね合わせの原理 * によって合わさった結果、生じた振
動。

→ principle of superposition

composition of forces 力の合成

いくつかの力 * を合わせて、それらと同じはたらきをするひとつの力に直すこと。
合力をつくること。2つの力（$\vec{F_1}$ と $\vec{F_2}$）の合力（$\vec{F_3}$）は、平行四辺形の法則 * に
よって求められる。つまり $\vec{F_3}$ の向きと大きさは、$\vec{F_1}$、$\vec{F_2}$ のベクトルを2辺とする

平行四辺形の対角線の向きと長さに等しい。

↔component force (decomposition of force)

→ resultant force

composition of vectors　　　ベクトルの合成

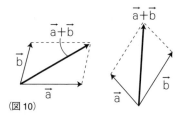

（図10）

いくつかのベクトル＊を合わせて、それら
と同じはたらきをするひとつのベクトルに
直したもの。2つのベクトルの合成ベクト
ルは、平行四辺形の法則＊によって求めら
れる。

↔components of a vector

compound　　　化合物

2種類以上の元素＊が、化学変化＊によって結び付いて（化合＊）できた、元の
物質＊と異なった性質をもった物質。

↔mixture

compressibility　　　圧縮率

弾性体＊や縮む流体＊で、圧力＊をかける場合に、どれだけ縮む（体積が減少す
る）かを表わす。気体の場合は圧力を p として、$\dfrac{1}{P}$ で表わされる。

compression　　　**(1)（波の）密　(2) 圧縮**

(1) 縦波＊（疎密波＊）が進むときには媒質＊の密なところとまばらなところが交
互にできる。このように、波が伝わらないときの媒質＊の位置よりも、媒質の位
置が互いに近寄り密集した状態をいう。

↔rarefaction

(2) 物質＊に力＊を加えて、体積＊を縮めること。

compression stroke　　　圧縮過程

内燃機関＊で、ピストン＊が上昇し、ガソリンと空気を圧縮＊する過程。

→ internal combustion engine

compression wave　　　疎密波、圧縮波

弾性体＊の内部を、疎密の変化として伝わる波。縦波＊、圧縮波などともいう。波

C

＊の進行方向と、媒質＊の振動方向は同じである。音波、地震のP波など。
→ longitudinal wave
→ transversal wave

compressional wave 疎密波、圧縮波
→ compression wave

Compton effect コンプトン効果
X線＊やγ線＊が電子＊に衝突＊するとき（散乱するとき）、散乱されたX線の波長＊が元の波長よりも長くなる現象。コンプトン散乱＊ともいう。コンプトンは、X線を光子＊という粒子とみなしエネルギーと運動量をもつと仮定、この現象を電子と光子の完全弾性衝突＊と考えて、運動量保存則＊とエネルギー保存則＊から説明した。これにより、X線の粒子性が明らかになった。

Compton scattering コンプトン散乱
→ Compton effect

computer コンピュータ
電子計算機。算術操作によって問題を解く電子装置。

computer program コンピュータプログラム
コンピュータに問題解決の動作の指示を与える手順を示したもの。ソフトウェア (software) ともいう。コンピュータ＊に理解できる言語（例：Basic, Fortran, C）で書かれている。

computer virus コンピュータウィルス
コンピュータ＊のデータ＊やプログラム＊を破壊したり、動作をおかしくするために作られたプログラム。自己増殖したり、通信やソフトの使用を通して他のコンピュータの動作もおかしくさせる伝染性がある。人間の病気のウィルスにたとえて名付けられた。

concave 凹の、凹面の
物体の一部がくぼんでいること。
↔convex

concave lens　　　　凹レンズ

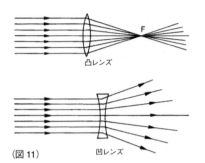

凸レンズ

凹レンズ

(図11)

中央部がへこんだレンズ*。物体が小さく見える。凹レンズに平行な光線を当てると、光線は凹レンズを通ったのち、広がる。広がった光線の焦点は凹レンズの前にある。レンズの後にある焦点に向かって入射した光線は、凹レンズを通った後、平行になる。

↔convex lens

concave mirror　　　　凹面鏡

中央部がへこんだ鏡。物体を写すと大きく見える。

↔convex mirror

concentrated　　　　濃度の濃い、濃縮した

溶液*中の溶質*の濃度*が高いこと。

concentration　　　　濃度

一定量の溶液*に含まれる溶質*の割合を表わす量。あるいは混合気体の中に含まれるある気体の割合を表わす量。注目する物質の成分比を表わす。

concurrent forces　　　　同時に作用する力

力の作用点*が同じで、同時に作用するいくつかの力*のこと。

→ point of action

condensation　　　　凝結、凝縮

飽和蒸気の温度*を下げたり、圧力*を上げることで、その一部が液化すること。単に、気体が液体に変わることを指す場合もある。

condensation point　　　　凝結点

凝結*する温度。気体が液体に変わる温度*。

C

condenser　　　　　　　コンデンサー、蓄電器
→ capacitor

conduction　　　　　　　伝導　**(1)** 電気伝導、電導　**(2)** 熱伝導
熱＊や電気＊が物質＊を通して伝わること。熱伝導、電気伝導（電導ともいう）。
(1) 導体＊中に電位差（電圧＊）があるとき、電位の高いほうから低いほうへ電流
＊が流れること。
(2) 物質中に温度差があるとき、温度＊の高いほうから低いほうへ熱が直接移動す
ること。
→ heat transfer

conduction band　　　　伝導帯
半導体＊で、電子＊が満ちていないエネルギー準位＊をもつエネルギーの領域で、
ここに電子が入ると電界＊中で電流＊をよく流すことができる。

conduction of heat　　　熱伝導
→ conduction (2)

conductor　　　　　　　導体、良導体
電気＊あるいは熱＊をよく流すことができる物質＊。金属＊、酸や塩類の水溶液な
ど。
↔nonconductor
↔semiconductor

configuration　　　　　　配置、配位
原子＊や分子＊、電子＊などの空間的な位置＊。

conical pendulum　　　　円錐振り子

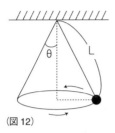

(図12)

糸におもり＊をぶらさげて、おもりを水平面内で等速円運動＊をさせる（おもりが水平な円を描くように運動させる）と、糸の部分は円錐を描く。このような振り子＊をいう。糸の長さを L、糸と鉛直線のなす角度を θ、重力加速度＊を g として、円錐振り子の周期 T は

$$T = 2\pi\sqrt{\frac{L\cos\theta}{g}}$$

となる。

conservation　　　　保存

反応や変化、現象の前後で、ある物理量＊の合計値が一定であること。例：エネルギーの保存。

conservation law　　　　保存則

ある物理量＊について、反応の前後で合計値が常に一定であるという法則。たとえば、力学的エネルギー保存の法則＊。

conservation of momentum　　　　運動量の保存

2つ以上の物体の衝突＊の前後において、物体の運動量＊の合計値が常に一定であること。ただし、物体の運動量を変化させる力が外から作用していないときに成り立つ。運動量保存則＊。

→ law of conservation of momentum

conservative forces　　　　保存力

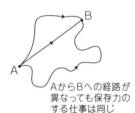

AからBへの経路が
異なっても保存力の
する仕事は同じ

(図13)

物体＊が、ある点Aから別の点Bまで行くとき、外力＊が物体にする仕事＊が途中の道筋に関係なく、常に一定であるような力をいう。重力＊、万有引力＊、クーロン力＊など。これに対し、摩擦力や空気の抵抗力＊などは2点を通る道筋が長くなると仕事が変化するため、保存力ではない。保存力の場合はAとBの2点を決めるだけで、外力のする仕事が決まる。このためある基準点を決めて、別の点までに保存力がする仕事は、位置＊の関数となる。これをポテンシャルエネルギー＊（位置エネルギー）という。

C

conserve 保存する

値が一定である状態を保つこと。

→ conservation

consonance 協和音、協和

いくつかの音を同時に鳴らすとき、ひとつの音のように聞こえることを協和という。このときの元の音を協和音という。たとえば、ドの音と1オクターブ高いドの音、ドとソの音など。協和音どうしはその振動数の比が簡単な整数比になっている。これに対し、音がとけあわず不快に聞こえることを不協和といい、その音の組み合わせを不協和音(dissonance) という。

constant 定数、常数

測定中で常に値が一定を保つもの。定数あるいは常数という。物理では次の2種類がある。

(1) 物質＊の種類によらず、法則の中で常に一定の値を取る基礎定数。たとえば、万有引力定数＊など。

(2) 物質＊の種類によって決まっている物質固有の値。物質定数。たとえば、銅の電気伝導度など。

constant speed 等速

一定の時間＊に一定の距離＊を進む運動＊。速さ＊が一定の運動。速度の向きは変化してもよい。等速度運動とは異なる。たとえば等速円運動＊では速さは一定であるが、速さの向きは常に円の接線方向である。

constructive interference 　　干渉による強め合い

（図14）

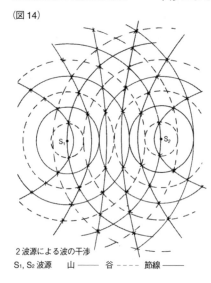

2波源による波の干渉
S₁, S₂ 波源　山—— 谷---- 節線——

波の重ね合わせの原理＊にしたがって、2つ以上の波源＊からの波＊が合成されて、元の各波よりも振幅＊が大きくなることをいう。またこのとき、重ね合わせの原理により振幅が減少することがある。これを干渉による弱め合いという。2つの波源から、同じ位相＊、同じ波長λ、同じ振幅 A で波が出て行くとき、ある点から一方の波源までの距離を L_1、もう一方までの距離を L_2 とすると

$|L_1 - L_2| = m\lambda$ （強め合う）

$|L_1 - L_2| = (m + 0.5)\lambda$ （弱め合う）

の関係がある（m は 0 ≦の自然数）。このとき、強め合う点では振幅が 2A、弱め合う点では振幅が 0 になる。また弱め合う線が描く図形は節線＊という。

continuous spectrum 　　連続スペクトル

光＊や電磁波＊の波長＊が、連続的に変化するような分布を示すこと。赤から紫までの各色光が連続している。高温の液体や固体の放射＊する光や、加速度運動＊をする電子＊の放射する光などがこれに当たる。身近な例では、白熱電球の光がある。

continuous X-rays 　　連続 X 線

電子＊を高電圧＊で加速＊し、陽極＊（対陰極）の金属＊に当てると、制動放射＊により X 線＊が発生する。この時、ある振動数＊（波長）より小さい振動数（長い波長）の連続スペクトル＊をもつ X 線と、原子＊の種類によって異なる特定の波長をもつ固有 X 線＊が生ずる。この連続部分の X 線を連続 X 線という。連続 X 線の最短波長を λ₀、加速電圧＊を V、プランク定数＊h、光速度＊c、電子の電気量＊e として、

$$\lambda_0 \geq \frac{hc}{eV}$$

の関係がある。これは、X 線が光子＊の流れであることを意味する。

→ character X-rays

control rod　　　　　　　制御棒

原子炉＊内で、中性子＊の数を制御し核反応＊を安定に進ませるための、カドミ
ウムやホウ素でできた棒や板。カドミウムやホウ素は中性子をよく吸収する性質
がある。

controlled experiment　　　制御実験

調べたい要素や条件、変数のうちひとつだけを変化させ、実験結果に影響を与え
る他の要素は常に一定に保った条件下で実験を行うこと。調べたい要素の効果だ
けを取り出すことができる。

convection　　　　　　　対流

液体や気体の一部が熱せられると、膨張＊して密度＊が低くなり上昇する。する
と元の部分に周囲から低温の液体や気体が入り込む。これを繰り返すことで、循
環しながら熱＊が移動し、全体の温度が高くなっていくこと。熱の移動方法のひ
とつ。

→ heat transfer

convection current　　　　携帯電流、対流電流、運搬電流

荷電粒子の運動＊によって生じた電流＊。真空中の電子＊の移動である陰極線＊
や、電解溶液中のイオン＊の移動による電流など。金属内を流れる電流＊は除く。

converge　　　　　　　　一点に集まる、集束する、収束する

光線＊や粒子線＊などが一点に集まっていくこと。

↔diverge

convergence　　　　　　集束、収束

→ converge

convergent　　　　　　　集束した、収束した

→ converge

converging lens　　　　　凸レンズ

→ convex lens

conversion　　　　　　　　**(1)** 変換　**(2)** 転換
(1) データ * を別の形式に変えること。
(2) 元素 * に中性子 * を当てて別の元素を人工的に作ること。
→ converter (2)

conversion factors　　　　変換係数、換算係数
2つの同等な量の間の変換するときの比率。たとえば m を cm に変換する際の×100。

converter　　　　　　　　**(1)** 変換器　**(2)** 転換炉　**(3)** コンバーター
(1) データ * や電気信号 * を別の形式に変える装置。
(2) 原子炉 * の中に元素 * を置き、原子炉内の中性子 * を使って、他の元素を作ることを転換という。転換のために用いる原子炉を転換炉という。たとえば、^{238}U に中性子を当てると ^{239}Pu が生ずる。
(3) 交流 * 電流から直流 * 電流を作り出す装置。逆に、直流 * 電流から交流 * 電流を作り出す装置をインバーター(inverter) という。

convex　　　　　　　　　　凸の
物体 * の一部がふくらんでいること。
↔concave

convex lens　　　　　　　凸レンズ
中央部がふくらんだレンズ *。物体 * が大きく見える。凸レンズに平行光線を当てると、光線は凸レンズを通って屈折した後、光軸上の1点に集まる（焦点 *）。
↔concave lens

convex mirror　　　　　　凸面鏡
中央部がふくらんだ鏡。物体 * を写すと小さく見える。
↔concave mirror

coolant　　　　　　　　　　冷却材
(1) 他の物体 * のもつ熱 * を除去するのに使う物質 *、媒体。液体がよく用いられる。
(2) とくに原子炉内で発生した熱を取り去るために用いる物質。

C

Coolidge tube　　　　　　クーリッジ管
　X線*発生用の真空管*。陰極*を、電流*を流して加熱して熱電子*を出やすくした構造をもつ。この熱電子が加速されて、陽極に衝突する。熱陰極X線管ともいう。

cooling system　　　　　冷却システム
　ある部分の熱*を、別の場所に放出*するようなシステム。

cooling water　　　　　冷却水
　原子炉*内で、原子核反応*によって発生する熱*を吸収し、熱交換器*を通じて外部に熱を放出*するための水。冷却水は再循環して原子炉に戻る。

coordinate　　　　　　　座標

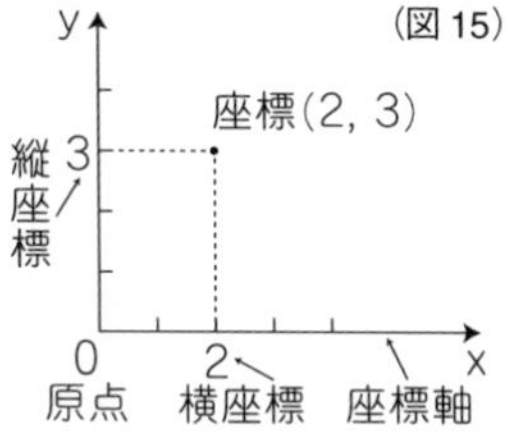

(図15)
y
座標(2, 3)
縦座標 3
0　　2　　　　x
原点　横座標　座標軸

　空間の点を数字の組に対応させて表わすときの、数字の組み合わせ。座標*を決めるための基準とする直線を座標軸*、座標の基準点を原点*という。ある点の空間での位置と、座標の値とは1対1に対応している。
　→ abscissa
　→ ordinate

coordinate axes　　　　座標軸
　→ coordinate

coordinate system　　　座標系
　原点、座標軸、座標の種類などを合わせたもの。

coordinate system at rest　　静止座標系
　座標系*の運動が静止しているか、等速直線運動*をしているような座標系。

core　　　　　　　　　　鉄心
　電磁石*で、コイル*の内部にある鉄製の小片。

Coriolis force　　　　　コリオリの力
　慣性系*に対し、回転運動*をする回転座標系*では、加速度運動*をしているために物体*に速度の向きを変えるように慣性力*がはたらく。このため、観測

者が回転座標系にいるときは遠心力 * のほかに、物体の速度に垂直な力がはたらいているように見える。この垂直な力をコリオリの力という。たとえば、地球上では自転のためにコリオリの力が現れる。台風の進路が曲がる原因のひとつである。

correlation function　　　　相関関数

統計的に 2 つの量の関係を調べるとき、2 つの量の間になんらかの関係があることを、相関関係(correlation) という。この 2 つの関係を表わす関数が、相関関数である。

Correspondence principle　　　対応原理

前期量子論で導入された量子条件 *、振動数条件では光 * の強さや偏光 * 状態をうまく説明できなかった。そこでボーアは、マクロな世界で基本的に成り立つ古典論とミクロな世界の量子論 * は、量子数 * の大きい（マクロな）状態では共に成り立つし、逆に量子数の小さい（ミクロな）状態でも成り立つはずだと考えた。このとき、2 つの間になんらかの対応関係があるはずだと考えた。これが対応原理である。これに基づき、2 つの対応を調べ、どの場合にどのように成り立つかを関係付けて、光の強さなどを求めることができた。対応原理の考えは、後にハイゼンベルクが行列力学を作る際の指導原理となった。

　→ Bohr atom model

corrosion　　　　腐食

放置した金属 * が化学反応 * によって、表面から失われていくこと。錆びたり溶け出したりすること。

cosmic expansion　　　　宇宙膨張

　→ expanding universe

cosmic rays　　　　宇宙線

地球に絶えず降りつづけている高エネルギーの粒子の流れ（放射線）。宇宙に起源をもつ（超新星などの爆発のとき放出されるエネルギーが電界や磁界を作り、生成された粒子を加速して生じるとされる）1 次宇宙線と、1 次宇宙線が地球の大気中の原子核と核反応してできる 2 次宇宙線がある。

1 次宇宙線の例：陽子 *、中性子 *、α 線 *、原子核 *、電子 *、ニュートリノ *、光子 * など。

C

2次宇宙線の例：光子、μ中間子、π中間子、陽子、電子など。

cosmology 宇宙論

宇宙の創造、起源と進化を扱う学問。

Coulomb force クーロン力

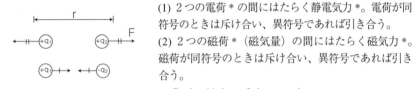

(図16)

(1) 2つの電荷 * の間にはたらく静電気力 *。電荷が同符号のときは斥け合い、異符号であれば引き合う。
(2) 2つの磁荷 *（磁気量）の間にはたらく磁気力 *。磁荷が同符号のときは斥け合い、異符号であれば引き合う。
→ Coulomb's law of electrostatics
→ Coulomb's law of magnetism

coulomb クーロン

電気量 * の単位。記号 C（クーロン）。電気量の MKSA 単位 *。1 A の電流 * が1秒間に運ぶ電気量をいう。

Coulomb's law of electrostatics 静電気に関するクーロンの法則

2つの電荷 * を q_1 q_2、電荷間の距離 * を r として、2つの電荷にはたらく力である静電気力 *F は

$$F = \frac{K_1 q_1 q_2}{r^2} \qquad ただし、K_1 = \frac{1}{4\pi\varepsilon_0} \quad （\varepsilon_0 は真空の誘電率）$$

の関係がある。この静電気力の向きは2つの電荷を結ぶ直線上にある。

Coulomb's law of magnetism 磁気に関するクーロンの法則

2つの磁荷 * を m_1, m_2、磁荷間の距離 * を r として、2つの磁荷にはたらく力である磁気力 *F は

$$F = \frac{K_2 m_1 m_2}{r^2} \qquad ただし、K_2 = \frac{1}{4\pi\mu_0} \quad （\mu_0 は真空の透磁率）$$

の関係がある。この磁気力の向きは2つの磁荷を結ぶ直線上にある。

counter カウンター、計数装置

現象の起こった回数を数える装置。

counter-electromotive force　　逆起電力
　→ back electromotive force

couple　　　　　　　　　偶力
　→ couple of force

couple of force　　　　　偶力
　大きさが等しくて、向きが逆の２つの力＊が、物体の異なった位置＊にはたらく
　こと。このとき、２力の作用線＊は２本の平行線となる。物体の回転運動を変化
　させる作用をもつ。

covalent bond　　　　　共有結合
　２つの原子＊が、スピン＊が逆の２つの電子＊を共有して結合すること。この、
　共有した２つの電子のことを共有結合対という。共有結合では、ヘリウムやアル
　ゴンなど０族の不活性ガスと似た電子配置＊となるので、安定である。H_2 などの
　気体分子や、炭素によるダイヤモンドなどは共有結合である。

crankshaft　　　　　　　クランクシャフト
　内燃機関＊で、ピストン＊と連結し、ピストンの上下運動を回転運動＊に変える
　曲がった金属製の棒。

crest　　　　　　　　　　（波の）山

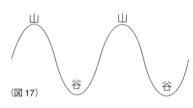

横波＊で、変位＊が最大のところ。一番盛
り上がったところ。サイン波＊では sin
$\theta = 1$ の点に相当する場所。
↔trough

（図17）

critical angle　　　　　臨界角
　屈折率＊の大きい媒質から、小さい媒質に光＊が入射＊するときに、屈折角＊が
　90度となるような入射角＊の値をいう。このとき、屈折光は境界面と平行になる。
　入射角が臨界角を超えると、屈折＊は起こらず、境界面で光は全部が反射＊（全反
　射(total reflection) という）される。たとえば、水面下から空気に向かって光を送
　るとき、入射角が臨界角の 48.8 度を超えると、水面で全反射し、空気中には光が

C

全然出てこない。
→ total reflection

critical mass　　　　　　臨界質量
核分裂反応が継続して起こるための最小の核分裂物質＊の量。核分裂＊を起こす
ための最小の核分裂物質の量。原子炉の形によって変化する。

critical point　　　　　　臨界点
液体と気体が共存できる最高の温度＊で、この2つが共存できる限界を臨界状態
という。たとえば、飽和水蒸気圧に保ちながら水と水蒸気の温度を上げていくと、
両者を区別できなくなる。これが臨界状態である。これを温度－圧力状態図に描
くとき、臨界状態を表わし変曲点に相当するのが、臨界点である。臨界状態での
圧力を、臨界圧(critical pressure) といい、温度を臨界温度(critical temperature) と
いう。

critical pressure　　　　　臨界圧
→ critical point

critical temperature　　　臨界温度
→ critical point

critical velocity　　　　　臨界速度
物体＊が、地面の上の垂直な円軌道を運動するときに、円運動を続けるための最
小速度。これより遅いと途中で落ちてしまう。

Crookes tube　　　　　　クルックス管
圧力＊が0.01 mmHg 程度以下の真空放電管。陰極から放射する陰極線＊によって、
陽極側の管壁が蛍光を発する。

crude oil　　　　　　　　原油
地中から天然に取り出したままの石油。主に炭化水素からなり、産地により性質
が異なる。

crystal　　　　　　　　　結晶
立体的に規則性をもった原子＊や分子＊の格子＊が続く状態。原子、分子などが

規則正しく配列している。氷の結晶 *、水晶、ダイヤモンドなど。

crystal lattice　　　　　　結晶格子
→ lattice

cubic centimeter　　　　　立方センチメートル　cm³
体積 * の単位のひとつ。1 辺が 1 cm の立方体の体積が 1 cm³。1 cm³ = 1 × 10⁻⁶ m³。

cubic meter　　　　　　　立方メートル　m³
体積 * の単位。1 辺が 1 m の立方体の体積 * が 1 m³ である。

curie　　　　　　　　　　キュリー
→ Ci

current　　　　　　　　(1) 電流　(2) カレント
(1) ＋の電荷 * の流れ。電子 * と逆向きの流れ。
(2) 液体や気体、粒子などの流れ。

current sensitivity　　　　電流感度
電流計の感度。1 目盛りあたりの電流表示の値。

curvature　　　　　　　　曲率
曲線あるいは曲面で、曲線あるいは曲面のある点の付近で曲線に接する円または球を考える。この円や球の半径 * を曲率半径(radius of curvature) といい、その中心を曲率中心 * という。また曲率半径の逆数で、曲線や曲面の曲がり具合いを表わす量を、曲率という。

cutoff frequency　　　　　遮断周波数、カットオフフリケンシー
フィルター * において、通過する振動数 * と遮断する振動数の境界の値。

cutoff potential　　　　　カットオフポテンシャル
光電池 * の光電流を 0 にするために、光電池のコレクター * に与える負の電圧 *。

C

cycle　　　　　　**(1) サイクル　(2) サイクル（振動数などの単位）**

(1) 一定量の気体の圧力、体積、温度などがさまざまに変化して、最終的に元の状態に戻るとき、この過程をサイクルという。

(2) 周波数＊・振動数＊などの単位。現在は Hz（ヘルツ）を用いる。

cyclotron　　　　　　サイクロトロン

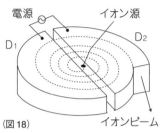

電源　　　イオン源

D_1　　　　　D_2

（図18）　　　イオンビーム

荷電粒子を加速して大きな運動エネルギーをもたせるようにする加速機＊のひとつ。α粒子＊や陽子＊などの＋イオン＊を加速して、高エネルギーの粒子として取り出す装置。真空中に２つの向かい合ったＤの字型の中空の加速電極＊（ディーという）を置き、一定の垂直な磁界＊および高周波をかけて加速し、粒子に円運動をさせる。円運動の周期はローレンツ力＊による円運動なので一定なため、半周期ごとに粒子は加速されて大きな半径で運動することになる。サイクロトロンの限界は、陽子で 20 Mev 程度である。

cylinder　　　　　　シリンダー、円柱

円筒状の容器。内燃機関＊では、ピストン＊が納められている容器で、燃料を爆発させる場所。

D

DA converter　　　　　DA 変換器、DA コンバーター
→ DAC

DAC　　　　　　　　DA 変換器、DA コンバーター
コンピュータ * の 2 進法 * で表わされるディジタル量を、連続的な（アナログ）
電圧値に変換する装置。
↔ADC

damping　　　　　　減衰
波動 * や振動 * の振幅 * が、外部へのエネルギー放出 * に伴って、次第に小さく
なっていくこと。たとえば、単振動 * するおもり * に、速度 * に比例した空気抵
抗がはたらくときは、振幅は時間がたつにつれて指数関数 * 的に減少していく。
電気振動でも、はじめコンデンサーにたくわえられていたエネルギーが少しずつ
抵抗での熱損失として失われるので、だんだん振幅が小さくなる。このような減
衰する振動を、減衰振動という。

damping force　　　　制動力
動いているものを止める力 *。運動の向きに対して、運動を妨げる向きにはたらく
力。摩擦力、空気の抵抗 * など。

dark current　　　　暗電流
光電効果 * を起こす素子では、光 * が入射 * していないときでも、電流 * がわず
かだが流れている。この電流を暗電流という。熱的な雑音 * が原因のひとつであ
る。
→ photoelectric effect

dark line　　　　　暗線
→ absorption spectrum

data　　　　　　　データ
観察や実験から得られた数値、事実、資料。および、既知のあるいは容認された

数値、事実、資料。

daughter nucleus　　　　娘核
　→ daughter nuclide

daughter nuclide　　　　娘核種
　固有の原子番号 *Z、質量数 *A をもつものを核種 * という。同じ元素でも、質量
数の異なる ^{13}C と ^{12}C は、異なる核種である。放射性核種が、崩壊 * してできた
核種を娘核種といい、その元になった核種を親核種という。またこのときできた
原子核 * を、娘核という。一般に親核種は、崩壊を続けて娘核種を出しつづける。
一定時間後に、娘核種だけを分離することを牛から搾乳することにたとえて、ミ
ルキング(milking) という。

dB　　　　　　　　　デシベル
　音の強さ、損失、アンプの利得（増幅率）などを対数を使って表わす値。音の強
さは音波の進行方向に垂直な $1\ m^2$ の面積を 1 秒間に通過するエネルギーで表わさ
れる。対数減衰率。記号は dB（デシベル）を使う。0 dB は $I_0 = 10^{-12}\ [W/m^2]$ の
強さの音のエネルギーである。$10\ I_0$ は 10 dB、$10^2\ I_0$ は 20 dB となる。

DC　　　　　　　　　直流
　→ direct current

de Broglie matter wave　　　ド・ブロイの物質波、ド・ブロイ波
　物質粒子が波動 * としてふるまうときの波動をいう。物質波 * ともいう。物質の
運動量 * を p、エネルギー * を E、ド・ブロイ波の波長 *（ド・ブロイ波長）を λ、
振動数 * を ν、プランク定数 * を h とすると $E = h\nu$、$p = \dfrac{h}{\lambda}$ の関係がある。
ド・ブロイは、光 * が波動と粒子（光子 *）の性質を合わせもつことから、逆に電
子 * などの物質粒子が波動性をもつのではないかと考え導きだした。これは、電
子線の回折実験によって立証された。

de Broglie wave length　　　ド・ブロイ波長
　ド・ブロイ波 * の波長 *。
　→ de Broglie matter wave

decay 崩壊

壊変ともいう。放射性核種＊が、放射線＊を出して別の核種＊に変わること。

→ daughter nuclide

→ radionuclide

decay constant 崩壊定数

放射性物質＊が崩壊＊するときには、残っている原子＊数は時間と共に指数関数
＊的に減少していく。最初の原子数を $N(0)$ とし、時間 t の時の原子数を $N(t)$ とす
ると $N(t) = N(0) \times e^{-\lambda t}$ で表わされる。このときの係数 λ を崩壊定数という。λ は
放射性物質によって決まっている。また半減期＊を T とすると、

$$T = \frac{\log_e 2}{\lambda} = \frac{0.693}{\lambda}$$

の関係がある。

→ half-life

decay series 崩壊系列

放射性＊の核種＊が崩壊＊していくとき、崩壊してできる元素＊のつらなりをい
う。系列内の元素の質量数＊は 4n ＋ a（n は整数、a は 0, 1, 2, 3 のいずれか）で
表わされる。4n の形で表わされる系列をトリウム系列、4n ＋ 1 の形をネプツニウ
ム系列、4n ＋ 2 の形をウラン系列、4n ＋ 3 の形をアクチニウム系列という。ネ
プツニウム系列のみ人工の系列である。系列内で、質量数が 4n の形で表わされるの
は、β、γ 線では質量数に変化がないが、α 線を出す場合は質量数が 4 減るため
である。

deceleration 減速度

加速度＊の逆の考え。加速度の値に－をつけたもの。負の加速度と考えてよい。

deci- デシ

1/10 を表わす接頭語。たとえば 1 deciliter ＝ 0.1 liter。

decibel デシベル

→ dB

decimal 10 進法の、小数の

decimal system ＝ 10 進法。10 ごとに桁が上がる数え方。decimal point ＝小数点。

D

declination **(1)** 偏角、**(2)** 地磁気の偏角

(1) 光がプリズムを通って屈折するとき、入射光と透過光のなす角。

(2) 地球の磁極の北と、地球の真の北（北極方向）がなす角度。

decomposition of force 力の分解

→ component force

↔composition of forces

deduction 演繹

与えられた命題から、経験でなく論理だけを使って、結論を導きだすこと。一般的な命題から、特殊な命題を推論で導くこと。三段論法など。

↔induction

Dee, dees ディー

サイクロトロン＊の電極＊。形がDの字に似ていることからこう呼ぶ。

→ cyclotron

deformable body 変形体

外力＊が加わったため、形や体積＊が変化した物体＊。

→ rigid body

deformation 変形、ひずみ

物体＊に力＊を加えたときの、形や体積＊の変化をいう。

degree 度

温度＊や角度を表わす度。

degree Celsius セルシウス度、セ氏温度

温度＊の単位。記号は℃。セ氏温度では水の凝固点＊を 0 ℃、沸点＊を 100 ℃とする場合の温度の表わし方。

→ Celsius temperature scale

degree Fahrenheit カ氏度、カ氏温度

温度＊の単位。記号は ℉。セ氏温度＊とは、0 ℃が 32℉、100 ℃が 212℉ に対応する。セ氏温度℃とカ氏温度 ℉ の変換式は次式で表わされる。

$$C = \frac{5\ (F - 32)}{9}$$

degree of freedom　　　自由度

物体＊の運動＊の状態を決めるのに必要十分な独立変数＊の数を自由度という。たとえば、空間を運動している物体の位置＊を決めるには、x, y, z 3つの座標＊が必要なので、自由度は3である。2個の物体のときは、6となる。

delay　　　遅延、遅れること
- delay circuit ：遅延回路

  入力信号の波形を変えず、時間を少しだけ遅れて出力する回路＊。
- delay neutron ：遅発中性子

  核分裂＊をしたときに、少し遅れてでてくる中性子＊。原子炉の反応の速度を弱めるため、原子炉の制御に重要である。

density　　　密度

ある分布＊（線や空間など）をもつ物理量＊の、単位当たりの物理量を密度という。ある量の分布が線、面、空間のときに、単位長さ、単位面積、単位体積当たりの物理量の値をそれぞれ、線密度、面密度、体積密度という。また一般には、単位体積当たりの物体の質量を密度ということも多い。

dependent variable　　　従属変数

ある変数 x の変化に伴い、別の変数 y が変化するとき、y は x の従属変数であるという。このとき、x を独立変数という。

→ independent variable

derivation　　　導出

公式を導き出す過程。

derivative　　　導関数

→ derived function

derived function　　　導関数

ある関数＊を微分＊して求めた関数。微分係数ともいう。

→ differential

derived quantity　　　　　推定量、導出量
測定値から計算された量、数値。

derived unit　　　　　　組立単位、誘導単位

D

いくつかの物理量＊の基本単位＊を使って、別の物理量の単位を作ること。たとえば 1 N ＝ 1 kgm/s²。MKSA 単位系＊では、基本単位として、長さに m、質量＊に kg、時間に s、電流に A を使い、これらの単位を組み合わせて、他の物理量の組立単位を作っていく。例：運動量 kgm/s、加速度 m/s²。
↔fundamental unit

destructive interference　　　干渉による弱め合い
→ constructive interference

detection　　　　　　　検出
測定＊の際に現象が起こっているのを見つけ出すこと。

deuterium　　　　　　重水素、デューテリウム
普通の水素は 1 個の陽子＊と電子＊からなる。これに対し、重水素ではさらに 1 個の中性子＊が加わり、陽子と原子核＊を構成する。質量数は 2。これをデューテリウムといい、記号 D で表わす。さらに質量数 3 のトリチウムは記号 T で表わす。

deuteron　　　　　　重陽子、デューテロン
重水素＊の原子核＊。陽子＊ 1 個と中性子＊ 1 個からなる粒子。
→ deuterium

deviation　　　　　　偏差
測定値と平均値＊のずれ。
・average deviation ：平均偏差
　偏差の平均値。
・standard deviation ：標準偏差
　統計で、測定値のばらつきを表わす数値。

device　　　　　　　素子
あるシステムについて、それを構成する基本要素。それぞれが一定の機能を備え

ている。

dew point　　　　　　　　　　露点

空気中で物体 * を冷却していくとき、物体の表面に露がつきはじめる温度 *。露点
での水蒸気圧は、その温度での飽和水蒸気圧である。

Dewar vessel　　　　　　　　ジュワー瓶

金属製とガラス製がある。容器の壁を二重にして、間の空気を抜いてある。液体
窒素などの、きわめて低温の液体を入れて保存するための魔法瓶。

diamagnetism　　　　　　　　反磁性

磁界 * の中におかれた物体 * が、磁界の向きと反対向きに磁化（磁気をもつよう
になること）している状態。

→ magnetic material

diameter　　　　　　　　　**(1) 直径　(2) 倍率**

(1) 円などの直径 *。
(2) 顕微鏡 * や望遠鏡 * などの倍率、拡大率。

diatomic　　　　　　　　　　2 原子の

diatomic molecule　　　　　　2 原子分子

H_2、HCl など、2 つの原子 * でひとつの分子 * を構成しているもの。

→ monoatomic molecule

dichroism　　　　　　　　　　2 色性

ある種の結晶 * に光 * が入射 * するとき、光学軸方向とそれに垂直な方向では、
光の吸収に差が出て、異なった 2 つの色に見えること。

dielectric　　　　　　　　　誘電体、誘電の

電気 * の絶縁体 *、不導体 * のこと。電界 * をかけると、誘電分極 * を生ずるの
で誘電体という。

→ induced polarization

D

dielectric constant　　　　**(1) 誘電率、(2) 比誘電率**

(1) 電界 *E と電束密度 *D の関係式 $D = \varepsilon E$ における定数 ε（イプシロン）のこと。物質によって異なる。真空の誘電率 $\varepsilon_0 = 8.854 \times 10^{-12}$ F/m

(2) 平行板コンデンサー * の極板間が真空のときの電気容量 * を C_0、誘電体 * で満たされているときの容量を C とするとき、$\dfrac{C}{C_0}$ の値を比誘電率 εr という。これは、真空の誘電率を 1 としたときの、誘電体の誘電率の大きさの比を表わす。

→ parallel-plate capacitor

dielectric polarization　　　**誘電分極**

→ induced polarization

diesel　　　　　　　　　　**ディーゼル機関、ディーゼルエンジン**

→ diesel engine

diesel engine　　　　　　　**ディーゼル機関、ディーゼルエンジン**

灯油などのガソリンより分子量の大きい石油燃料を用いる内燃機関 *。ガソリンエンジン * では燃料 * と空気の混合気体がシリンダー * に引きこまれ、電気火花を使って爆発させる。これに対し、ディーゼルエンジンでは、空気を断熱圧縮して高温になったところに燃料を噴射して爆発させるので、火花はいらない。

difference　　　　　　　　**差**

ある値 A から別の値 B を引いた値。

differential　　　　　　　　**微分、微分の**

曲線の傾き * を求める操作。ある関数の導関数 * を求める操作。数学の概念のひとつで、物体の運動を記述するために必要な速度や加速度の考え方から生みだされた。

differential coefficient　　　**微分係数**

→ differential

differential equation　　　　**微分方程式**

導関数 * を含む方程式。

→ differential

differentiation　　　　　微分（法）
　　→ differential

diffraction　　　　　回折

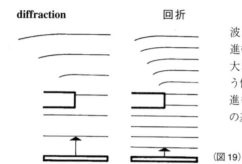

波 * が障害物の影の部分に回り込んで
進むこと。回折の現われ方は障害物の形、
大きさ、波長によって異なる。壁の向こ
う側の音が聞こえるのは、音が回折して
進むからである。回折現象は、波動 *
の基本的な性質である。

（図19）

diffraction angle　　　　　回折角
　　入射波 * に対して、回折 * して回り込んだ波 *（回折波という）の進む方向との
なす角度。

diffraction grating　　　　　回折格子

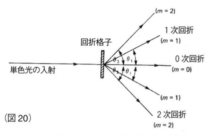

（図20）

グレーティング(grating) ともいう。
ガラスなどの板の表面に、多数の
平行な溝を等間隔に切ったもの。
この回折格子に光 * を入射 * する
と、溝の部分がスリット * となり、
多数の溝からの光が回折 * し、干
渉 * しあう。溝の間隔を（回折）
格子定数(grating constant) という。
いま、格子定数 d の回折格子に波長 * λ の光が垂直に入射する場合を考える。回
折波 * が入射方向となす角を θ とすると、回折によって強め合う条件は、
$d \sin \theta = m \lambda$（m は整数）となる。波長の短い電磁波 * である X 線 * の場合は、
物質 * の結晶 * の原子 * や分子 * が回折格子としてはたらく。逆にこれを利用し
て、X 線回折で物質の構造を調べることができる。

diffraction pattern　　　　　回折像、回折じま
　　回折 * によって生ずる濃淡をもつ像 *、縞。白色光 * が光源のときは、回折像に

色がつく。

diffuse reflection　　　　　乱反射

光線＊が物体＊の粗い表面に当たり、いろいろな方向に反射＊して進むこと。
↔regular reflection

diffusion　　　　　　　　拡散

ある物質＊が、別の物質の中でゆっくりと広がっていき混ざり合うこと。たとえ
ば、コップの水の中にインクをたらすとゆっくりと広がっていく。分子どうしが
衝突するため、分子の速度に比べて拡散の速度は遅い。拡散は分子の熱運動が原
因である。

digital analog converter

→ DAC

digital computer　　　　　ディジタルコンピュータ

コンピュータ＊内部で扱う信号＊が1か0の2進数＊で表わされるコンピュータ。
それ以前は、オペアンプというアナログ信号の増幅器でデータを取り扱っていた。

digital signal　　　　　　ディジタル信号

データ＊を2進法＊で表わした0と1からなる電気信号＊の列。一般には0を
OFF、1をONで表わす。

digital-to-analog converter

→ DAC

dilation　　　　　　　　膨張、伸び

dimension　　　　　　　次元

(1) ある物理量の単位が長さ L の単位の p 乗、質量 M の単位の q 乗、時間 T の単
位の r 乗の積であるとき、p, q, r をその物理量の長さ、質量、時間に関する次元と
いう。
(2) 空間の広がりを表わすもの。空間の点を指定するために必要な変数の数。線は
1次元、面は2次元、立体は3次元。

dimensional analysis　　　次元解析

　物理量＊の単位を含む式があるとき、両辺は同じ単位の次数（たとえばm^2、s^{-2}など）をもつ。これを利用して、式を満たす物理量の次数を決定する方法を、次元解析という。

diode　　　　　　　ダイオード

　半導体＊の場合はP-N接合＊による素子＊をダイオードという。真空管＊の場合は２極管をいう。どちらの素子も電流＊を一方方向にしか流さない整流作用をもつ。
　→ P-N junction

dipole　　　　　　双極子

　大きさが等しく、＋と－の物理量＊をもつ点が短い距離＊で向かい合っている状態。この対を双極子という。磁気双極子＊、電気双極子＊など。

direct current (DC)　　　直流

　電流＊の向きが変わらずに、常に一方方向に流れること。
　↔alternative current (AC)

direct proportion　　　正比例

　２つの物理量＊の間で、片方の値がN倍になればもう一方もN倍になるとき、正比例しているという。２つの量をグラフに描くと、原点を通る直線になる。
　↔inverse proportion

direction　　　　　　方向、方角

directivity　　　　　指向性

　特定の方向に対して、物質の強度や感度が大きいこと。特性に方向によるかたよりがあること。

discharge　　　　　　放電、放電する

　正または負の電荷＊が空間に飛び出し、失われること。

disintegration　　　　崩壊する

　放射性核種が放射線を出して核が別の元素＊の核に変わること。また、素粒子＊

D

が別の素粒子＊に変わること。

dislocation   転位
(1) ひとつの分子内で2つの原子、または原子団が互いに位置を交換すること。
(2) 結晶＊内の線状、あるいは面状の原子配列のずれ。

disperse   分散する
白色光＊がプリズム＊を通過すると、いろいろな色の光に分かれること。光の波長（色）によって屈折率が異なるために起こる。
→ dispersion of light

dispersion   （光の）分散
→ dispersion of light

dispersion of light   光の分散
光＊は媒質中は、波長＊（または振動数＊）によって光速度＊が少しずつ異なる。このためプリズム＊などを通るときには、波長によって屈折率＊が異なるため屈折光＊が広がる。これを光の分散という。波長が赤などのように長いと、プリズムガラス中の光速は速くなり、屈折率が小さくなる。これは物質中の電磁波の速度は主にその物質の誘導率で決まり、誘導率は電磁波の振動数が異なると変わることで説明できる。

displacement   変位
(1) 物体がある位置から別の位置に移動したとき、移動距離（位置の変化）を変位という。変位には＋または－の向きをつけて表わすので、変位ベクトルともいう。
(2) 振動＊で、つりあいの位置からの振動体のずれ（位置の変化）の量。向きをつける。

dissipative forces   非保存力
それがはたらくと力学的エネルギー保存則＊が成り立たないような力。非保存力がはたらく場合、同じ2点間を移動しても、経路によって仕事量が異なる。たとえば、摩擦力。
↔conservative force

dissonance　　　　　　　不協和音
　↔consonance

distance　　　　　　　　距離
物体＊が運動＊するとき、移動した長さをいう。一般には、２点間を結ぶ線分の
長さ。

distance-time graph　　　距離一時間グラフ、**s - t** グラフ
縦軸＊に距離＊を、横軸＊に時間＊を描いたグラフ。グラフの傾きは速度＊を表
わす。

distortion　　　　　　　ひずみ
物体＊に外力＊が加わるときの、形や体積＊の変化を表わす量。

distribution　　　　　　分布
いろいろな位置＊に、散らばって存在している様子。

diverge　　　　　　　　広がる、発散する
１点から出た光線や粒子線などが互いに離れながら進むこと。
　↔converge

diverging lens　　　　　凹レンズ
　→ concave lens

diverging mirror　　　　凸面鏡
　→ convex mirror

division　　　　　　　　除算、割り算

domain　　　　　　　　磁区
　→ magnetic domain

donor　　　　　　　　ドナー

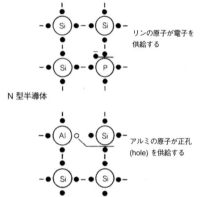

リンの原子が電子を
供給する

N 型半導体

アルミの原子が正孔
(hole) を供給する

P 型半導体　　　　　　（図 21）

ゲルマニウムやシリコンなどの半導体 ＊ に、リンやヒ素などの 5 価の元素 ＊ をわずかに入れると、まわりの原子と電子を 1 個ずつ共有して結合する。ところが 5 価の元素は価電子を 5 個もつので、結合のために 4 個使っても 1 個余る。こうして結晶格子 ＊ に電子 ＊ を与えることで、電子が自由に動き回り、半導体の電気伝導度 ＊ を増加させる。このように半導体内で電子を供与する物質 ＊ をドナーという。ドナーを入れた半導体を N 型半導体 ＊ という。
→ acceptor

doping　　　　　　　ドーピング
　半導体 ＊ に不純物を入れる操作。
　→ acceptor
　→ donor

Doppler effect　　　　ドップラー効果
　波源 ＊ や観測者が移動している場合、観測される波源の振動数 ＊ が元の振動数と異なって観察されること。音源が近づくときは音が高くなり（振動数が大きい）、遠ざかるときは音が低く（振動数が小さい）なる。一般式は波源の振動数を f_0、速度 ＊ を v_1、観測者の速度を v_2、観測される振動数を f、波の速度を V、波源から観測者へ波が進む向きを速度の正の向きとすると

$$f = \frac{V - v_2}{V - v_1} f_0$$

で表わされる。

Doppler shift　　　　ドップラーシフト
　ドップラー効果 ＊ による振動数 ＊ や波長 ＊ のずれをいう。
　→ Doppler effect

double refraction　　　　　複屈折
　　方解石や水晶などの光学的に異方性＊をもつ物質＊に、１本の光線＊が入射＊すると、２つの屈折光＊に分かれること。

drift chamber　　　　　ドリフトチェンバー
　　荷電粒子によって電離＊された電子＊の移動時間(drift time) を測ることで、粒子の位置を調べる装置。

drift tube　　　　　ドリフトチューブ
　　線形加速器＊で、電荷＊をもつ素粒子＊を加速＊するのに使うチューブ。

driving force　　　　　駆動力
　　機関によってタイヤに伝達される力。

dry cell　　　　　乾電池
　　電解質＊がペースト状の電池＊。倒しても内部の電解質がこぼれない。市販の乾電池は、陽極＊に炭素棒、陰極＊に亜鉛、電解質に塩化アンモニウムを使っている。
　　↔ wet cell

duality principle　　　　　２重性の原理
　　→ wave-particle duality

ductility　　　　　延性
　　物体＊を引っ張ったとき、破壊されることなく線状に延びる性質。銅やアルミニウムは延性に富む。
　　→ malleability

dynamics　　　　　力学、動力学
　　物体＊の間にはたらく力＊と、物体の運動の関係を調べる学問。

E

ε_0 真空の誘電率
→dielectric constant

e 電子
→electron

e 電気素量
→elementary charge

earth 接地
→ground

ebullition 沸騰
→boiling

echo 反響、こだま、エコー
音*や電波*が反射*によって繰り返されること。

eclipse 食
天体が別の天体にさえぎられて見えること。例：月食、日食。

eddy currents 渦電流
導体*が磁界*中を運動するか、導体を横切る磁界が変化する場合、電磁誘導*に
よって、導体内に渦状の電流*が流れること。この電流は、磁界*に対して垂直な
面内を渦のように輪を描いて流れる。渦電流の向きは、レンツの法則より、外界
の変化を妨げる向きに生ずる。また、導体が運動しているとき、運動エネルギー*
の一部が、渦電流による導体中のジュール熱*に変化する。このことを利用して制
動装置（ブレーキ）に用いられることがある。

Edison effect エジソン効果
→thermoelectric effect

effective alternating current 　実効電流
　　→effective value

effective alternating current voltage 　実効電圧
　　→effective value

effective resistance 　合成抵抗
　　→combined resistance

effective value 　実効値
　　交流＊において、電圧＊や電流＊の強さを表わすために、1周期についての交流の電圧や電流の各瞬間の値を2乗し、それを平均してから平方に開いた値を実効値という。電圧、電流の実効値を、それぞれ実効電圧(effective alternating current voltage)、実効電流(effective alternating current)という。交流がサイン波＊のときは、振幅＊の $\frac{1}{\sqrt{2}}$ をいう。交流電圧に抵抗＊を負荷＊として使う場合、実効電圧、実効電流は、負荷に対して同じ作用をもつ直流電圧、直流電流に等しい。交流の表示は普通、実効値で表わされることが多い。家庭用の100 Vの交流の振幅は $100 \times \sqrt{2} = 141$ V である。

effective value of current 　実効電流値
　　→effective value

efficiency 　効率
　　機械＊を動かすのに要したエネルギー＊（仕事量）量に対する、機械が発生する仕事量＊の比。効率は常に1よりも小さい。

effort 　（機械や道具に）加える力、作用させる力
　　てこ＊や滑車＊など、機械＊や道具を使う場合に、動かしたい物体（荷重(load)という）に対して、人が加える力や作用させる力をいう。てこの場合でいえば、力点に加える力のことをいう。

effort arm 　加える力の腕の長さ
　　→effort distance

effort distance　　　　　加える力の腕の長さ
てこ*や滑車*で、支点*から力を加える点（力点）までの長さ。

effort force　　　　　（機械や道具に）加える力、作用させる力
→effort

elastic body　　　　弾性体
→elasticity

elastic coefficient　　　　弾性係数
→elastic force

elastic collision　　　　弾性衝突
2物体*が衝突*するとき、反発係数*が1であるような衝突。完全弾性衝突ともいう。衝突前後で、運動エネルギー*の和は一定である。
→coefficient of restitution

elastic force　　　　弾性力
弾性体*に外力*を加えるとき、弾性体が外に出す外力の反作用の力*を弾性力という。弾性力を *F*、弾性体の変形(deformation)した量を *x* とすると、*F*＝*kx* の関係がある。これをフックの法則*という。*k* は弾性係数(elastic coefficient)という。

elastic limit　　　　弾性限界
弾性体*に加える力*を大きくしていくと、ある値を超えたとき、弾性変形が成り立たなくなる（力を除いても変形が残る）。この限界の力を、力を加えた面の面積で割った値（応力という）をいう。

elastic modulus　　　　弾性率
elastic coefficient のこと。

elastic potential energy　　　　弾性エネルギー、弾性力による位置エネルギー
外力*によって変形した弾性体*のもつエネルギー。弾性力*による位置エネルギー*をいう。ばねの場合、ばね定数を *k*、ばねの伸びを *x*、弾性エネルギー*を *E* とすると

$$E = \frac{kx^2}{2}$$

で表わせる。

elastic wave　　　　　　　　　**弾性波**

弾性体*内部を伝わる、弾性振動による波。弾性体のある部分で起きた周期的な変形（または振動*）が、弾性力のために、次々と隣の点を伝わっていくこと。たとえば固体中を伝わる音*は弾性波である。

elasticity　　　　　　　　　**弾性**

物体*に力*を加えると変形するが、力を取り除くと完全に元の形に戻るようなものを弾性体(elastic body)あるいは完全弾性体といい、変形を元に戻そうとする性質を弾性という。鉄やゴムなどはある力の範囲では弾性体としてふるまう。弾性体では、力と変形量は比例する。これに対し、力を取り除いても変形が元に戻らないような物体を塑性体(plastic body)といい、その性質を塑性*(plasticity)という。粘土は塑性体である。

electric charge　　　　　**(1) 電荷　(2) 電気量**

(1) ＋または−の電気*を帯びた粒、点。＋の電荷を正電荷、−の電荷を負電荷という。

(2) 帯びている電気*の量。電荷の電気の量。単位はC（クーロン）で表わす。日本語で、「電荷」という場合、電荷そのものと電荷の電気量*と２つの意味に使うことがある。

→magnetic charge

electric circuit　　　　　　**電気回路**

導電体*でできた、電荷*が通過することができる回路*。

electric conductivity　　　　**電気伝導度、導電率**

電流*をどれだけ容易に流せるかの値。この値が大きいと、電流が流れやすい。抵抗率*の逆数である。電流密度*をi、導体*中の電界*をE、電気伝導度*をσとすると、オームの法則*が成り立つ導体では$i = \sigma E$の関係がある。

→resistivity

E

electric conductor 　　　　導電体

　金属*などの電流*を容易によく流せる物体*。電荷*の導体*。金属には、自由電子があるため、電界*をかけると自由電子が移動し、電流が流れる（金属の結晶では原子からいちばん外側の電子が離れて、離れた電子が正イオンの間を自由に動き回っているという構造をとっている））。

　→conductor

electric current 　　　　電流

　導体や電解質溶液中の電荷*の流れ。＋の電荷が流れる向きが電流*の向きである。－の粒子の場合は逆向きとなる。電流の大きさI [A] は、時間*t [s] の間に、ある点を通過する電荷の電気量*をQ [C] とすると$I = \dfrac{Q}{t}$ で定義される。

electric dipole 　　　　電気双極子

　電気量*が＋qの正電荷*と、－qの負電荷が距離*Lだけ離れて存在しているとき、この対を電気双極子という。このとき、負電荷から正電荷の方向を向き大きさqLのベクトルを電気双極子モーメントという。

electric discharge 　　　　放電

　→discharge

electric energy 　　　　電気エネルギー

　電流*により運ばれるエネルギー*。

electric field 　　　　電界（理学）、電場（工学）

　空間に電荷*を置くとき、電荷に力を生じさせるような空間を電界または電場という。このとき、生じた力を静電気力*、または電荷によるクーロン力*という。電界は向きと強さがある。電荷の電気量*をq、電界を$\vec{E}$とするとき、生じたクーロン力$\vec{F}$との間には、

$$\vec{F} = q\vec{E}$$

の関係がある。qが正のときは$\vec{F}$は$\vec{E}$と同じ向き、qが負のときは$\vec{F}$は$\vec{E}$と逆の向きである。

electric field intensity 　　　　電界強度、電場の強さ

　→electric field intensity at a point

electric field intensity at a point　　　ある点での電界強度
電界*の大きさをいう。いま、$q = 1$ [C] の点電荷*を電界 E のある点に置くとき、その電荷の受ける力*$\vec{F}$の大きさと向きが、その点での電界の向きと大きさ（電界強度）と定義する。

electric field lines　　　電界の向きの線
電界*の向きと大きさを表わす線。

electric field strength　　　電界強度、電場の強さ
→electric field intensity at a point

electric force　　　電気力
電界*に静止した点電荷*を置くときにはたらく力*。電荷の電気量*を q、電界の強さを E とすると電気力は qE となる。

electric generator　　　発電機
力学的エネルギー*を電気エネルギー*に変換する装置。磁界*内でコイルを一定の角速度*で回転させると、ファラデーの電磁誘導の法則*により連続的に誘導起電力*が生じることを利用している。実際にはコイルを回転させるものと、コイルを固定して磁石を回転させるものがある。

electric line of force　　　電気力線
その接線が電界*の向きを表わし、密度*が電場*の強さを表わす曲線。電気力線は、電界中に小さい点電荷*を置き、この点電荷を静電気力*の向きに、少しずつ動かしていくと描ける。

electric motor　　　電気モーター、モーター
電気エネルギー*を力学的エネルギー*に変える装置。電流*が磁界*から受ける力を利用する。回転運動*をする。

electric polarization　　　電気分極、誘電分極
誘電分極*のこと。
→induced polarization

electric potential　　　　電位

電界*中のある位置*においた、1 [C]の点電荷*がもつ位置エネルギー*を表わす。単位はV（ボルト）。電気量*qの正の電荷を、ある基準点Aから、別の点Bに電界に逆らって移動させるとき、その仕事*がWとすると、B点の電位Vは$V = \dfrac{W}{q}$となる。

E

electric potential of difference　電位差、電圧

2点の電位*の差を電位差、あるいは電圧という。2点間の電位の差。A点、B点の電位をそれぞれ、V_a、V_bとすると、電位差Vは$V = V_a - V_b$で表わされる。

electric power　　　　電力

電気*による出力*をいう。電流*が単位時間にする仕事率である。単位はW（ワット）。電気出力Pは、電圧*をV、電流*をIとして$P = VI$で表わされる。電気のエネルギー*が、他のエネルギーに変換されるとき、電力によって大きさを表示することがある。

electric resistance　　　電気抵抗

電流*の流れにくさを表わす量。単位Ω（オーム）。導体*の種類、太さ、長さ、温度により異なる。導線に電流が流れているとき、導線の2点間の電圧*をV、電流をIとすると、2点間の抵抗Rは$R = \dfrac{V}{I}$　で与えられる。

→resistivity

electric shielding　　　静電遮蔽（しゃへい）

物体*を導体*の金網や箱でおおって、外部の電界*をさえぎること。電界中に導体を置くと、静電誘導*により表面に電荷*を生ずるが、この電荷による電界が外部の電界を打ち消すため、導体内部では電界は0となる。これを利用している。

electrical power　　　　電気出力

→electric power

electricity　　　　電気

電荷*が関係して起きる現象を電気*という。

electrification　　　　帯電

物体*が電気*を帯びることをいう。正の電気を帯びる帯電と負の電気を帯びる帯

電がある。別の帯電体*との接触による帯電、摩擦による帯電、静電誘導*による帯電、誘電分極*による帯電などがある。

→ induced polarization

→ electrostatic induction

electrochemical cell　　　　電気化学電池

化学変化*による電子*の移動を使って、化学的エネルギー*から電気エネルギー*を取り出す装置。

electrochemical equivalent　　電気化学当量

1 [C]の電気*を流して電気分解*をするとき、電極*に析出するあるいは溶解*する原子*のグラム数。

electrode　　　　　　　電極

ある物体*に電気*を流す目的で取り付ける装置。

(1)電気分解*においては、溶液*に接した電極から溶液の向きに電流*が流れる（正の電荷*が動く）側をアノード*、陽極*という。これに対し、溶液から電極の向きに電流が流れる（正の電荷が動く、負の電荷が逆向きに動く）側をカソード*、陰極*という。

(2)電池*においては、電池の電極から外部への向きに電流が流れる側をカソードといい、この場合は陽極、正極とよぶ。外部から電池の電極に電流が流れる側をアノードといい、陰極、負極という。電池の場合と電気分解の場合では、日本では電位*の高い低いで陽・陰をいう。電池の場合は正極、負極、電気分解では陽極、陰極を使った方がよい。

→ anode

→ cathode

electrodynamics　　　　　電気力学

電荷*の運動を取り扱う学問。静電気学、静電磁気学に対するもの。

electrolysis　　　　　　電気分解、電解

電気エネルギー*を化学変化*に換えること。イオン*を含む溶液*の容器に、外部から2個の電極*を通して電流*を流すと、電極表面で化学変化が起こることをいう。陽イオンは陰極に向かって進み、陰極から電子を受け取って析出する。陰イオンは陽極に向かって進み、陽極に電子を与えて析出する。

electrolyte　　　　　　　　電解質、電解液

溶媒に溶かしたときに、イオン*に分かれる物質*をいう。溶液*は電気伝導性を
もち、電気分解*を行うことができる。

→electrolysis

electrolyte cell　　　　　　電解槽

電気エネルギー*を化学的エネルギー*に換える装置。電気分解*が行われる装置。

→cell (2)

electrolytic capacitor　　　電解コンデンサー

陽極*にできる酸化膜を誘電体*に、電解液*を陰極*としたコンデンサー*。極
性がある。μF（10^{-6}F）級以上の比較的大容量のコンデンサーを作れる。

electromagnet　　　　　　電磁石

焼きなました鉄（軟鉄）で作った鉄心を内側に入れて、その回りにコイル*を巻き、
電流*を流すと一時的な磁石となる。電流を切ると磁石でなくなる。このような磁
石を電磁石という。電流の大きさを変えると磁極の強さが変わるのが特徴。

electromagnetic field　　　電磁界

電界*と磁界*を合わせたもの。一般に、電界と磁界は互いに影響し、同時に存在
している。これらを合わせて、電磁界*という。2つの界の関係は、マックスウエ
ル関係式で表わされた。

→Maxwell's reactions

electromagnetic force　　　電磁力、電磁気力

磁界*や電界*に基づく力*の総称。電磁界*内の電荷*や磁荷*が、電界や磁界
から受ける力をいう。電荷どうしや磁荷どうしにはたらくクーロン力*や、電流*
が磁界から受ける力など。いま、電流Iが磁界Hに対し垂直に流れているとき、長
さLの導線の受ける電磁力の大きさFは、$F = \mu IHL$（μは透磁率）で表わされる。

electromagnetic induction　　電磁誘導

コイル*を貫く磁束*または磁界*の変化によって、コイル内に誘導起電力*が生
じて、電流（誘導電流）が流れること。誘導起電力の向きは、コイル内を貫く磁
束の変化を妨げる向きである（レンツの法則*）。

electromagnetic interaction   電磁相互作用

電磁界＊と荷電粒子、あるいは光子＊と荷電粒子との間の相互作用＊。電磁力＊である。原子＊内で電子＊の軌道＊を保ったり、分子＊が結合したりするのはこの相互作用による。

→interaction

electromagnetic radiation   電磁放射

電磁波＊を放射＊すること。

→electromagnetic waves

electromagnetic spectrum   電磁（放射）スペクトル

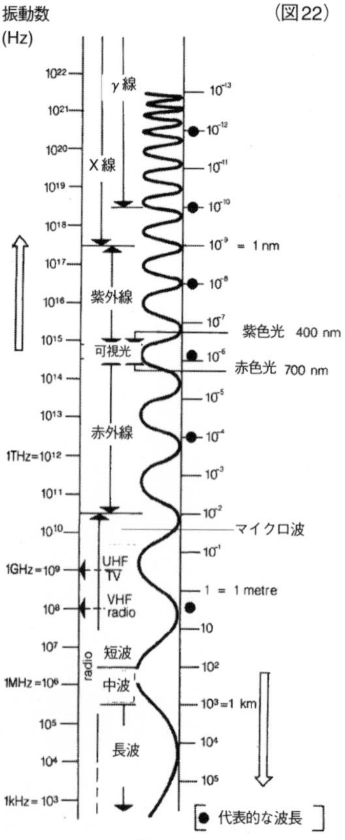

振動数
(Hz)

（図22）   電磁波＊の＊スペクトル。

→electromagnetic waves

振動数 (Hz)		波長
10^{22}	γ線	10^{-13}
10^{21}		● 10^{-12}
10^{20}	X線	10^{-11}
10^{19}		● 10^{-10}
10^{18}		10^{-9} = 1 nm
10^{17}		● 10^{-8}
10^{16}	紫外線	10^{-7} 紫色光 400 nm
10^{15}	可視光	● 10^{-6} 赤色光 700 nm
10^{14}		10^{-5}
10^{13}	赤外線	● 10^{-4}
1THz=10^{12}		10^{-3}
10^{11}		10^{-2}
10^{10}		マイクロ波
1GHz=10^{9}	UHF TV	10^{-1}
10^{8}	VHF radio	● 1 = 1 metre
10^{7}	短波	10
1MHz=10^{6}	中波	10^{2}
10^{5}	長波	10^{3}=1 km
10^{4}		10^{4}
1kHz=10^{3}		10^{5}

[● 代表的な波長]

electromagnetic waves 電磁波

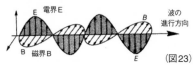

(図23)

電界＊が変化すると磁界＊が変化し、その磁界の変化が電界の変化を誘導する。こうして電界と磁界の振動＊が光＊の速さ＊で空間を伝わることを、電磁波または電波という。電磁波は横波＊であり、電界と磁界の振動方向は互いに垂直である。光も電磁波に含まれる。電磁波はマックスウェルにより、数式的に存在が予測された。後にヘルツの火花放電の実験により、その実在が確認された。

→ Maxwell's relations

electromagnetics 電磁気学

→ electromagnetism

electromagnetism 電磁気学

電気＊的な現象や磁気＊的な現象を対象とする学問。静電気学、静磁気学、電気力学に分けられる。電磁気学の基本法則はマックスウェル方程式＊である。

electromotive force (EMF) 起電力

電気回路＊に電流＊を流す原因となるもの。回路＊の場合は、ある部分の電位差（電圧＊）が起電力である。電池では電流が流れていないときの電池の＋極と－極の間の電圧である。熱起電力＊、誘導起電力＊などがある。

→ induced electromotive force

electron 電子

素粒子＊のひとつ。記号 e で表わす。負の電荷をもち、電気量 1.602×10^{-19} C、質量＊ 9.110×10^{-31} kg、スピン＊1/2 の粒子。原子核のまわりに分布し、原子を構成している。

electron arrangement 電子配置

→ electron configuration

electron avalanche 電子なだれ

荷電粒子が電界＊で加速されるとき、電界が強いと気体と荷電粒子の衝突＊によってイオン＊ができ、このイオンがまた加速されて気体をイオン化し、雪なだれのようにイオンと電子＊が発生する現象。放射線＊の検知に使う GM 管＊(Geiger-Müller tube)はこの現象を利用して、α線*やβ線*などによるわずかな電離イオンを、測定可能な電流パルスへと変化させる。

electron beam　　　　　　電子ビーム、電子線

真空中で電子*が集まって流れること。電子のエネルギーと方向はほぼ同じである。陰極線*も電子線のひとつ。

→cathode rays

electron capture　　　　電子捕獲

原子核崩壊*のひとつ。原子核*内の陽子*が、軌道*中の電子*をひとつ吸収し同時にニュートリノ*を放出する現象。K殻（原子核に一番近い電子軌道）の電子を吸収するときはK捕獲*という。

electron cloud　　　　　電子雲

→electron cloud model

electron cloud model　　　電子雲モデル

原子*の中の電子*の状態を雲で表わすモデル*。電子が原子核*の回りを円運動*をしている粒子であるというモデルに対し、電子雲モデルでは、電子を確率的な波で表わし（波動関数*という）原子核のまわりに確率的に分布している雲のような状態だと考える。このモデルでは、電子の位置は、特定の一箇所にあるのでなく、いろいろな位置に確率で表わされる割合で存在していると考える。

electron configuration　　　電子配置

原子*や分子*中での、電子*の軌道*における電子の入り方。電子がとりうる軌道はいくつもあるが、各軌道に何個の電子が入っているかをいう。

electron device　　　　　電子素子

電気回路*で、電子*の動きを利用する素子*。真空管*やトランジスタ*など。

electron diffraction　　　電子線回折

電子*を数万Vの電圧*で加速して結晶*に当てると、X線*の場合と同じように回折*し、回折像*がみられる。これを電子線回折という。電子線が波動として振舞っている証拠である。

→de Broglie matter wave

E

electron gun　　　　電子銃

電子顕微鏡やブラウン管＊の中で、電子＊を放出＊する装置。熱電子＊を放出する部分と、電子を加速し線状にするための制御用の磁界＊あるいは電界＊の発生装置（電子レンズという）からなる。

electron microscope　　　　電子顕微鏡

高電圧で加速した電子ビーム＊を試料に当てると、電子線回折＊により回折波ができる。これを、電界＊または磁界＊をかけてレンズ＊のように集めたり拡大することにより、スクリーン上に拡大して示す装置。このとき使う電界または磁界を、静電または電磁レンズという。光学顕微鏡で使っている可視光線の倍率が数千倍であるのに対し、電子顕微鏡では数十万倍まで可能である。
→ electron diffraction

electron orbit　　　　電子軌道

電子＊の運動する道筋。

electron pair creation　　　　電子対生成

空間にγ線＊などの高エネルギーの光子＊が入射するとき、1個の光子が消滅して電子＊と陽電子＊が同時に発生すること。これは、エネルギー＊が物質＊に転換したことを意味する。

electron shell　　　　電子殻

原子核＊の回りで電子＊が運動している軌道＊。電子雲＊でおおわれた殻のような部分。内側からK, L, M, N…殻の名前がついている。各殻に入りうる原子の数には制限があり、K, L, M, N…の順に2, 8, 18, 32...となっている。

electron spin resonance (ESR)　　　　電子スピン共鳴

電子＊がもつスピン＊を利用して磁気＊的に共鳴＊させること。原子＊や分子＊中の電子に、外部から振動＊する磁界＊をかけると特定のエネルギー準位＊のときにエネルギー＊をよく吸収し、エネルギー準位を変える。特定のエネルギー状態のときに共鳴的に吸収することから、電子スピン共鳴ESRという。原子・分子内の電子の構造の研究によく用いられる。

electron volt　　　　電子ボルト、エレクトロンボルト

記号eV（エレクトロンボルト）。電子＊を電界＊中で電位差＊1 Vで加速したとき

に電子が得るエネルギー＊、または加速に要した仕事の大きさをいう。電子や原子
＊レベルの現象ではエネルギーの単位としてJ（ジュール）のかわりによく用いら
れる。1 eV ＝ 1.6022 × 10⁻¹⁹ J （10⁶ eV ＝ 1 MeV）。

electron wave　　　　　**電子波**
粒子が電子である場合の物質波（物質粒子がもつ波の性質)。
→ electron diffraction

electronics　　　　　**エレクトロニクス、電子工学**
半導体＊や導体＊などの物質内での電子＊がかかわる現象を研究し、電子装置の研
究や応用を目指す学問。

electroplating　　　　　**電気メッキ**
電気分解＊を利用して、陰極＊に置いた金属＊の表面に電解液中の別の金属イオン
を薄く付着させること。トタンは鉄に亜鉛をメッキしたもの、ブリキは鉄にスズ
をメッキしたものである。

electroscope　　　　　**検電器**
静電気＊を検出する装置。＋や－、電気量＊などを測定する。
→ leaf electroscope

electrostatic　　　　　**静電気**
物体＊に電荷＊がとどまっている状態、または動かない電気＊。摩擦＊や帯電体＊
との接触、静電誘導＊や誘電分極＊によって、物体に静電気が生ずる。この静電気
がある状態を、物体は電荷を帯びた（帯電＊した）という。

electrostatic attraction　　　　　**静電気引力**
→ electrostatic force

electrostatic capacity　　　　　**静電容量**
→ capacitance (1)

electrostatic force　　　　　**静電気力**
2つの電荷＊間あるいは、電界＊内に電荷を置いたときに、電荷に現れる力。クー
ロン力＊あるいは、電荷にはたらくクーロン力という。2つの電荷をq_1, q_2、電荷

間の距離をr、電荷にはたらくクーロン力をFとすると

$$F = \frac{K_1 q_1 q_2}{r^2} \qquad ただし、K_1 = \frac{1}{4\pi\varepsilon_0} \quad (\varepsilon_0 は真空の誘電率)$$

の関係がある（電荷に関するクーロンの法則）。このとき、q_1とq_2が同符号の電荷の場合は斥力、異符号では引力となる。また電界E中に、電荷qをおくとき、クーロン力は$F = qE$の関係がある。

→Coulomb's law of electrostatics

electrostatic induction　　**静電誘導**

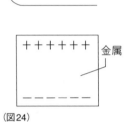

（図24）

金属*でできた導体*の近くに帯電体*を置いたり電界*をかけると、金属中の自由電子*が移動し、帯電体に近い側に帯電体と異種の電荷*、遠い側に同種の電荷を生ずる現象をいう。導体では、自由電子をもっているため、電界*をかけることにより、電界の＋側に自由電子が移動し－に帯電する。一方、－側では自由電子を失った＋の金属イオンが残るため、＋に帯電する。

→polarization

electrostatic potential　　**静電ポテンシャル**

静電界*中のある位置においた1 [C]の点の位置エネルギー*。電位*。

→electric potential

electroweak theory　　**電弱理論**

電磁気力*と弱い相互作用の力*がひとつの力に統一されるという理論。電弱統一理論ともいう。

→interaction

element　　**元素**

原子*の種類を表わす名称。原子核*中の陽子*の数が異なると、異なる元素である。陽子の数が元素の原子番号*という。天然には原子番号1から92までの92種類の元素があり、それぞれ異なった化学的性質*をもつ。

elementary charge　　**電気素量、素電荷**

→elementary electric charge

elementary colors　　　基本的な色

プリズム*で太陽光を分散*してスペクトル*にするとき、おおよそ6つの基本的な色が見られる。波長*の長い順に並べると、赤、橙々、黄、緑、青、紫になっている。これは、虹に見られる色である。虹は太陽光が雨滴によって分散してできる。

elementary electric charge　　　電気素量、素電荷

自然界に存在するすべての電荷*はある値の整数倍となっている。その元の値を電気素量という。記号はeを使う。電気素量は、電子*または陽子*のもつ電気量で、電気量の最小単位である。電気素量の大きさは、$e = 1.6022 \times 10^{-19}$ C。

elementary particle　　　素粒子

物質*を作っている基本的な粒子。原子核*を作っている粒子。以下のように分類できる。

(1) 強い相互作用*をする粒子であるハドロン族*
　　・バリオン族またはバリオン*(baryon)、重粒子：スピンが1/2または3/2。
　　　例：陽子*、中性子*、Λ（ラムダ）粒子、Σ（シグマ）粒子、Ξ（クサイ）粒子
　　・中間子*族またはメソン*(meson)：スピンが0または整数。
　　　例：π中間子、K中間子、η中間子
　　現在ではバリオンはクォーク*(quark) 3つの複合粒子、メソンはクォークと反クォークの複合粒子で、グルオン*によって結び付いていると考えられている。

(2) 強い相互作用をしない粒子であるレプトン族*(lepton) または軽粒子
　　弱い相互作用と電磁的相互作用をし、スピンは1/2である。
　　　例：ニュートリノ*、電子*、ミューオン、およびそれらの反粒子

(3) 相互作用の媒介をする粒子であるゲージ粒子*(gauge particle)
　　スピンが1。バリオンやクォーク、レプトンの間にはたらく相互作用を伝える粒子である。
　　　例：Wボソン(boson)*、Zボソン、光子*、グルオン

不安定なものを含めると、素粒子*の数は数百にもなる。現在では、ハドロンを構成するもっと基本的な粒子として、クォークまたは「基本粒子*」が考えられている。

→fundamental particle

E

ellipse　　　　　　　　楕円、だ円

円を縦や横など、1方向だけに拡大あるいは縮小したもの。太陽を回る惑星の運動（公転軌道）は楕円である。

elongation strain　　　　伸びひずみ

伸びともいう。物体*に張力*をかけて1方向に引っ張るときの、単位長さ当たりの変形量をいう。最初の長さを L、引っ張ったときの長さを L' とすると、伸び e は

$$e = \frac{L' - L}{L}$$

で表わされる。

emf. → electromotive force (EMF)

emission　　　　　　　　放出、（光の場合は）発光

電子*や光子*が物体*から放射*されること。

emission line spectrum　　　輝線スペクトル

　→ line spectrum

emission spectrum　　　　放出スペクトル、発光スペクトル

分子や原子*が高いエネルギー準位*から、低いエネルギー準位に移るときに、この2つの状態のエネルギーの差に相当する電磁波*あるいは光*を放出*する。これらの波のスペクトル*をいう。

emitter　　　　　　　　エミッター

トランジスタ*で、電子*やホール（正孔*）の注入側の領域をエミッター、出力側をコレクタ、基底部をベースという。

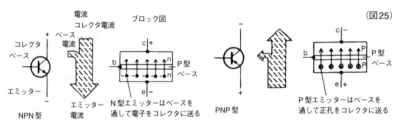

（図25）

ブロック図

コレクタ
ベース
エミッター
NPN型

電流
コレクタ電流
ベース電流
エミッター電流

c+
b
e−
N型エミッターはベースを
通して電子をコレクタに送る
P型ベース

PNP型

c−
b
e+
P型エミッターはベースを
通して正孔をコレクタに送る
P型ベース

empirical formula　　　　実験式

実験データから求めた関係式。

endothermic　　　　　　吸熱の

外部から熱*を吸収すること、奪うこと。

↔ exothermic

endothermic reaction　　　吸熱反応

反応が進む際に、その物体*や系*が、外部の熱*を吸収する化学反応。反応熱は外部から供給されている。

↔ exothermic reaction

energy　　　　　　　　エネルギー

ある物体*が、他の物体に仕事*をすることができる状態にあるとき、物体はエネルギーをもっているという。外部に仕事をできる能力の大きさがエネルギーの大きさである。エネルギーの単位は仕事の単位と同じ J（ジュール）。

例：位置によるエネルギー*、力学的エネルギー*、運動エネルギー、熱エネルギー、電気エネルギー。

energy conservation law　　エネルギー保存則

→ law of conservation of energy

E

energy conversion　　　　エネルギー変換

あるエネルギー*を別のエネルギーに変換すること。たとえば、振り子*の運動では、重力*による位置エネルギー*と運動エネルギー*との間で、相互に変換している。

energy level　　　　エネルギー準位

原子*や分子*などが、定常状態（安定した状態）*にあるときのエネルギー*の値。とびとびの値を取る。原子がひとつのエネルギー準位から他のエネルギー準位に移ると、一定の振動数をもつ光が放出されたり、吸収されたりする。
→ excited state

energy loss　　　　エネルギー損失

反応や過程で失われたエネルギー*のこと。

energy principle　　　　エネルギー原理
→ law of conservation of energy

energy transfer　　　　エネルギー移行、エネルギー伝達

エネルギー*がある場所から別の場所に移動すること。例：熱の移動、波によるエネルギー伝達。

enrichment　　　　濃縮

化学的または物理的な方法*を使って、特定の成分物質の濃度*を高めること。

enthalpy　　　　エンタルピー

物体の内部エネルギー*を U、圧力*を P、体積*を V とするとき $H = U + PV$ をその物体のエンタルピーという。物体を一定の圧力のもとで膨張させると、エンタルピーの変化は内部エネルギーの変化と膨張による外部への仕事の和に等しく、気体に与えられた熱量に等しい。

entropy　　　　エントロピー

物体*の状態を表わす量のひとつ。無秩序あるいは乱雑さの程度を表わす。熱力学の第2法則*より、自然現象はエントロピーが増える方向に進む。

equal temperament 　　　平均律

音程＊の決め方の方法。1オクターブは振動数が2倍であり、1オクターブを12に分ける。ある音＊に対して半音高い音の振動数＊の比を、$2^{1/12}$とする。

equation 　　　方程式

ある物理量＊や現象の間にある関係を、式で表わしたもの。

equation of motion 　　　運動方程式

物体＊に加わる力＊をF、質量＊をm、物体の加速度＊をaとするとき$F = ma$の関係がある。この式を運動方程式という。質量mの物体に力Fが作用したときの加速度aは、力Fに比例し、質量mに反比例することを示している。これは、ニュートンの運動の第2法則＊である。

equation of state 　　　状態方程式

物質の一定量に対し、圧力と体積、温度の関係を表わした式。

equation of state of ideal gas 　　　理想気体の状態方程式

理想気体＊においては、気体n [mol]、体積V [m³]、圧力P [N/m²]、絶対温度T [K]の間には

$PV = nRT$ （R は気体定数。8.31 J/mol・K）

の関係が成り立つ。この関係式を理想気体の状態方程式という。

→ideal gas

equilibrant 　　　つりあいの力

→equilibrant force

equilibrant force 　　　つりあいの力

物体にはたらくある力＊に対して、向きが逆で大きさが等しい力をいう。元の力とつりあいの力の合力は0となり、物体が静止している場合は静止の状態を続ける。

equilibrium 　　　つりあい、平衡

equilibrium of force 　　　力のつりあい

物体のある点にはたらくいくつかの力の合力が0のとき、これらの力はつりあっているという。またこれらの力のことを、つりあいの力という。このとき、物体は

静止または等速直線運動を続ける。

equilibrium position　　　　つりあいの位置、平衡点
単振動*において、運動の中点（中間点）。たとえば、単振り子*では最下点。

equilibrium vapor pressure　平衡水蒸気圧
容器内などで、水と平衡状態にある水蒸気*の圧力*。

escape speed　　　　　　脱出速度
→escape velocity

escape velocity　　　　　脱出速度
ロケットや宇宙船などの物体が地球の重力*に打ち勝ち、地球から脱出できるための最小の速度*。第2宇宙速度*ともいう。およそ、11.2 km/s である。

estimate　　　　　　　見積る
推量でおおまかに大きさや量を測ること。

ether　　　　　　　　エーテル
光*や電磁波*を伝える媒質で、宇宙に充満していると考えられた物質。マックスウェルはエーテルのひずみの状態が電磁場を形成し、そのひずみの状態の変化が伝わることによって電磁波が伝わると考えた。その後、マイケルソン—モーリーの実験*より、そのような物質はないことがわかった。

eV　　　　　　　　　電子ボルト
→electron volt

evaporate　　　　　　蒸発する、気化する
液体や固体が気体になること。狭い意味では沸騰*は含まない。

evaporation　　　　　蒸発、気化

excitation　　　　　　励起
(1)振動体にエネルギー*を与えて、固有振動*をさせること。
(2)原子*や分子*が、低いエネルギー準位*から高いエネルギー準位に移ること。

→excited state

excited state　　　　励起状態

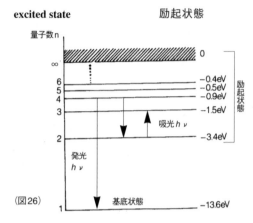

(図26)

原子＊や分子＊、原子核＊などが定常状態＊（安定な状態）で存在しているときは、量子力学＊より、そのもつエネルギー＊はとびとびの（不連続な）値をとる。このうち最低のエネルギーの状態を基底状態(ground state)、それ以外のエネルギーの状態を励起状態という。これらの状態のエネルギーをエネルギー準位＊という。原子や分子では、軌道＊を回る電子＊がエネルギーを吸収したり、放出したりすることで別の励起状態に移る。このときのエネルギーの吸収・放出＊は、光子＊を使っておこなわれ、このとき一定の振動数をもつ光が放出されたり、吸収されたりする（ボーアの振動数条件）。

exclusion principle　　　　排他原理

いくつかの電子＊を含む原子などで、2個以上の電子が、4つの量子数＊（主量子数、方位量子数、磁気量子数、スピン＊量子数）すべてが同じとなる状態をとることはできないという原理＊。原子内の電子では、ひとつの電子状態には1個の電子しか入れないという原理。原子内の電子の配置を決める基礎原理である。

exclusion principle of Pauli　　　　パウリの排他原理

→exclusion principle

exhaust stroke　　　　排気行程

内燃機関＊で、ピストン＊が上昇し、爆発後の排気ガスを外部に排出する過程。

→internal combustion engine

exothermic　　　　発熱

外部に熱＊を放出＊すること、与えること。

↔endothermic

E

exothermic reaction　　　発熱反応
反応が進む際に、その物体＊や系＊が、外部に熱＊を放出＊する化学反応。
↔endothermic reaction

expand　　　膨張する
→expansion

expanding universe　　　膨張宇宙
この宇宙が膨張＊し続けているとする宇宙モデル。星のスペクトル＊の赤方偏移＊
より考えられた。
→Big Bang Theory

expansion　　　膨張
膨らむこと。長さや体積＊が大きくなること。

experiment　　　実験、実験する
条件を注意深く制御し、物理現象を起こさせること。

explosion　　　爆発
圧力＊の急激な発生または外部への解放。

exponent　　　指数
$y = a^x$ と表わすとき、x を指数、a を底＊という。x については xth power と表現する。

exponential　　　指数の

exponential function　　　指数関数
$y = a^x$ の形に表わせる関数＊をいう。a は定数であり底＊という。

exposure　　　(1)露光、露出　(2)被曝
光＊や電磁波＊、放射線＊などをあびること。

expression　　　式、表示
なんらかの対象について、数、記号、文字などを使って表わしたもの。

external combustion engine　　外燃機関

燃料＊をシリンダー＊やタービン＊の外で燃やすような熱機関＊。機関外部で発生
した熱＊は、一度作業物質＊に伝えてから仕事＊に変える。たとえば、原子炉＊、
ボイラーなど。

↔internal combustion engine

external force　　　　　　　外力

物体＊外部から物体に加える力。

external work　　　　　　　外部からの仕事、外からされた仕事

物体＊が外部からされた仕事＊。

extrapolation　　　　　　　外挿

ある範囲の測定値があるとき、それらの範囲外の未知データを他のデータ＊を使っ
て推定すること。グラフの場合は、多くの点の近くを通る曲線を引き、知りたい
位置での値を読めばよい。

↔interpolation

eyepiece　　　　　　　　　接眼レンズ

→ocular lens

F

F   ファラッド

 →farad

F   ファラデー

 →faraday

f-number   **f値**

レンズなどで口径に対する焦点距離＊の比の逆数。

fact   **事実、実験事実**

同じ現象を何人かで観察し、説明するときの最小の合意。

factor   **要因**

実験＊に影響を与える条件のこと。

Fahrenheit temperature scale **カ氏温度目盛り、カ氏温度**

温度＊の表示法のひとつ。単位 ℉。セ氏温度＊との関係は、0℃が32℉、100℃が212℉ に対応する。セ氏温度Cとカ氏温度Fの変換式は次式で表わされる。

$$C = \frac{5(F - 32)}{9}$$

 →Celsius temperature scale

falling   **落下運動**

 →falling motion

falling motion   **落下運動**

物体＊が重力＊に引かれて、下向きに加速度運動＊をすること。落下の加速度の大きさは物体の質量にかかわらず一定で、重力加速度 *g* という。*g* ＝9.8 [m/s^2]

 →free fall

far infrared rays　　　　　遠赤外線
　→infrared rays

farad　　　　　ファラッド
　電気容量＊の単位。記号F（ファラッド）。1Cの電気量＊がたくわえられたときに、電位＊が1V上がるようなコンデンサー＊の電気容量をいう。10^{-6}F＝1μF（マイクロファラッド）、10^{-12}F＝1pF（ピコファラッド）。

faraday　　　　　ファラデー
　1価イオン＊の1molの物質＊を電気分解＊するのに必要な電気量＊。1ファラデーの電気量によって1molの電子が陰極に入り、1molの電子が陽極から出てくる。1ファラデーはおよそ96500C（クーロン）である。

Faraday's law　　　　　ファラデーの法則、ファラデーの電磁誘導の法則
　「磁界＊が変化すると、電界＊が発生し誘導起電力＊を発生する。この電磁誘導＊によって、回路＊に生ずる誘導起電力の大きさは、回路を貫く磁束＊の時間的変化の割合に比例する」。数式で表現すると、コイル＊を貫く磁束が$\varDelta t$の時間中に$\varDelta\Phi$だけ変化するとき、誘導起電力の大きさVは、$V=-\dfrac{\varDelta\Phi}{\varDelta T}$

Fast Fourier Transformation (FFT)　　　高速フーリエ変換
　周期的な波＊を、いくつかのサイン波＊に分解するための数学的手法。

fast breeder reactor　　　　　高速増殖炉
　核分裂＊の際に発生する中性子＊を減速しないで、高速のまま核分裂の連鎖反応＊に利用する増殖炉＊。
　→breeder reactor

fatigue　　　　　疲労
　固体に繰り返し力＊を加えていくと、破壊強さが減少する現象。たとえば、鉄製の針金は一度ではなかなか切れないが、これを何度も折り曲げていると、小さい力でも切れてしまう。

Fermat's principle of least time　　　フェルマーの最短時間の法則
　「光＊が2点を通るとき、通過時間が最小となるような経路（道）を通る」という原理。1662年にフェルマーが発表した。

fermion　　　　　　　　フェルミオン、フェルミ粒子

スピンが1/2、3/2などの1/2の整数倍の値をもつ粒子（電子*、陽子*、中性子*など）。これらはパウリの排他原理*に従う。

→exclusion principle

ferromagnet　　　　　　強磁性体

→magnetic material

ferromagnetism　　　　　強磁性

→magnetic material

Feynman diagram　　　　ファインマン図、ファインマンダイアグラム

素粒子*の相互作用*によって粒子が生成されたり消滅したりする様子を、図で表わす方法。

fiberglass　　　　　　　ガラス繊維

ガラスを溶解してから繊維状にしたもの。層状に積み重ねたものは、断熱材や吸音材として用いられる。また、内側と外周部の屈折率*を変えたものは光ファイバー*として、光*の伝達に使われる。

fiberscope　　　　　　　ファイバースコープ

多数の細い光ファイバー*を束ねて1本の太い線にしたもの。両端面をきれいに加工することで、画像を伝達することができる。光源とレンズ*と組み合わせることで、胃カメラなどの内視鏡*に用いられる。

filter　　　　　　　　　フィルター

特定の振動数*の光*や音*、電気信号*などを、通過させたり減衰*させたりする装置。

first astronomical velocity　　第1宇宙速度

→astronomical velocity

first law of photoelectric emission　　光電子放出の第1法則

光電子*の時間当たりの放出*量は、入射光*の強さに比例する。

first law of thermodynamics　熱力学の第1法則

一般に、ある物体＊や系＊が外から熱量をもらったり、仕事が加えられたりすると、その分だけ内部エネルギーが増加する。外部から得た熱量＊を Q、外部からされた仕事＊を W、物体の内部エネルギー＊の増加量を $\varDelta U$ とすると、$\varDelta U = Q + W$ となる。熱力学第1法則＊は、熱に関するエネルギー保存則＊を意味する。

first-class lever　　　　　第1種てこ

てこ＊での回転軸＊である支点＊が棒の途中にあり、外力＊を加える力点が支点＊の右側（左側）に、てこ＊による物体への作用点＊が支点の左側（右側）にあるようなてこ。

first-order line　　　　　第1番目の線、一次の線

回折＊などで現れた像＊や輝線などのうちで、中心に一番近いもの。中心をはさんで両側にある。

fisheye lens　　　　　　　魚眼レンズ

撮影角が180度のレンズ＊。全天を見ることができる。
→ lens

fission　　　　　　　　　核分裂

原子核＊がいくつかの部分に分裂すること。質量数が非常に大きい原子核は核子1個あたりの結合エネルギーが小さく、それより小さな原子核になったほうが安定なため、中性子の衝突によって分裂し、質量数が半分くらいの2つの原子核になる。この際、2〜3個の中性子と多量のエネルギーが放出される。分裂した部分は、元とは別の元素＊になる。

fission neutron　　　　　　核分裂中性子

核分裂＊の際に原子核＊から放出される中性子＊。

fission product　　　　　　核分裂生成物

核分裂＊で生じた元素＊、物質＊。たとえば、${}^{235}U$ の核分裂により、${}^{141}Ba$、${}^{131}Sn$、${}^{103}Mo$、${}^{92}Kr$ などの元素ができる。これらの元素は多くは放射性物質＊である。

fissionable　　　　　　　　(1)核分裂性の　(2)核分裂性物質

(1)核分裂＊する性質または可能性。

F

(2) 核分裂＊する可能性をもった物質。

→fission

fixed　　　　　　　　　　　固定の、固定された

fixed end　　　　　　　　　固定端

進行波＊が媒質＊を右向きに伝わり、その右端で反射＊する場合を考える。右端の部分が、固定されていて振動＊できない状態になっているとき、これを固定端という。これに対し、他の媒質部分と同様に自由に振動できる場合、これを自由端 (free end) という。波が固定端で反射する場合は、反射波の位相＊がπずれる（たとえば山＊なら谷＊になる）のに対し、自由端では位相はそのままである。また、反射で、定常波＊ができるときは、固定端は節＊になる。たとえば、一端が閉じた気柱＊の振動では、閉じた側が固定端で、開いた側が自由端である。

fixed points　　　　　　　（温度の）定点

水が凍る温度＊である0℃や、沸騰＊する温度である100℃など、温度の較正＊の際に使う標準的な温度の定点。純粋な物質＊の融点＊や沸点＊が使われる。

→calibration

fixed pulley　　　　　　　定滑車

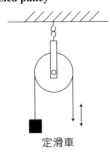

定滑車

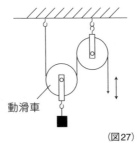

動滑車

（図27）

中心に軸＊をもつ回転できる円盤で、円盤の外周部に糸やひもを取り付けて、物体＊を動かすのに使う装置を滑車＊またはプーリーという。滑車の軸を天井など他の物体＊に固定したものを定滑車という。糸を介して物体を引く。物体を引く張力＊は物体の重力＊とつりあう。これに対し、軸に物体をぶら下げて、糸を引くと滑車が移動できるようにしたものを、動滑車(moving pulley) という。動滑車では、物体の重力に対し、引く力は半分となるが、定滑車の場合の2倍の長さを引く必要がある。

fixed star　　　　　　　恒星

いわゆる星のこと。高温の物質が重力によって集まっていて、自ら放射を出し、輝いている。太陽も恒星のひとつ。

flammable　　　　　　　可燃性の

燃えやすいこと。酸素と反応しやすいこと。

flash point　　　　　　　引火点

気体や液体の蒸気＊に炎が触れたときに、炎を出して燃え出す最低の温度。

Fleming's law　　　　　フレミングの法則

(1) フレミングの左手の法則 (left-hand rule)

(図28)

磁界＊に導線を置き電流＊を流すとき、磁界の向き、電流の向き、電流が磁界内で受ける力の向きは、互いにそれぞれ垂直である。これを電流の向きは左手の中指に、磁界の向きは人指し指に対応させると、導線に生ずる力の向きは、中指と人差指に垂直に立てた親指の向きになる。

(2) フレミングの右手の法則 (right-hand rule)

磁界に垂直に置いた導線を磁界と垂直に動かすとき、誘導電流＊は磁束＊の変化をさまたげる向きに流れる。導線の運動方向を右手の親指、磁界の向きを人差指に対応させると、誘導電流の向きは、親指と人差指に垂直に立てた中指の向きに生ずる。

floppy disk　　　　　　フロッピーディスク

ポリエステルなどの上に磁性体＊を塗った柔軟性のある円盤。コンピュータ＊のデータ＊をS極＊とN極＊に変換して記録する。

flow　　　　　　　　　　流れ

flow chart　　　　　　　フローチャート、流れ図

作業の手順を記号と文字を使って図に表わしたもの。

fluid　　　　　　　　　　流体

液体や気体など流れることができる物質＊。外からの力に対して自由に形が変わ

る。

fluorescence　　　　　　　ケイ光、蛍光

→fluorescent

fluorescent　　　　　　　ケイ光の

紫外線＊や可視光線などを物質＊に当てたとき、元と異なった波長＊をもつ光＊を
発することがある。このとき、当てた光を消すと発光が消えるものをケイ光とい
い、元の光を消してもしばらく光っている（残光）ものをリン光(phosphorescence)
という。これらは、分子＊や原子＊が当てた光で励起＊したあと、元の状態に戻る
ときに発する光で、その過程で一部のエネルギー＊を格子＊の振動＊として失うた
め、当てた光より波長が長くなる。ケイ光またはリン光を発する物質＊をケイ光体
(phosphors)という。

fluorescent light　　　　　蛍光灯

ガラス管内にアルゴンと水銀の蒸気を入れた低圧放電管。水銀蒸気の放電＊により
発生する紫外線＊を、蛍光物質で可視光＊に変換して使う。

flux　　　　　　　　　　　磁束

→magnetic flux

flux meter　　　　　　　　磁束計

磁束＊を測る装置。電磁誘導＊の法則を原理としている。

flywheel　　　　　　　　　はずみ車、フライホイール

回転の慣性＊（回転モーメント）の大きい輪。外力を受けても、回転速度への影響
が少ない。エンジン＊などで、回転＊を保存したり動作を滑らかにするために使
う。

focal length　　　　　　　焦点距離

レンズの中心から焦点＊までの距離。

→focus

focal plane　　　　　　　　焦平面、焦点面

→focus

focal point　　　　　　　焦点
　　→focus

foci　　　　　　　　　焦点
　　focus の複数形。

focus　　　　　　　　焦点
　　光軸＊に平行な光線＊を、レンズ＊や鏡にあてるとき、光軸を通る 1 点に集まる。この点を焦点という。レンズの中心から焦点までの距離を焦点距離(focal length) と

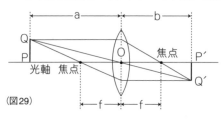

（図29）

いう。凸レンズ＊では正、凹レンズ＊では負に取る。また、焦点を通り光軸に垂直な面を焦平面(focal plane) という。レンズで、物体＊からレンズまでの距離を a、レンズで生じた像からレンズまでの距離を b、焦点距離を f とすると

$$\frac{1}{a} + \frac{1}{b} = \frac{1}{f} \quad （倍率は \left| \frac{b}{a} \right| ）$$

となる。

force　　　　　　　　力
　　物体＊の速度＊を変えたり、物体の形や体積を変える原因となるものを力という。

force of gravitation　　　重力
　　(1) 地球上の物体＊が地球から引かれる万有引力＊。
　　(2) 質量＊のある物体どうしにはたらく万有引力。

force of inertia　　　　慣性力
　　→inertial force

forced oscillation　　　強制振動
　　→forced vibration

forced vibration　　　　強制振動
　　振動体に、周期的な外力＊を加えて、振動＊させること。これに対し、振動体が自

由な振動をしている状態を固有振動*または自由振動*という。固有振動と強制振動による振動数*が等しいとき、振動体は共振・共鳴*する。

→characteristic vibration

→free vibration

→resonance

formula　　　　　　　　**(1)** 公式　**(2)** 化学式

(1) 物理量*やその間に成り立つ関係を表わした式。

(2) 元素記号を用いて物質*の化学組成を表わした式。分子式、示性式、構造式、実験式などがある。

formula weight　　　　　　式量

化学式*中の成分原子の原子量*の総和。

forward bias　　　　　　フォワードバイアス

PN 接合*の半導体*に、接合部を通過する電子*が増えるように電圧*をかけること。

fossil fuel　　　　　　化石燃料

石炭、石油、天然ガスなどの太古の生物が変化してできた燃料*。

Foucault pendulum　　　　フーコーの振り子

地球上で糸の上端を固定し、下におもりをつけた振り子をつくり、これを振らせると振動面が地球の自転の影響を受けて回転する。これを利用して、地球の自転の影響を調べることができる。こうした振り子をフーコーの振り子という。

Fourier analysis　　　　フーリエ解析

Fourier transform　　　　フーリエ変換

Fourier transformation　　フーリエ変換

→Fast Fourier Transformation

frame of reference　　　　座標系

→coordinate system

Frank-Hertz experiment　　フランク・ヘルツの実験
原子*のエネルギー準位*が不連続な（とびとびの）値をとることを示した実験。
水銀蒸気中で電子*を加速させたところ、4.9 V増えるごとにエネルギー*を失っ
た電子が観察された。これは、電子のエネルギーが4.9 eVに達したところで水銀
原子にそのエネルギーを吸収されることを意味する。このことから、水銀原子の
エネルギー準位の差は4.9 eVであるといえる。

Fraunhofer lines　　フラウンホーファー線
太陽光のスペクトル*にある暗線(dark line) をいう。これは太陽光の中の特定の波
長の光が、太陽表面の水素、ナトリウム、カルシウム、鉄などや地球の大気中の
分子*によって吸収されることでできる。
　→absorption spectrum

free electron　　自由電子
金属*では、金属結晶の中を＋イオンが整然と並び、その間を金属原子から飛び出
した電子*が自由に移動している。この自由に動き回る電子を自由電子という。

free electron laser　　自由電子レーザー
　原子*に束縛されない自由電子*を使ったレーザー*。

free end　　自由端
　→ fixed end

free fall　　自由落下
地球の重力*以外に物体*に外力*がはたらかないときの落下運動。物体をただ離
したときの運動。

free oscillation　　自由振動
　→free vibration

free vibration　　自由振動
振動体が自由な振動をしている状態。
　→character vibration
　↔forced vibration

F

freezing　　　　　　　　凝固

液体*が固体*になること。これは冷やされて熱エネルギー*を失った分子が、分子間力*に捕えられるためである。

→solidification

freezing point　　　　　凝固点

液体*が固体*に変わる温度。液体の凝固がはじまってから凝固し終わるまでの温度。

frequency　　　　　　　振動数、回転数、周波数

振動体が1秒間に振動*する回数を振動数という。単位はHz（ヘルツ）。振動体の代わりに、回転体の場合を回転数、交流*の電流*などの電気*的な振動の場合を周波数とよぶ。

frequency modulation (FM)　　周波数変調

信号*の変調法のひとつ。送りたい信号の変位*を、搬送波*という高い振動数*の波*の振動数に変換して送る方法。日本のFM放送はこの方式。

frequency-modulated (FM)　　周波数変調された

friction　　　　　　　　摩擦

2つの物体が接触しながら相対的に運動*するとき、相手の運動を妨げようとする力を摩擦力といい、この現象を摩擦という。物体の接触する表面に凸凹があったり、固い物体がくいこんだりすることが原因である。

→sliding friction

→static friction

fuel　　　　　　　　　　燃料

燃やすことで熱を発生し、その熱をエネルギー*に変えて利用できる物質*。酸化反応で熱を発生する。原子炉*用の「核燃料」をさす場合もある。

fuel cell　　　　　　　　燃料電池

正極*に酸素や空気、負極*に水素や炭化水素などの燃料を用い、電極の間に電解質を満たして、化学的に電気エネルギー*を取り出す気体型電池。燃料*を補給することで、連続して使用できる。

fuel injection　　　　　燃料噴射
ディーゼルエンジン*などで、燃料*を霧状にして、燃焼室内の圧縮空気に直接吹き付けること。

fuel rod　　　　　燃料棒
原子炉で反応させてエネルギー*を取り出すウランなどの核分裂性の物質。

fulcrum　　　　　支点
てこ*で、回転の軸となる点。

function　　　　　関数
変数*xの変化に対して、yの値が決まるとき、yはxの関数*であるという。

fundamental　　　　　基本の

fundamental frequency　　　　　基本振動
固有振動*のうち、一番小さい振動数*をもつ振動*。
→character vibration

fundamental oscillation　　　　　基本振動
→fundamental frequency

fundamental particle　　　　　基本粒子、基本素粒子
物質*を構成している基本的な粒子。素粒子*を構成しているもっと基本的な粒子で、次のように分類できる。
(1) クォーク*(quark)
　　スピンは1/2で、強い相互作用*に関係した色(color)と、弱い相互作用に関係した香り(flavor)をもつ。このため、強い相互作用・弱い相互作用・電磁相互作用*を行う。電荷*は±2e/3または±e/3をもつ。アップu、ダウンd、ストレンジs、チャームc、トップt、ボトムbの6種類のクォークがある。
(2) レプトン*(lepton)
　　スピンは1/2で、弱い相互作用に関係した香り(flavor)だけをもち、弱い相互作用・電磁相互作用を行う。電荷は0または±1をもつ。
　　例：ニュートリノ*、電子*、ミューオン、およびそれらの反粒子*
(3) ゲージ粒子*(gauge particle)

スピンは1の整数倍で、素粒子の相互作用を媒介する粒子。
例：Wボソン*、Zボソン、光子*、グルオン*
→elementary particle
→interaction

fundamental unit　　　　**基本単位**

物理量*を表わす単位*の中で、基本として選ばれた単位。現在、一般に認められている国際単位系*（SI）では m, kg, s, A, K, cd, mol を基本単位としている。
↔derived unit

fuse　　　　　　　　　　**ヒューズ**

回路*が短絡（ショート）したり、過大電流が流れたとき、回路を遮断する装置。電流回路の保護、安全のためのもの。合金製の線や薄板で、一定以上の電流が流れると融ける。

fusion　　　　　　　　　　**(1) 融解　(2) 核融合**

(1)固体が熱あるいは圧力を与えられて液体に変わること。融けること。
(2)軽い元素*の原子核*が結び付いて、質量数*の大きい別の元素の原子核を作ること。質量数の非常に小さい原子核は大きな原子核になったほうが安定なので、核融合しやすい。最初の質量と、後の質量の差がエネルギー*に変換される。太陽のエネルギーは核融合による。

G

g グラム

質量＊の単位。kg の 1/1000。4 ℃の蒸留水 1 cm³ の質量とされているが、現在ではキログラム原器を基準としている。

g 重力加速度

→ gravitational acceleration

G ギガ

→ giga

galactic system 銀河系

→ galaxy

galaxy 銀河

多数の恒星＊、ガス、星間物質からなる巨大な集団。楕円型、渦巻型、不規則型に分けられる。1000 億ほどの星が直径 5 万光年くらいの円盤状に散らばっているのが多い。われわれの太陽系の属する集団を銀河系(galactic system) とよび、銀河系と同等な他の集団を銀河という。銀河のことを、銀河系外星雲(extragalactic nebula) または系外銀河ともいう。

Galilei transformation ガリレイ変換

ひとつの慣性系＊でのある点の座標＊を、それと等速度＊で移動していく別の座標系に移す操作。変換後の座標系も慣性系となる。ニュートン力学では、ガリレイ変換しても同じ物理法則（運動方程式＊など）が成り立つとした。相対性原理を表わす。

→ inertial system

galvanometer 検流計

μ A 以下の、微小電流を測定するための電流計。弱い電流に対応するよう、特別な構造・部品からなる。

G

gamma decay　　　　　γ崩壊

原子核*がγ線*を出すこと。崩壊*とついているが、原子核自体は崩壊しない。α崩壊*やβ崩壊*で原子核が不安定な状態となるが、それに伴って原子核が余分なエネルギー*を光子*のエネルギーの形で放出*し、安定な状態に移るのがγ線の発生の機構である。γ崩壊では、原子の質量数*、原子番号*は変化しない。

gamma radiation　　　　　γ線放射

γ線を放出すること。

gamma（γ）ray　　　　　γ線

原子核*の崩壊*、核反応*、素粒子*の反応などの際に生ずる、きわめて波長*の短い電磁波*を「γ線」という。波長はおよそ、10^{-10}m 以下。高エネルギーの光子*で、透過力がX線*などに比べてはるかに強い。γ線を放出することを「γ線放射」という。原子核の場合は、α線*、β線*と伴って出ることが多い。また、素粒子では、空間中にγ線を照射することで、素粒子の対生成*、対消滅*が起きる。電離・写真・蛍光作用は3つの放射線のうち最も弱いが、透過力は最も強い。

gas　　　　　気体

一定の形をもたず、温度*変化や圧力*変化で簡単に形を変えられる物質*の状態*。分子が1つ1つばらばらになり、さまざまな速さでさまざまな方向に飛び回っている。分子間にはほとんど引力がはたらかず、分子間の距離が大きいので、圧縮・膨張しやすい。一般に、固体を温度を上げていくと、液体、気体となる。

gas constant　　　　　気体定数

理想気体の状態方程式 $PV = nRT$ における比例定数 R。記号で表わす。$R = 8.314$ J/K·mol。圧力が P、体積が V、n はモル数、絶対温度は T。

→ general gas law

gas laser　　　　　ガスレーザー、気体レーザー

気体を使ったレーザー*。気体の放電による励起を利用する。固体レーザーと異なり、連続発振が可能で、放出*される光*の波長*の幅が狭い。例：He-Ne ガスレーザー（赤色）。

→ laser

gasoline engine　　　　　　　ガソリンエンジン

ガソリンを燃料＊に用いる内燃機関＊。ガソリンエンジンでは燃料と空気の混合気をシリンダー＊に引きこんで、電気火花を使って爆発させる。この爆発による仕事を動力として取り出す。

→ internal combustion engine

gauge particle　　　　　　　ゲージ粒子

→ fundamental particle

Gauss' law　　　　　　　ガウスの法則

ある曲面を貫く電気力線＊（または電束）の本数は、曲面内の電気量＊に等しい。あるいは、q [C] の正電荷から出る（または不電荷に入る）電気力線の総数 N は常に $N = 4\pi kq$ 本である（k はクーロンの法則＊の比例定数。$k = 9 \times 10^9$ N·m^2/C^2）。これは、クーロンの法則＊の別の表現法である。

→ Coulomb's law of electrostatics

Gay-Lussac's law　　　　　　　ゲイ・リュサックの法則

「圧力＊が一定のとき、一定量の気体の体積は温度が 1 ℃上昇するごとに 0 ℃のときの体積の 1/273 ずつ増加する。すなわち、気体の種類にかかわらず、気体の熱膨張率＊は一定である」。これは、シャルルの法則＊の別の表現法である。

→ Charles' law

gear　　　　　　　ギア、歯車

回転円盤や円筒に、切込み（歯）を入れたものをいう。他の歯車の切込みと噛み合わせて、力や回転運動の伝達、回転数の変換などに使う。

Geiger counter　　　　　　　ガイガーカウンター

→ Geiger tube

Geiger tube　　　　　　ガイガー計数管

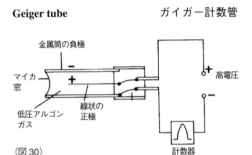

金属筒の負極

マイカ窓

低圧アルゴンガス　　線状の正極

（図30）　　　　　　　　　　計数器

＋高電圧

−

放射線＊の入射＊を管内の気体の電離作用を利用して測定する管のこと。ガイガー・ミューラー管、または GM 管ともいう。また、GM 管を使って、放射線の入射数を計数する装置を GM 計数管という。GM 管内には、中心部に針状陽極、管外周部（金属の円筒）側が陰極＊、管内に低圧アルゴンガスを入れ、1000 V 程度の電圧＊をかける。放射線が入射すると、管内のガスが電離され、このとき飛び出した電子＊が、次々と気体に衝突し電離させて電子なだれ＊となり、大きな電流パルス＊を生ずる。このパルスを計数器で測る。

Geiger-Müller counter　　　ガイガー・ミューラー計数管
　　→ Geiger tube

Geiger-Müller tube　　　　　ガイガー・ミューラー計数管
　　→ Geiger tube

general gas law　　　　　気体の一般法則
　　理想気体＊1 mol の状態方程式をいう。1 mol の理想気体の体積＊を V、圧力＊を P、絶対温度＊を T、気体定数＊を R とすると次の関係式が成り立つ。
　　$PV = RT$
　　つまり、一定量の理想気体では、温度が一定のとき、圧力と体積は反比例する。なお、これを拡張すると n mol の気体については気体の量が n 倍となるので、$PV = nRT$ となる。これを、気体の状態方程式という。

general theory of relativity　　一般相対性理論
　　特殊相対性理論＊を一般化して拡張した理論＊。1915 年にアインシュタインが発表した。慣性系＊、非慣性系にかかわらず物理法則が同じ形を取らねばならない立場から、万有引力を取り扱う。時間と空間が幾何学的に時空＊を作っているとされる（リーマン空間という）。ここでは、万有引力も時空の幾何学的性質の現れだとされる。
　　→ special theory of relativity

generator　　　　　　　　　**発電機**

力学的エネルギー * を電気エネルギー * に変え、電流を発生させる装置。導体の回転運動 * による磁界 * （磁束）の変化から、誘導起電力 * で電流を得る。直流発電機と交流発電機に分けられる。

→ induced electromotive force

geodesic　　　　　　　　　**測地の**

geodesic line　　　　　　**測地線**

曲面状の 2 点を、曲面に沿って最短で結ぶ曲線。

geostationary satellite　　**静止衛星**

赤道上空にあり、地球の自転 * 方向に、地球の周期 * と同じ 24 時間で軌道 * を回る人工的な天体。地球から見ると止まって見える。赤道上空約 3.6 万 km の位置にある。天気予報に、また通信の中継点として利用されている。

geothermal energy　　　　**地熱エネルギー**

地殻内の高温部から得られる熱エネルギー *。地熱エネルギーを利用して電気 * を得ることを、地熱発電(geothermal generation) という。

GeV　　　　　　　　　　　**ゲブ、ギガ電子ボルト**

→ gigaelectronvolt

giga　　　　　　　　　　　**ギガ**

10^9 のこと。例：$1 \text{ G}\Omega = 10^9 \Omega$

gigaelectronvolt　　　　　　**ゲブ、ギガ電子ボルト**

記号は GeV。$1 \text{ GeV} = 10^9 \text{ eV} = 1.602 \times 10^{-10} \text{ J}$。

glare　　　　　　　　　　　**まばゆく光ること、ぎらぎら光ること**

gluon　　　　　　　　　　　**グルオン、グルーオン**

強い相互作用 * の力を伝達する素粒子 *。質量 * 0、電荷 * 0、スピン * は 1 で、カラー(color) の異なる 8 つの状態がある。クォーク * を結び付ける接着剤の役割を果たす。グルオンどうしで相互作用し、グルオンによる力は、距離が小さいと

弱く、離れると強くなるという性質をもつ。

→ elementary particle

→ interaction

GM counter　　　　　　ガイガー・ミューラー計数管

　→ Geiger tube

GND　　　　　　　　　接地

　→ grounded

gram atom　　　　　　グラム原子

1 mol に相当する原子＊の量や体積＊。原子量にグラムをつけたものが、質量で示した1グラム原子。

gram equivalent　　　　グラム当量

化学反応＊において、電子＊1 mol をやり取りするのに要する物質＊の量。

gram-atomic weight

　→ atomic weight

gram-weight　　　　　グラム重

1 g の質量＊にはたらく重力＊の大きさを 1 g 重とする。記号は gw または gf。1 gw ＝ 0.0098 N

graph　　　　　　　　グラフ

2つ以上の測定値の関係を、点や曲線を使って図に示したもの。

grating　　　　　　　回折格子

　→ diffraction grating

grating constant　　　（回折）格子定数

　→ diffraction grating

gravitation　　　　　**(1)** 重力　**(2)** 万有引力

(1) 重力→ gravity

(2) 万有引力
→ universal gravitation

gravitational acceleration　　重力加速度
地球の重力＊によって、物体＊に生ずる加速度＊。すべての物体に対して等しい。
記号 g で表わす。$g = 9.8 \text{ m/s}^2$。

gravitational constant　　万有引力定数
→ universal gravitational constant

gravitational filed　　重力場
質量＊によって、歪んだ空間。ここに他の質量をおくと、万有引力＊を生ずる。
地球の周囲も物体に重力が作用している重力場である。

gravitational force　　重力
→ gravity

gravitational interaction　　重力の相互作用
万有引力＊のこと。粒子間にはたらく相互作用＊のうち、重力＊によるものは伝
達距離に限界がなく、また最も弱い。
→ interaction

gravitational mass　　重力質量
ある物体＊にはたらく重力＊とキログラム原器にはたらく重力の大きさの比。ま
たは、物体が受ける重力を、重力加速度＊で割った値。重力質量は、重力から求
められた質量であり、これに対し慣性質量＊は運動方程式＊$f = ma$ から求められ
る質量で本来は異なる。しかし、ニュートン力学＊では両者は区別しない。
→ inertial mass

gravitational potential energy　　重力ポテンシャルエネルギー、重力による
　　　　　　　　　　　　　　　　　　　　位置エネルギー
ある位置の物体＊がもつ、重力＊による位置エネルギー＊。重力に逆らって、物
体を基準点からその位置まで運ぶのに要する仕事に等しい。
(1) 地表付近の場合：地表を基準点として、高さ h にある質量＊m の物体の位置エ
ネルギー U は $U = mgh$。高さ h の位置にある物体は地表面にあるときに比べて

mgh だけエネルギーが大きい。

(2) 一般の場合：万有引力による地球の中心から *r* の地点での質量 *m の物体の位置エネルギーは、*G* を万有引力定数、地球の質量を *M*、無限遠点 * をエネルギーの基準点として、

$$U = - \frac{GMm}{r}$$

G

gravitational red shift　　重力による赤方偏移

恒星 * など質量 * の大きい物体 * の表面からでる光のスペクトル * が、重力場 * の中で力を受けて、本来のスペクトルより波長 * の長い赤側にずれること。一般相対性原理 * により予測された。

gravitational wave　　重力波

質量 * の変化による重力場 * の変動が、波 * となって空間を伝わる現象。光速度 * で進む。一般相対性原理 * から存在が予測された。星の重力による崩壊 * や、連星 * などで生ずると考えられる。

→ gravitational field

graviton　　重力子、グラビトン

万有引力 * を伝える媒介となる粒子。質量 * は 0 。

→ interaction

gravity　　重力

地球上に静止している物体 * が地球から受ける万有引力をいう。物体の質量 * を *m*、重力加速度 * を *g* とすると、重力 *F* はそれぞれの質量に比例した大きさであり、*F = mg* となる。ある物体が受ける重力のことを、日本語の日常用語では重量または重さといっている。

greenhouse effect　　温室効果

地球表面の熱放射 * が、大気中の CO_2 の存在によって、熱 * を吸収されまた一部が地表に戻り、地表の温度 * が上昇すること。生態系への影響が懸念されている。

grid　　格子、グリッド

真空管内の格子上の電極。陰極から陽極への電子流を制御するほか、さまざまな影響を与える。

→ vacuum tube

grid bias　　　　　　　　　グリッドバイアス

真空管＊のグリッド＊（格子状電極）と陰極間の電位差＊（電圧）。

→ vacuum tube

ground　　　　　　　　　接地

→ grounded

ground state　　　　　　基底状態

→ excited state

grounded　　　　　　　接地した

回路＊や機器の一部を地面に接続することをいう。回路のある部分の電位＊を地球と等しくしたり、回路にたまった静電気＊を逃がしたり、機器に過大な電流が流れないようにするために用いる。

grounding　　　　　　　接地

→ grounded

H

h プランク定数

→Planck's constant

h

hour。1時間のこと。

H ヘンリー

→henry

Habble's law ハッブルの法則

地球から遠い銀河*は、われわれの銀河系*から遠ざかっており、その速度*vは銀河までの距離rに比例するという法則。$v = Hr$（H：ハッブル定数）。これは、宇宙が膨張*していることを意味する。1929年、ハッブルが観測から発見した。

→expanding universe

hadron ハドロン、強粒子

強い相互作用*をもつ素粒子*をいう。バリオンとメソンの2種類ある。

→baryon

→elementary particle

half-life 半減期

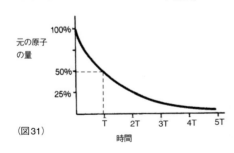

（図31）

放射性物質*が崩壊*するとき、現在ある放射性核種*の半数が崩壊するまでにかかる時間を半減期という。核種によって、時間が決まっており、放射性原子の寿命を表わす量として用いる。現在の放射性原子の数をN_0、半減期をT、時間t秒後の、崩壊しないで残っている原子数をNとすると

$$N = N_0 \left(\frac{1}{2} \right)^{\frac{t}{T}}$$

で表わされる。
→decay constant

Hall effect　　　　　　　ホール効果
電流*が流れている細長い板状の導体*に、板に垂直な磁界*をかけるとき、電流と磁界の向きに垂直な向きに電位差*が現れる現象。導体内の電子*が、磁界によりローレンツ力*によって移動するため起こる。
→Lorentz force

hardware　　　　　　　ハードウェア
コンピュータ*の装置、本体のこと。
↔software

harmonic series　　　　倍音の系列
ある楽音に対して、振動数*が1：2：3：4：5のような整数比をもつ音の集まり。

harmonic sound　　　　倍音
→harmonics

harmonics　　　　　　　倍音
ある振動体*の基本振動*に対して整数倍の振動数*をもつ音*のことを、倍音という。
→character frequency

harmony　　　　　　　調和、和音
振動数*の比が簡単な整数の比で表わされるようないくつかの音*を同時に鳴らすことをいう。

heat　　　　　　　　　熱
高温の物体*から低温の物体へ移るエネルギー*を熱という。分子*の運動によるエネルギーの合計が、物体のもつ熱エネルギーである。

heat capacity　　　　熱容量
物体*の温度*を1K上げるのに必要な熱（エネルギー）をその物体の熱容量とい

う。熱容量は物体によって異なる。物体の質量*を m、比熱*を c、熱容量を C とすると $C = mc$。

heat engine　　　　　　　熱機関

高温の物体がもつ熱エネルギー*を、力学的な仕事エネルギーに変換する装置。蒸気機関や内燃機関がある。例：ガソリンエンジン。

heat exchanger　　　　　　熱交換器

２種類の流体*を、混合することなしに、熱*だけを一方から他方へ移動させる装置。

heat insulation　　　　　　断熱

物体*と外界との熱*の出入りがないこと。
→adiabatic

heat insulator　　　　　　断熱材
→adiabator

heat mover　　　　　　　ヒートポンプ
→heat pump

heat of combustion　　　　燃焼熱

物体を燃焼させるときに発生する熱量。

heat of condensation　　　凝縮熱

気体が同じ温度の液体になるときに放出する熱量。

heat of dissolution　　　　溶解熱

物体が溶解する際に放出あるいは吸収する熱量。

heat of evaporation　　　　気化熱、蒸発熱

液体を同じ温度の気体にするときに必要な熱量。

heat of fusion　　　　　　融解熱

固体を同じ温度の液体にするときに必要な熱量。

heat of melting 融解熱
→ heat of fusion

heat of reaction 反応熱
化学反応の際に外部に放出、あるいは外部から吸収する熱量。

heat of solidification 凝固熱
液体あるいは気体が凝固＊するときに放出する熱量。

heat of solution 融解熱
→ heat of fusion

heat of sublimation 昇華熱
固体が気体になるときに吸収する熱量。

heat of vaporization 気化熱、蒸発熱
→ heat of evaporation

heat pump ヒートポンプ
低熱源から高熱源に熱＊を移動させる冷暖房装置。たとえば、気体を断熱膨張＊させると温度＊が下がり熱を吸収し、断熱圧縮＊すると温度が上がり熱を放出する。これを利用して、熱を移動させる。

heat radiation 熱放射
高温の物体のもつ熱が熱線＊の形になって別の離れた物体にまで伝わる現象。例：地球への太陽熱。
→ radiation

heat rays 熱線
赤外線＊のこと。

heat sink ヒートシンク
熱源＊からの熱＊を吸収して、熱源が高温にならないようにする装置。

H

heat source 熱源

外界より温度が高く、熱*を外部に与えることができるもの。あるいは熱の供給、吸収によっても温度変化の少ないもの。

heat transfer 熱伝達、熱の移動

温度の高い物体から低い物体に熱が移動すること。物体*中の熱*の移動（熱伝達）には、熱伝導*(thermal conduction, conduction of heat)、熱対流*(thermal convection)、熱放射*(thermal radiation, heat radiation) の3種類の方法がある。

(1)熱伝導→conduction (2)

(2)熱対流→convection

(3)熱放射→heat radiation

Heisenberg uncertainty principle ハイゼンベルクの不確定性原理

→uncertainty principle

henry ヘンリー

インダクタンス*の単位。記号H（ヘンリー）。電流*が1秒当たりに1A変化するとき、1Vの誘導起電力*を生ずるようなコイル*のインダクタンスを1Hとする。

hertz ヘルツ

→Hz

Hertz's experiment ヘルツの実験

電磁波*の存在を実証した実験。誘導コイルの両端に2つの接近した金属球をつなぎ、この2球間に放電*で火花を飛ばす。この近くに、小さな隙間の空いた金属製の輪を共振器*として使い、空間を伝わる波*があるかどうかを、波の共振*による火花の発生で調べた。金属球を結ぶ直線と輪の面が平行状態では輪に火花が飛び、垂直では飛ばない。

heterogeneous mixture 不均一な混合物、不均質な混合物

2つ以上の物質*が、ばらばらに混ざっており、場所によって混合比が異なる状態。

high temperature　　　　　高温

物質＊の温度が高いこと。

high voltage　　　　　高電圧、高圧

電圧＊が高いこと。

high-energy particle　　　　　高エネルギー粒子

素粒子などで、数百 MeV（1 MeV = 10⁶ eV）以上のエネルギーをもつ粒子。

high-speed photography　　　　　高速写真

回転ドラムにフィルムを巻き付けて連続的に写真を取り、物体＊の運動を解析する
方法。

hole　　　　　ホール、正孔

シリコンやゲルマニウムなどの半導体＊結晶＊で、不純物を混ぜたり外部からの刺
激を与えることにより、最外核の電子＊が自由電子＊となり結晶内を自由に移動す
るようになる。残った原子は＋のイオン＊となるが、電子を失った部分は孔となる。
この孔は正の電荷をもっている状態なので、正孔またはホールという。この正孔
は原子から原子へと移りやすく、電気＊を伝えるはたらきをする。正孔が電気伝導
の主体となっている半導体をP型半導体＊という。

→acceptor

→donor

hologram　　　　　ホログラム

ホログラフィー＊による像＊を記録する感光体。

holography　　　　　ホログラフィー

光＊や波動＊による干渉＊を利用して、ホログラム＊という感光材に像＊を記録す
る方法。レーザー＊光がよく用いられる。レーザー光を2分し、物体＊に当たって
回折＊した波と、直接ホログラムにあてる波とを、ホログラム上で干渉させて、干
渉によってできた光のパターンを焼き付け記録する。3次元的な立体の記録も可
能である。このときの、ホログラムに直接当てる光を参照光または参照波
(reference wave) という。

→laser

homogeneous　　　　　均質な、均一な、一様な

　2つ以上の物体と混ぜ合わせたときに、よく混ざった状態で、濃度＊のばらつきがないこと。

homogeneous mixture　　　均一な混合物

　濃度＊のばらつきのない混合物＊。

　→mixture

Hooke's law　　　　　　フックの法則

　弾性体＊に力を加えるとき、力が小さいときは変形の大きさは加えた力に比例するという法則。

　→elastic force

horizontal　　　　　　水平の

　地球の重力＊の向きと垂直な方向。地球の表面と平行な方向。

　↔vertical

horizontal axis　　　　水平軸

　グラフの横軸。

horizontal component　　水平成分、水平分力

　地球のもつ磁気の強さを、水平面＊と鉛直面＊に分けたときの水平成分。赤道に近いほど大きい。

horizontal plane　　　　水平面

　地球の重力＊の向きと垂直な面。地平面。

horizontal velocity　　　水平速度

　地球の表面と平行な向きの速度＊。

horsepower　　　　　　馬力

　仕事率＊の単位のひとつ。イギリス式の1馬力(HP) = 746 W（ワット）。フランス式の1馬力(PS) = 735.5 W。

H

humidity　　　　　　　　　　湿度

空気中に含まれる水蒸気*の割合。1 m³に含まれている水蒸気のグラム数で表わす絶対湿度*と、水蒸気量を飽和水蒸気量で割った相対湿度*の2つの表示法がある。

→absolute humidity

→relative humidity

Huygens' principle　　　　　ホイヘンスの原理

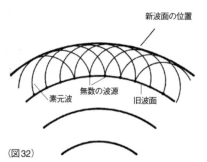

波*が進むとき、ある時刻での波面の各点が新波源となり、それぞれ素源波という小さい2次的な波を送り出す。この素源波の重ね合わせで強まった面（包絡面という）が、新しい波面となって進んでいく。これが繰り返されることをホイヘンスの原理という。

新波面の位置

素元波　無数の波源　旧波面

（図32）

hydraulic press　　　　　　水圧プレス

液体の圧力*を使ったプレス。大小の筒をつないで中に水や油などの液体を入れるかあるいは同じ容器につなぎ、小さい筒内のピストンを押すと大きい筒内のピストンに大きな力が加えられることを利用している。

hydro-

「水の」「水素の」という意味を表わす接頭語。

hydroelectric　　　　　　水力発電の

　→hydroelectricity

hydroelectric energy　　　水力発電のエネルギー

　→hydroelectricity

hydroelectric power　　　水力発電による出力

　→hydroelectricity

hydroelectricity　　　　水力発電

ダムなどを使って、水の落下による位置エネルギー＊を電気エネルギー＊に変える
ことを、水力発電という。落下距離が大きいほど、大きいエネルギー＊を得られ
る。

hydrogen atom　　　　水素原子

hyperbola　　　　双曲線

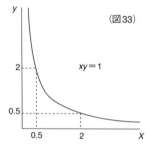

$y = \dfrac{1}{x}$ のような反比例のグラフの曲線の形。

（図33）

2
$xy = 1$
0.5
0.5　　2　　X

hypercharge　　　　超電荷、ハイパーチャージ

バリオン＊数をB、ストレンジネス＊をSとして、$B + S$をいう。

hypotenuse　　　　斜辺

直角三角形で、直角に向かい合った辺。

hypothesis　　　　仮説、仮定

ある現象に対して考えられた、もっともらしい説明や解法、説。実験で正しさが
立証されると、定理や原理＊になる。

Hz　　　　ヘルツ

振動数＊・周波数＊・回転数＊の単位。記号Hz（ヘルツ）。振動体＊が1秒間に、
1回振動＊するとき、1 Hzである。

→frequency

I

i.e.　　　　　　　　　すなわち
　ラテン語で id est（＝ that is）の略。すなわち、換言すれば。

ice point　　　　　　　氷点
　水と氷が共存している温度＊。氷の融点＊あるいは水の凝固点＊。水が氷になる温度。0℃。

ideal gas　　　　　　　理想気体
　理想気体の状態方程式＊$PV = nRT$ に厳密に従うような仮想の気体。分子＊の大きさが0で、分子間力＊のない気体。実際の気体でも温度の高いときや圧力が低く密度が小さいときは理想気体と同じと考えてよい。
　→equation of state of ideal gas

ideal gas law　　　　　理想気体の法則
　→equation of state of ideal gas

ideal machine　　　　　理想機械
　与えられたエネルギー＊を、すべて外部への仕事＊に変換できる理想的な機械。効率＊が100％の機械。たとえば、摩擦力が全然はたらかない機械など。

ignition　　　　　　　発火、点火、点火装置

illuminance　　　　　　照度
　光＊に照らされている面の光束密度。単位は lux（ルクス）。1 m^{2}の面積に、1ルーメン＊の光束＊があるときの照度を1 lux とする。

illuminated body　　　照らされた物体

image　　　　　　　　像
　物体＊から出た光＊が、鏡やレンズ＊で屈折＊や反射＊して、再び1点に集まってできた姿や形。

imaginary number　　　　虚数

2乗して値が負になるような数。

impact　　　　　　　　衝撃

2つの物体の間の強い衝突。

impedance　　　　　　インピーダンス

交流*回路で、回路*を流れる電圧*の最大値をV、電流*の最大値をIとして、$\dfrac{V}{I}$ の値をインピーダンスという。単位はΩ（オーム）。

impulse　　　　　　　力積

運動している物体*に時間tの間力$\vec{F}$がはたらき、物体の運動量を変化させたとき、運動量の変化は力と時間の積で与えられる。この力*$\vec{F}$と、力のはたらいた時間tの積を、力積という。

impulse-momentum theorem　　力積－運動量の関係式

速度*$\vec{v_1}$で運動している質量*mの物体*が、力$\vec{F}$をt秒間受けて、その後速度$\vec{v_2}$になるとき、力積*と運動量*には次の関係式が成り立つ。

$$\vec{Ft} = m\vec{v_2} - m\vec{v_1}$$

これは、力積が運動量変化に等しいことを意味している。

impulsive force　　　　撃力、衝撃力

バットでボールを叩くときや花火を打ち上げるときなどの、接触時間が短くて大きな力が瞬間的にはたらくとき、これを撃力という。

impurity　　　　　　　不純物

2種類以上の化合物が混ざりあったもの。

in opposite phase　　　逆位相の、位相がπずれた

波動*で、2つの振動体の振動数*が同じで、山*と谷*に相当する位相*差をいう。波の形でいえば、半波長ずれた状態。

↔in phase

in parallel　　　　　　　　並列の、並列接続の

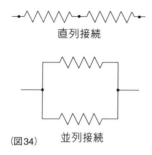

直列接続

(図34)　　並列接続

抵抗*やコンデンサー*などを平行につなぐことを、並列または並列接続(parallel connection)という。回路*や抵抗などの＋側は＋側どうしで、－側は－側どうしで結ぶこと。これに対し、これらを順番に1列につなぐことを直列*または直列接続という。抵抗を並列につなぐと各抵抗の両端の電位差が等しく、電流は各抵抗に反比例し、その和が全体の電流となる。コンデンサーを並列につなぐと電位差はすべてのコンデンサーに等しく、各コンデンサーのたくわえる電気量は電気容量に比例する。
↔in series

in phase　　　　　　　　同位相の、位相が同じ

波動*で、2つの振動体の振動数*が同じで、片方が山*のとき、もうひとつも山*の状態をいう。波*の形でいえば、整数波長分ずれた状態。
↔in opposite phase

in series　　　　　　　　直列の、直列接続の

抵抗*やコンデンサー*などの各極板を＋－の順で1列につなぐことを直列または直列接続(series connection)という。回路*や抵抗などの＋は－と、－は＋と結ぶこと。抵抗を直列につなぐと各抵抗を同一の電流が流れる。また電位差は各抵抗に比例し、その和が全体の電位差となる。コンデンサーを直列につなぐと各コンデンサーの電気量は等しく、全体の電気容量はどのコンデンサーよりも小さくなる。
↔in parallel

incandescence　　　　　　白熱

強い熱*を発しながら、光ること。赤外線領域の波長*をかなり含んだ可視光*の連続スペクトル*。赤外線（熱線）をたくさん出しているため、熱い。

incandescent　　　　　　白熱の

incandescent lamp　　　　白熱球、白熱ランプ
→incandescent light

incandescent light　　　白熱ランプ

　タングステン線＊による白熱タイプの明かり。フィラメントに電流を流したときに発生するジュール熱により発光する。発光しているときの温度はおよそ2400℃。

inch　　　インチ

　長さの単位。1 inch ＝ 2.54 cm

incident ray　　　入射光線、入射線

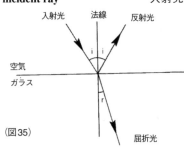

入射光　　法線　　反射光

空気
ガラス

（図35）　　　屈折光

　媒質＊Iから媒質IIの方向に光＊が進むとき、媒質I側から境界面までの光線＊をいう。

I

inclined plane　　　入射面

　入射光線＊と入射点を含み、境界面に垂直な面を入射面という。

incoherent light　　　インコヒーレント光

　非干渉性の光。干渉性をもたない光。光は波源が同じでなければ干渉しないので、ほとんどの光はインコヒーレント光である。

　↔coherent light

independent variable　　　独立変数

　他の変数とは無関係に自由に変化できる変数。他の変数の影響を受けない変数。たとえば、円の半径を r とするとき、その面積 S は $S = \pi r^2$ で表わされる。このとき、r は自由に値を変化させることができるので独立変数である。これに対し、S は r の値によって影響を受けて定まるので従属変数という。

　→dependent variable

index　　　指数

　→exponent

index of refraction　　　　　　屈折率

波*の入射角 i の大きさを変えると屈折角 r の大きさも変わるが $\frac{\sin i}{\sin r}$ の値は一定であり、これを媒質Iに対する媒質IIの屈折率 n という。媒質IIに対する媒質Iの屈折率は $\frac{1}{n}$ である。

→relative index of refraction

index of refraction of a substance　　　物質の屈折率

→absolute index of refraction

→relative index of refraction

indirect measurement　　　　　間接測定

体積*や長さ、質量*など物理量*を測るのに、直接対象物を測定するのではなく、対象物が含まれた集団、または対象物の一部、あるいは対象物と関係する他の量を測定し、その測定値を割ったり、かけたりして、対象物の物理量を間接的に求めること。

indirect observation　　　　　間接的観察

五感で現象を直接観察するのではなく、現象を電流*などの値に直して、測定器を使って観察すること。

induce　　　　　　　　　　　誘導する

(1)静電誘導→electrostatic induction

(2)電磁誘導→electromagnetic induction

(3)自己誘導→self-induction

(4)相互誘導→mutual induction

induced charge　　　　　　　誘導電荷

静電誘導*あるいは誘電分極*によって生じた電荷*。

→electrostatic induction

induced electromotive force　　誘導起電力

コイル*が磁界*の中で運動したり、コイルを貫く磁界が変化したりすると起電力*が発生する現象を電磁誘導*といい、コイルに誘導される起電力を誘導起電力という。誘導起電力は、磁束*の変化を妨げる向きに電流が流れるように発生する。

→electromagnetic induction

induced emission 　　　　**誘導放出**

　　stimulated emission ともいう。エネルギー準位＊が高い励起状態＊にある原子は、低いエネルギー準位にある定常状態＊に移ろうとする。この際、そのエネルギー差に等しい光子＊を放出＊する。これを、自然放出という(spontaneous emission)。ここに、外部からこのエネルギー差に等しい光子が入射＊すると、定常状態への遷移＊（移行）が促進され、なだれのように起きる。この際、入射した光子と、同じ振動数＊、エネルギー＊、位相＊をもつ光子が大量に放出される。これを、誘導放出という。放射＊された光＊あるいは電磁波は、位相がそろっており、干渉性＊がきわめて強い。この誘導放出で、光を増幅させたものをレーザー＊、マイクロ波＊の電磁波＊を増幅させたものをメーザー＊という。

→ laser

induced magnetism 　　　　**誘導磁荷**

　　→ induced magnetization

induced magnetization 　　　　**誘導磁化**

　　磁性体＊を磁界＊中に入れると磁化＊される現象のことで、磁気誘導(magnetic induction) ともいう。ここで生じた磁荷を誘導磁荷(induced magnetism) という。

induced polarization 　　　　**誘電分極**

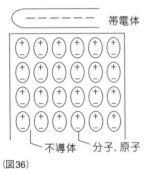

帯電体

不導体　分子、原子

（図36）

　　不導体＊に、帯電体＊を近づけたり電界＊をかけると、分極＊によって帯電体に近い側に帯電体と異種の電荷＊、遠い側に同種の電荷が生ずる現象。不導体の原子＊や分子＊内に束縛されている電子＊の平均位置が、外部の電界によってわずかにずれる（分極）ため、原子や分子は電界に対して電界の一方向に並ぶ。不導体内部では隣の分極した分子の＋と－が打ち消しあい電気的に中性となるが、表面だけに＋と－が残り電荷が残る。これを分極電荷(polarized charge) という。

→ polarization

induced radioactivity 　　　　**誘導放射能**

　　高速の中性子＊や陽子＊をあびることによって、非放射性物質が、放射性物質＊に変化し放射能＊をもつこと。

145

inductance　　　　インダクタンス

電気回路＊でコイル＊を流れる電流＊が変化することにより、コイルを貫く磁束＊が変化して、コイルに逆起電力＊が生ずる（自己誘導＊）。この性質をインダクタンスという。また、この場合の磁束と電流の比をインダクタンスという。

→ back electromotive force
→ self-induction

induction [1]　　　　誘導

(1) 静電誘導→ electrostatic induction
(2) 電磁誘導→ electromagnetic induction
(3) 自己誘導→ self-induction
(4) 相互誘導→ mutual induction

induction [2]　　　　帰納

具体的な事実から、一般的または普遍的な結論や法則を導きだすこと。特殊な命題から、一般的・普遍的な命題を推論で導くこと。

↔ deduction

inductive reactance　　　　誘導（性）リアクタンス

交流電圧＊をかけたときに、流れる電流＊の位相＊が90度遅れているようなリアクタンス＊。単位はΩ（オーム）。リアクタンスは交流回路＊における抵抗＊としての効果（大きさ）を表わす。コイル＊は誘導性リアクタンスの例である。コイルの場合の誘導性リアクタンスの大きさはωLとなる。ただし、かけた交流の角周波数＊をω、コイルのインダクタンス＊をLとする。

→ capacitive reactance

inelastic collision　　　　非弾性衝突

2物体が衝突＊するとき、反発係数＊eが$0 \leqq e < 1$であるような衝突。衝突前後で、運動エネルギー＊は保存しない。物体の変形や熱の発生などにエネルギーが費やされる。

→ coefficient of restitution

inertia　　　　慣性

すべての物体＊は、同じ向き、同じ速さ＊の運動（等速度運動＊）を続けようとする性質がある。これを慣性という。

→law of inertia

inertial coordinate-system 　　慣性座標系
→inertial system

inertial force 　　慣性力
慣性系*に対して、加速度*運動をしている座標系（非慣性系*）に現れる見かけの力をいう。非慣性系から見ると質量mの物体には、加速度をaとすると、$-ma$に相当する慣性力がはたらくように見える。たとえば、円運動での向心力の慣性力が、遠心力である。

I

inertial frame of reference 　　慣性座標系
→inertial system

inertial mass 　　慣性質量
慣性*の大きさを表わす量。単に質量*(mass)ともいう。物体*に加える力をF、慣性質量をm、物体に生ずる加速度*をaとすると、加速度と加えた力の大きさから質量が求められる。こうして決めた質量を慣性質量といい、$m = \dfrac{F}{a}$で与えられる。重力*による重力質量*と慣性質量は同じとされる。
→gravitational mass

inertial system 　　慣性系
ニュートンの運動の第1法則*（慣性の法則*）が成り立つ座標系*をいう。すなわち、力を受けない物体*が等速直線運動をしているように観測できる世界。地上に対して静止した座標系、地上を等速で運動する座標系は慣性系である。ある慣性系に対して、等速直線運動する座標はすべて慣性系となる（ガリレイ変換*）。慣性系では、同じ形で物理法則が成り立つ。これに対し、加速度*運動をしている座標系である加速度系（非慣性系*）では、加速度と逆の向きに慣性力*を生じ、慣性の法則が成り立たない。加速度系では、系によって物理法則の記述の仕方が異なる。特殊相対性理論*では、どの慣性系においても、まったく同じ形の物理法則が成り立つとされる。これに対し一般相対性理論*では、等価原理*(principle of equivalence)を導入することで、慣性系と加速度系の区別がなく同じ形の物理法則が成り立つとされる。
↔noninertial system

infer　　　　　　　　・・・と推論する、判断する

inference　　　　　　推論、推定
観察や実験によって得られる事実から、現象の間の関係や原因を推し量り、論ずること。

infinite　　　　　　　無限の、無限大
果てがないこと。限りなく大きいこと。

infinitesimal　　　　　無限小
限りなく小さいこと。

infinity　　　　　　　無限
時間的、空間的に終わりのないこと。程度が限りないこと。

inflationary universe theory　　インフレ宇宙論
この宇宙のはじまりがきわめて小さい小片で、そのごく初期に急激に膨張＊して、現在の大きさに近くなったという説。

infrared　　　　　　　赤外の

infrared light　　　　　赤外光
　→infrared rays

infrared radiation　　　　(1)赤外放射　(2)赤外線
赤外線＊を放出＊すること。また、放出した赤外線をさすこともある。
　→infrared rays

infrared rays　　　　　赤外線
波長＊がおよそ800 nmから1 mmの範囲の電磁波＊を赤外線または赤外光(infrared light)という。赤外線は熱作用をもち、熱線＊ともいう。可視光線より波長が長い。赤外線のうち、波長が800 nmから2.5 μm程度のものを近赤外線(near infrared rays)、25 μmから1 mmを遠赤外線(far infrared rays)という。

infrasonic　　　　　　超低周波の

infrasonic range　　　　　超低周波域

infrasonic waves　　　　　超低周波
人間の耳に聞こえる範囲以下の振動数＊の音＊をいう。およそ20 Hz 以下の音をいう。

infrasound　　　　　　　　超低周波の

initial condition　　　　　初期条件
物理現象が開始するときの、最初の状態＊を記述したもの。物理法則は同じでも、初期条件が異なればさまざまな現象が起きる。

inner product　　　　　　　内積

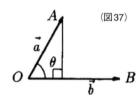

（図37）

スカラー積＊(scalar product) ともいう。2つのベクトル＊からスカラー＊を作る演算である。$\vec{a}$と$\vec{b}$の内積$\vec{a} \cdot \vec{b}$は
$$\vec{a} \cdot \vec{b} = ab\cos \theta$$
となる。
↔outer product

input　　　　　　　　　　　入力
装置や系＊で、外部から与えられた量。あるいはコンピュータ＊にデータ＊を与えること。

input unit　　　　　　　　　入力装置
電子計算機で、外部から情報を入力＊するための装置。例：キーボード。

instantaneous current　　　瞬間電流
電流＊が変化する場合の、瞬間の電流の最大値、振幅＊。

instantaneous speed　　　　瞬間の速さ
瞬間速度＊の大きさ。例：スピードメータの表示。

instantaneous velocity　　　瞬間速度
単に速度＊という。向きと大きさ＊をもつベクトル量＊である。はじめの時間をt_1、

位置を$\vec{s_1}$、移動後の時間をt_2、位置を$\vec{s_2}$とすると、平均速度*$\vec{v}$は

$$\vec{v} = \frac{(\vec{s_2} - \vec{s_1})}{(t_2 - t_1)}$$

で与えられる。このとき、t_2をt_1に近づけたときの$\vec{v}$の極限が、瞬間の速度または速度を表わす。また、グラフの場合は、$x - t$（距離－時間）グラフの接線の傾き*が、速度vを表わす。

instantaneous voltage　　　　瞬間電圧
電圧*が変化する場合の、瞬間の電圧の最大値、振幅*。

insulation　　　　絶縁
電気*や熱*の導体*を不導体*で囲み、電流*や熱流が外へもれないようにすること。

insulator　　　　絶縁体、不導体
電気*や熱*を伝えにくい物質*。電気の絶縁体はガラス、ゴム、磁気など、熱の絶縁体は粘土、コルク、れんがなど。

intake stroke　　　　吸入行程
内燃機関*でピストン*が、燃料*と空気の混合気を吸い込む過程。

integral　　　　積分の、積分
↔differential
→integration

integrated circuit (IC)　　　　集積回路、**IC**
数mm角の薄いシリコン製の板に、多くの電気回路*を納めたもの。数千個の抵抗*、コンデンサー*、トランジスタ*を含んでいる。

integration　　　　積分（法）
x軸と曲線で囲まれた部分の面積を求める操作。
↔differentiation

intensity　　　　強度、強さ
ある物理量*の大きさ。intensity of magnetic field（磁界の強さ）、intensity of

electric field（電界の強さ）などと使う。

intensity level　　　　音の強さのレベル
　→sound intensity

interaction　　　　　　相互作用
　2つの粒子間にはたらき相手に力*を及ぼすことを相互作用という。万有引力や電荷による電気力、磁荷による磁気力など。原子*レベルではたらく相互作用は次の4つがある。
　(1) 強い相互作用 (strong interaction)
　　　強い力(strong force) ともいう。原子核*内で陽子*や中性子*を結び付けている力。クォーク*とクォークを結び付けている力。到達距離は10^{-15} m 程度。クォークを結び付ける粒子である、グルオン*の交換によって生ずる。4つの相互作用の中では最も強い。
　(2) 弱い相互作用 (weak interaction)
　　　弱い力(weak force) ともいう。β崩壊*を引き起こす力。ダウンクォークをアップクォークに変える力。到達距離は10^{-19}m 程度。ウィークボソン*（W粒子）の交換によって生ずる。電磁相互作用よりも弱い。
　(3) 電磁相互作用 (electromagnetic interaction)
　　　電磁力*のこと。到達距離は無限大で、光子*の交換によって生ずる。
　(4) 重力の相互作用
　　　万有引力*のこと。到達距離は無限大で、グラビトン*（重力子）の交換によって生ずる。
　→fundamental particle

interface　　　　　　界面
　個体、液体、気体の3つの相（状態）のうち、2つの相が接している表面部分、境界面。気相（気体の状態）と気相、液相と固相など。

interference　　　　　干渉
　2つ以上の波源からきた波*が、波の重ね合わせの原理*によって、互いに、強めあったり、弱めあったりする現象。干渉は波動*の基本性質のひとつである。
　→constructive interference
　→principle of superposition

interference fringes　　　干渉じま

光*の干渉で見える縞模様。干渉による強め合い*、打ち消しあいが、明暗となって縞のように見える。

intermolecular force　　　分子間力

分子*と分子の間にはたらく、分子間の距離を一定に保とうとする力。距離が近いと斥力*になり、遠いと引力になる。ファン・デル・ワールス力(Van der Waals' forces)ともいう。

internal combustion engine　　　内燃機関

燃料*をシリンダー*内で燃やす熱機関*。燃料を含む気体そのものが、作業物質*となり、直接、仕事*を発生する。例：自動車のエンジン。

↔external combustion engine

internal energy　　　内部エネルギー

物質*中の、全原子*または全分子*の、位置エネルギー*と運動エネルギー*の合計をいう。物体の圧力*や温度*を決めれば定まる。

International System of Units (SI)　　　国際単位系

SI*ともいう。長さの単位にm、質量*にkg、時間*にs、電流*にAを使うMKSA単位系*に加え、温度*の単位K、光度*の単位cd、物質量*の単位としてmolを基本単位とする単位系。これらを組み合わせて、32の組立単位が作られた。このうちいくつかの組立単位には、人の名がついている。例：N（ニュートン）、J（ジュール）、Pa（パスカル）、W（ワット）、V（ボルト）など。

→derived unit

→fundamental unit

interpolation　　　内挿、補間

ある範囲の測定値があるとき、それらの範囲内の未知データを他のデータを使って推定すること。グラフの場合は、多くの点の近くを通る曲線を引き、知りたい位置での値を読めばよい。

↔extrapolation

inverse photoelectric effect　　　逆光電効果

inverse photoemission　　　**逆光電子放出**
　光電子*放出の逆過程。電子*が物質*に入射*するときに光*を放出*して、物質内のエネルギー準位*の低い軌道*に移る現象。

inverse proportion　　　**反比例**
　2つの物理量*の間に、片方の値がN倍になればもう一方が$\frac{1}{N}$倍になる関係があるとき、反比例しているという。または2つの値の積が一定のときも、反比例になる。2つの量をグラフに描くと、双曲線*になる。
↔direct proportion

I

inverse-square law　　　**逆2乗の法則**
　ある量Aが、別の量Bとの間に$A = \frac{K}{B^2}$（Kは比例定数）の関係があるとき、これを逆2乗の法則という。この形で関係が表わされる例として、万有引力*と距離、電荷*または磁荷*にはたらくクーロン力*と距離の関係がある。
→Coulomb's law of electrostatics
→Coulomb's law of magnetism
→universal gravitation

ion　　　**イオン**
　電子*の移動によって電荷*を帯びた原子*または分子*。電子を放出*すると正に荷電した陽イオンになり、電子を受け入れると負に荷電した陰イオンになる。n個の電子を放出または受け取ったものを、n価の陽イオンまたは陰イオンという。

ionic bond　　　**イオン結合**
　＋イオン（陽イオン）と－イオン（陰イオン）が電気的に引き合うことによって、イオン間に生ずる化学結合のこと。

ionization chamber　　　**電離箱**
　放射線*の測定装置のひとつ。放射線の電離作用を利用している。箱の中に気体を入れ、入射*した放射線によってできたイオン*や電子*を、電極*に集めて電流を測定し、入射した放射線の量を求める。

ionization energy　　　**イオン化エネルギー**
　電離エネルギーともいう。原子*から電子*を1個はぎ取るのに必要なエネルギー*。イオン化エネルギーは、基底状態*から1個の電子を無限遠にもっていくのに

必要な仕事量である。

irregular reflection 　　　　乱反射
→diffuse reflection

irreversible 　　　　不可逆の
↔reversible

irreversible change 　　　　不可逆変化
元の状態＊に戻ることが不可能な変化を不可逆変化という。Aの状態からBの状態
へ変化したときに、逆の変化を起こさせて、それが、系＊の内外を含めてまったく
元の状態に戻っていなければ、それは不可逆な変化である。例：摩擦＊での熱＊の
発生、気体の拡散＊や混合、熱の移動など。特に、熱を伴う現象は、すべて不可逆
変化である。
↔reversible change

irreversible engine 　　　　不可逆機関
不可逆変化＊を伴う熱機関。可逆機関＊以外はすべて、不可逆機関である。
↔reversible engine

irreversible process 　　　　不可逆過程
不可逆な＊状態の変化を伴った過程、一連の反応、進み方。

isobaric 　　　　定圧の、等圧の
圧力＊を一定に保つこと。

isochoric 　　　　定積の
体積＊や容積を一定に保つこと。

isolated system 　　　　アイソレートシステム
入力＊と出力＊が絶縁されたシステムで、入力側から出力側へは信号＊が伝わるが、
出力側から入力側へは信号や力＊、エネルギー＊が伝わらないようになっている。

isothermal 　　　　定温の
温度＊を一定に保つこと。

isothermal change 　　　　　等温変化

温度*を一定に保ったまま、物体*の体積*や圧力*を変化させること。物体*の
内部エネルギー*は変化しない。

isothermal process 　　　　　等温過程

温度*を一定に保ったままの状態変化の過程、一連の反応、進み方。

isotope 　　　　　アイソトープ、同位体、同位元素

原子番号*が同じで、質量数*の異なる原子*のことをいう。陽子*数、電子*数
が同じで、中性子*数だけ異なる原子である。化学的性質*はほぼ同じだが、原子
量*が異なる。

I

isotropy 　　　　　等方性

どの方向に対しても、物質の性質が変化しないこと。物質の性質が方向に依存し
ないこと。

　↔anisotropy

J

J　　　　　　　　　　　ジュール

仕事*およびエネルギー*の単位。記号 J（ジュール）。物体*に 1 N の力を加えて、力*の向きに 1 m 動かすとき、必要な仕事が 1 J である。

Josephson effect　　　ジョセフソン効果

2 枚の超伝導体*で薄い絶縁膜をサンドイッチ状にし交流をかけると、超伝導電子対であるクーパーペアがトンネル効果*で絶縁体*を通り抜けて、電子波*の干渉*が起きる現象。

Joule heat　　　　　　ジュール熱

導体*に電流*を流すときに、導体の抵抗*によって発生する熱。発生した熱量を Q [cal]、抵抗を R [Ω]、電流を I [A]、時間*を t [s] とすると $Q = 0.24RI^2t$ の関係がある。
→Joule's law

joule　　　　　　　　　ジュール

→J

Joule's experiment　　ジュールの実験

熱の仕事当量*を求める実験。水中でおもり*に連結した羽根をおもりを落下させることで回し、おもりの位置エネルギー*を羽根による摩擦*の熱に変えて水温の上昇を求める。発生した熱量 Q [cal] と、おもりの位置エネルギー W [J] の関係から、熱の仕事当量 $J = \dfrac{W}{Q}$ を計算した。

Joule's law　　　　　　ジュールの法則

導体*に電流*を流すとき、導体に発生する熱量*（ジュール熱）は、電気抵抗*、電流の 2 乗、電流を流した時間*にそれぞれ比例する。発生した熱量を Q [cal]、抵抗を R [Ω]、電流を I [A]、時間を t [s] とすると $Q = 0.24RI^2t$ となる。熱量が Q [J] のときは $Q = RI^2t$。

junction detector　　　　接合検知器

　半導体＊検出器のひとつ。α線＊、β線＊などの荷電粒子の入射＊を測定するのに用いる。

J

K

K   ケルビン
絶対温度＊を表わす単位。記号 K （ケー、ケルビン）。セ氏温度 t [℃] と絶対温度 T
[K] の間には $T = t + 273.15$ の変換式がある。

k   キロ
→kilo

K-capture   K捕獲
→electron capture

K-shell   K殻
原子＊の電子軌道＊のうち、一番内側の軌道。電子が2個入ることができる。

Kelvin scale   ケルビン温度、ケルビン温度目盛り
→absolute temperature

kelvin   ケルビン
→K

Kepler's first law   ケプラーの第1法則
惑星は、太陽をひとつの焦点とする楕円軌道を回っている。

Kepler's laws of planetary motion   ケプラーの惑星運動の法則
惑星の運動に関する法則。第1から第3まである。

Kepler's second law   ケプラーの第2法則
太陽と惑星を結ぶ線分が一定時間の間に描く、扇形の面積は一定である（面積速
度が一定）。

Kepler's third law   ケプラーの第3法則
惑星の公転周期の2乗は、太陽からの平均距離の3乗に比例する。

kg　　　　　　　　　　キログラム
重さの単位。1 kg ＝ 1000 g。
→kilogram

kilo-　　　　　　　　　**1000 の**
「1000 の」という意味の接頭語。

kilogram　　　　　　　キログラム
質量＊の単位。1 g の 1000 倍の値。

kilometer　　　　　　　キロメートル
長さ＊の単位。1 m の 1000 倍の値。

K

kilowatt　　　　　　　キロワット
仕事率＊の単位。1 W の 1000 倍の値。

kilowatt hour　　　　　キロワット時
仕事量＊の単位。1 kWs ＝ 3.6 × 10⁶ W·s。1 キロワットの出力で、仕事を 1 時間
連続するときの仕事量。

kindling temperature　　発火点
物体＊を加熱していくとき、点火しないで燃え出す温度＊。同一物質でも測定条件
によって異なる。

kinetic energy　　　　　運動エネルギー
物体＊が運動しているためにもっているエネルギー＊。物体の大きさがきわめて小
さいとき（質点という）、物体の運動エネルギー＊E は、物体の質量 m と速さ v を使
って、$E = \dfrac{mv^2}{2}$ で表わされる。物体が大きくて回転を伴う場合は、この他に回転
エネルギーの和が運動エネルギーとなる。

kinetic theory　　　　　運動論
分子＊や原子＊の運動から、物質＊の性質を説明する理論。

kinetic theory of gases　　気体分子運動論
理想気体＊の分子＊の運動と、その衝突＊を用いて、気体のさまざまな性質を説明

する理論。気体分子は、体積＊や分子間力＊をもたず、衝突は完全弾性衝突＊であると仮定する。

kinetic theory of matter　　物質の分子運動論
物質＊中の粒子の運動と温度＊の関係を説明する理論。

Kirchhoff's first law　　キルヒホッフの第1法則
（数本の導線＊の集合点に注目して）集合点に流れ込む電流＊の総和はその集合点から流れ出る電流の総和に等しい。これは電流は保存することを述べている。

Kirchhoff's laws　　キルヒホッフの法則
抵抗や電池などが複雑に接続されている回路＊における、電流＊と電圧＊の関係を述べた法則。第1と第2法則がある。

Kirchhoff's second law　　キルヒホッフの第2法則
（回路＊網の中の任意の閉回路＊で、回路に沿った向きを正として電流＊と起電力＊の向きを決めるとき）任意の閉回路中の起電力の合計は、回路中の抵抗＊による電圧降下＊の合計に等しい。これは、オームの法則＊を拡張したものである。

km
1 km ＝ 1000 m。
→kilometer

known　　既知の、知られている

Kundt's experiment　　クントの実験
両端を栓で閉じて長さの変えられる気柱＊に、コルクの粉末を入れる。栓に連結した金属棒をこすって一定の振動数の音を送り込み、管の長さを調節すると、空気の定常波＊が生ずる。このとき、コルク粉が振動＊の節＊や腹＊の位置に集まることを使って、その距離から定常波の波長＊を測定する。

kW
1 kW ＝ 1000W。
→kilowatt

L

L, ℓ　　　　　　　　リットル
→ liter

laboratory　　　　　　研究室、実験室

laminar flow　　　　　層流
流体*が流れの方向に、整然と平行に動くことを層流という。これに対し、流れが細かく不規則な運動をしながら動くことを乱流(turbulent flow) という。

laser　　　　　　　　レーザー
誘導放出*を利用した、光*の増幅器または発振器。原子から振動数、振幅、位相、方向がよく一致した光を出させる。laser は light amplification by stimulated emission of radiation（誘導放出による光の増幅）の略である。レーザー光は、ほぼ位相*がそろった光を出す。波長*の変動幅が小さく、きわめて干渉性*に富む光である。また指向性*、エネルギー集中性がよい。
→ coherent light
→ induced emission

laser fusion　　　　　レーザー核融合
レーザー*で重水素*と三重水素からなる試量を加熱し噴出する反作用*を利用して、プラズマ*を閉じ込め圧縮して行うタイプの核融合*。慣性閉じ込め(inertial confinement) ともいう。

latent heat　　　　　潜熱
固体から液体へ変化するときの融解熱*や、液体から気体へ変化するときの気化熱*など、温度変化を伴わないで状態変化（相変化）をする際の、吸収あるいは放出される熱量*をいう。

lattice　　　　　　　格子
結晶*格子ともいう。平面上あるいは立体上に、原子*や分子*の同じ形（三角形、四角形など）の配置が繰り返されること。

→crystal

lattice constant　　　　　格子定数

結晶*で、隣あう格子*までの距離をいう。ひとつの格子の3辺の長さと3辺がつくる角で表わす。

Laue pattern　　　　　ラウエの斑点

→Laue spot

Laue spot　　　　　ラウエの斑点

1912年、ラウエは食塩の結晶*にX線をあて、その回折*像によってX線が電磁波*の一種であることを確定した。これを受けて、金属*などの結晶に、平行なビーム状のX線*をあて、結晶の後にビームに垂直においたフィルム*に回折像を記録させる方法をいう。ブラッグの式*を満足させる、特定の結晶の格子面だけが点状の回折像を作る。この点をラウエの斑点という。結晶構造の研究に使用される。

→Bragg equation

law　　　　　法則

事物の相互の間に一定の条件で常に成り立つ関係。または、それを言葉で述べたもの。

law of action and reaction　　　作用・反作用の法則

「力*は必ず2つの物体*相互に現れる。ある物体にはたらく力（作用*）に対して、同一の作用線上にあり、向きが逆で大きさの等しい力（反作用*）が、もう一方の物体に生ずる」という法則。ニュートンの運動の第3法則*という。

law of causality　　　　　因果律

→causality

law of conservation of baryons　　　　バリオン数の保存則

「バリオン*の反応では、その前後でのバリオン数の和は一定である」。ここで、バリオン数は、素粒子*によって決まっており、バリオンで1、その反粒子*で−1、光子*、中間子*、レプトン*では0である。

law of conservation of charge　　　　電荷保存則
　→ law of conservation of electric charge

law of conservation of electric charge　　　電荷保存則
　「電気量＊の総和は一定である」。電荷＊が移動したり、中和したりしても、その系
＊全体での電気量は変化しないことを意味する。

law of conservation of energy　　　　エネルギー保存則
　「すべての種類のエネルギー＊の合計値は、常に一定である」。力学的エネルギー保
存則＊は、物体に作用する力が保存力＊のときのみ成り立つ。これをすべてのエネ
ルギーに拡張したもの。質量＊、相互作用＊によるエネルギーなども含める。
　→ law of conservation of mechanical energy

L

law of conservation of energy and mass　　　エネルギー・質量保存則
　「エネルギー＊と質量＊の総和は一定である」。相対性理論＊ではエネルギーと質量
は同等であり、質量を m、エネルギーを E、光速度を c とすればエネルギーと質量
は $E = mc^2$ の関係で結ばれている。質量もエネルギーと見なせば、これは広義のエ
ネルギー保存則＊を意味する。

law of conservation of hypercharge　　　ハイパーチャージ保存則
　ハイパーチャージ＊は、強い相互作用＊と電磁相互作用＊では保存するが、弱い相
互作用＊では保存しない。
　→ hypercharge
　→ interaction

law of conservation of leptons　　　レプトン数の保存則
　「レプトン＊の反応では、その前後でのレプトン数の和は一定である」。ここで、レ
プトン＊数は素粒子＊によって決まっており、レプトンで1、その反粒子＊で−1で
ある。

law of conservation of mass　　　　質量保存則
　化学変化の前後において、物質の質量＊の総和は一定である。

law of conservation of mass-energy　　　質量・エネルギー保存則
　→ law of conservation of energy and mass

law of conservation of mechanical energy　　力学的エネルギー保存則
　物体＊に作用する力＊がすべて保存力＊のとき、運動エネルギー＊と位置エネルギー＊の合計は常に一定であるという法則。
　→conservative forces

law of conservation of momentum　　運動量保存則
　２つ以上の物体＊が互いに力を及ぼしながら運動しており、外力＊が作用しない場合、全物体の運動量＊の合計は常に一定である。

law of definite proportions　　定比例の法則
　化合物＊において、成分元素の質量＊比は常に一定である。

law of electric charge　　電荷の法則
　同種の電荷＊どうしはしりぞけあい、異種の電荷どうしは引き合う。

law of electromagnetic induction　　電磁誘導の法則
　→Faraday's law

law of electrostatic attraction　静電引力の法則
　→Coulomb's law of electrostatics

law of entropy　　エントロピーの法則
　自然に起こる変化の過程では、常にエントロピー＊の増大する方向に進む。

law of gravity　　重力の法則
　重力＊は２つの物体＊の質量＊の積に比例し、物体間の距離＊の２乗に反比例＊する。
　→universal gravitation

law of heat exchange　　熱の交換の法則
　熱＊の移動があるとき、温度が高い熱源＊が失った熱量＊は、温度の低い熱源が得た熱量である。

law of inertia　　慣性の法則
　物体＊に外力＊がはたらかない場合、物体ははじめに静止していれば静止の状態を

続け、速度＊をもつならばその速度で等速直線運動＊を続ける。ニュートンの運動の第１法則という。

law of magnetic poles　　磁極の法則
同種の磁極＊どうしはしりぞけあい、異種の磁極どうしは引き合う。

law of motion　　　　　　運動の法則、運動の第２法則
→ Newton's second law of motion

law of parallelogram　　平行四辺形の法則
→ parallelogram method

law of parity　　　　　パリティ保存の法則
→ parity

law of partial pressure　　分圧の法則
「混合気体の圧力＊は、各成分気体の圧力の和に等しい」。理想気体＊について成り立つ。混合気体の圧力を P、各成分気体の圧力を $P_1, P_2, P_3, \cdots$ とすると $P = P_1 + P_2 + P_3 + \cdots$。

law of reflection　　　　反射の法則
「波＊が反射＊するとき、入射角＊と反射角＊は等しい」。
→ reflection

law of universal gravitation　　万有引力の法則
→ universal gravitation

law of work　　　　　　仕事の原理、仕事の法則
仕事をするとき（たとえば物体を引き上げるとき）、てこ＊や滑車＊などの機械を使っても、力では得をしても動かす距離は増えるので、必要な仕事＊の量は変わらない。

laws of motion　　　　　運動の法則
→ Newton's laws of motion

leaf electroscope　　箔検電器

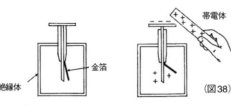

帯電体

（図38）

静電誘導＊を利用して、薄い金属箔で帯電＊の様子を調べる装置。帯電体＊が近づいたり、検電器を帯電させると、静電誘導による電荷の分布に応じて箔が開く。

金箔

絶縁体

left-hand rules　　左手の法則
　→Fleming's law (1)

length　　長さ
　２点の間の距離。

length contraction　　長さの収縮
　ローレンツ収縮＊ともいう。光速＊に近い速度＊で運動している物体＊が、運動方向に縮んで見えること。物体の静止しているときの長さをL、物体の速度方向の長さをL'、観測者に対する物体の速度をv、光速をcとすると

$$L' = L \sqrt{1 - \left(\frac{v}{c}\right)^2}$$

となる。
　→Lorentz contraction

lens　　レンズ
　曲面をもち透明な材料でできた、像＊を作る装置。光＊の屈折＊によって、像を結ぶ。concave lens, diverging lens（凹レンズ）、convex lens, converging lens（凸レンズ）、cylindrical lens（円柱レンズ）、fisheye lens（魚眼レンズ）、object lens（対物レンズ）、telephoto lens（望遠レンズ）、wide-angle lens（広角レンズ）、zoom lens（ズームレンズ）などがある。

lens equation　　レンズの公式
　→focus

Lenz's law　　レンツの法則
　磁石がコイルの力で運動するときに生じる誘導起電力＊は、誘導電流＊によって生

ずる磁束＊（磁界）が、外部の磁界の変化を妨げる向きに生ずる。

lepton　　　　　　　　　　レプトン

素粒子＊の中で弱い相互作用＊および電磁相互作用＊をするが、強い相互作用をしない粒子で、スピン＊は1/2である。軽粒子ともいう。ニュートリノ＊、電子＊、ミューオン＊、およびそれらの反粒子＊など。

→elementary particle

lever　　　　　　　　　　てこ

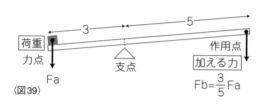

（図39）

棒の一点を固定し、この点の回りに自由に回せるとき、これをてこという。物体を動かすために使う。てこには、「力点」、「支点＊(fulcrum)」、「作用点＊(point of action, point of application)」がある。力点は、物体を乗せる場所で、加えた力の効果が現れる点である。力点に乗せる物体あるいはその重力＊を「荷重＊」という。支点は、回転の中心になる点である。作用点は、人が力を加える点で、この作用点に加える力のことを「加える力(effort)」という。回転軸＊である支点から、力がはたらく点である作用点または力点までの距離を腕の長さという。作用点の腕の長さをa、加える力をF_a、力点の腕の長さをb、加える力をF_bとすると、$F_a \times a = F_b \times b$のとき、てこはつりあう。これを「てこの原理」という。このとき、荷重の重さF_aに対し、$F_b = F_a \times \dfrac{a}{b}$となり、荷重に対し$\dfrac{a}{b}$倍の力をかければよい。たとえば、a：b＝3：5ならば、$\dfrac{3}{5}$倍の力を加えればつりあう。このとき、力を加える移動距離に関しては、仕事の原理＊より、$\dfrac{5}{3}$倍となり、てこを使っても、仕事で得をすることはできない。

Leyden jar　　　　　　　ライデン瓶

コンデンサー＊の一種。静電誘導＊を利用している。ガラス容器の内側と外側に、錫の箔が貼ってある。内側の箔には上端が球状の金属棒が接触している。金属棒に電荷＊を帯電＊させると内側の箔に電気が分布され、外側の箔に異種の電気を誘導する。

lift　　　　　　　　　　揚力

空気や水などの流体中＊を物体＊が運動するときに受ける、運動方向と垂直方向の

力。

light　　　　　　　　　光

電磁波*のうち、波長*が400～800 nm程度のもの。光の速度*は、真空中で、2.99792458×10^8 m/s。真空中を波動*として伝わる。光はきわめて波長が短く、速度の速い波動*である。振動数* νが高い場合は、エネルギー*$E＝hν$をもつ光子*としてふるまう。

light pipe　　　　　　　　ライトパイプ

透明なプラスチックでできた光*を伝達するパイプ。曲線状に曲げても光を伝えることができる。

light quantum　　　　　　光量子

光子*のこと。

→photon

light ray　　　　　　　　光線

光*の通る道筋。

light velocity　　　　　　光速度

→speed of light

line graph　　　　　　　線グラフ

いくつかの測定点のデータ*を、直線または曲線でつなげて結んだグラフ*。傾向や変化の様子を調べることができる。

line of action　　　　　　作用線

力*が物体に作用するとき、力の作用点*を通り、力のはたらく向きに引いた直線。

line of electric force 電気力線

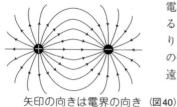

電界*のベクトル*の向きが、その曲線の接線となるような曲線。電界の強さがEのとき、1 m²あたりE本の電気力線を描く。正の帯電体から出て負の帯電体あるいは無限遠で終わるか、または無限遠からきて、負の帯電体で終わる。

矢印の向きは電界の向き　(図40)

line of flux 磁束線

→ line of force

line of force 力線

電界*、磁界*、重力場*などを表わす仮想の線。その場のベクトル*の向きが、その曲線（力線）の接線となる曲線である。このとき、場の大きさは力線に垂直な単位面積を貫く力線の本数（密度）で表わす。

L

line of magnetic force 磁力線、磁気力線

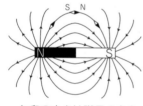

磁界*のベクトル*の向きが、その曲線の接線となるような曲線。N極（正磁極）から出てS極（負磁極）に入る。磁界の強さがHのとき、1 m²あたりH本の磁力線を描く。

矢印の向きは磁界の向き　(図41)

line of reinforcement 波の強めあう線（点）

同じ振動数*の2つの波源*からの波*が、干渉*して強めあう場所を結んだ線。
↔nodal line

line spectrum 線スペクトル

原子*が放射*あるいは吸収*する光を分光器でみると、特定の部分だけが線状に明るかったり、暗かったりする。これらを線スペクトルという。明るい部分を輝線スペクトル*(emission line spectrum)、暗い部分を吸収スペクトル*(absorption spectrum) という。これらは、原子のエネルギー準位*が別の準位に変わるとき、

そのエネルギー*の差に相当するエネルギーをもった光子*を、原子が放出*あるいは吸収するために起こる。

linear accelerator　　　　線形加速器

加速器*の1種。電子*や陽子*などを直線的に加速する。加速には、高周波電流による電界*を使う。

→accelerator

linear current　　　　直線電流

無限に伸びた導線*を流れる電流*。

linear density　　　　線密度

物質*の1m当たりの質量*を、線密度という。単位はkg/m。

linear motion　　　　直線運動

物体*が一直線上で運動すること。

linear motion of acceleration　　　　等加速度直線運動

物体*が一直線上を、一定の加速度*で運動すること。加速度をa、初速度をv_0、時間をt、変位*をx、速度*をvとすると、

$$v = v_0 + at$$
$$x = v_0 t + \frac{1}{2} at^2$$
$$2ax = v^2 - v_0{}^2$$

liquid　　　　液体

一定の形をもたず、温度*の変化や圧力*の変化でも体積*があまり変化しない物質*の状態*。分子間の結合力は弱く、分子どうしは互いに位置を入れ替わって運動できる。一般に、固体の温度を上げていくと、液体、気体となる。

liquid air　　　　液体空気

空気を高圧で圧縮させたものを断熱膨張*させることによって冷却し、液体にしたもの。液体窒素*、液体酸素*などの混合体である。

liquid crystal　　　　液晶

液体のように形が変化できるが、結晶のもつ規則性をもっている状態。分子*レベ

ルでは光学的、力学的に結晶＊のように異方性（物理的性質が方向によって異なること）を示す物質。

liquid laser　　　　　　　　液体レーザー
動作用の媒質＊として、液体を使うレーザー＊。

liquid nitrogen　　　　　　　液体窒素
窒素の液体。沸点＊－195.8℃。低温実験などに用いる。

liquid oxygen　　　　　　　　液体酸素
酸素の液体。沸点＊－183.0℃。ロケットの酸化剤や圧縮酸素の材料として利用する。

liter　　　　　　　　　　　　リットル
体積＊の単位のひとつ。記号 ℓ（リットル）。$1\ell = 1/1000\,\mathrm{m}^3$。

lm　　　　　　　　　　　　　ルーメン
→lumen

load　　　　　　　　　　　　荷重、負荷
機械や装置の構造部分に加えられる力＊や重さ＊。また、電気エネルギーや仕事エネルギーを発生・変換する装置でエネルギーを消費する側。

logic　　　　　　　　　　　　論理
電子計算機の中での0と1の信号を取り扱う際の計算の法則・原理をいう。入力の組み合わせを0と1の2進数で示した真理値表という表を使うと、規則をわかりやすく示すことができる。

logic circuit　　　　　　　　論理回路
0と1の信号を取り扱うディジタル回路をいう。入力の有無を論理計算を使って出力信号の有無に変換する。電子計算機で演算を行うときには、この論理回路を組み合わせて結果を出す。AND、OR、NOT、XOR回路などがある。
→AND circuit
→NOT circuit
→OR circuit

→XOR circuit

longitudinal wave 縦波

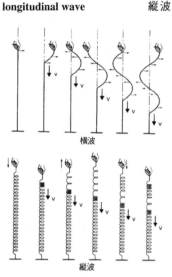

波＊の進行方向と、媒質＊の振動＊方向が同じ
ような波。縦波は疎密波＊である。音波＊、地
震のP波など。図の上は横波＊、下が縦波。
→compression wave
↔transversal wave

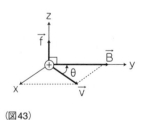

(図42)

loop (1) ループ (2) 波の腹

(1) 輪状のもの。回路＊を表わす場合もある。
(2) 定常波＊で振幅＊が極大になるところ。
↔node

Lorentz contraction ローレンツ収縮

→length contraction

Lorentz force ローレンツ力

荷電粒子＊が電界＊や磁界＊中を運動するときに受
ける力を、ローレンツ力という。電界の中では電界
の向きに力を受け、磁界の中では磁界と速度に垂直
な向きに力を受ける。粒子の電荷＊をq、速度＊をv、
電界E、磁束密度＊B、ローレンツ力をFとすると、
$F = q\vec{E} + q\vec{v} \times \vec{B}$で表わされる。また、単に磁界を
運動する荷電粒子にはたらく力$q\vec{v} \times \vec{B}$をローレン

(図43)

ツ力ということがある。×はベクトルの外積*(outer product)である。この場合、力の向きは、右ネジの法則*を使って、速度の向きから磁界の向きに右ネジを回して、ネジの進む向きとなる。

→right-handed screw rule

Lorentz transformation　　ローレンツ変換

特殊相対性理論*の中で、ひとつの慣性系*での時空の点を、別の慣性系の時空の点に移す変換法。別の慣性系の移動速度が光速に比べて小さいときは、ガリレイ変換*の形になる。

→Galilei transformation

loudness　　音の大きさ

感覚上の音*の大きさ。単位はphon（フォン）。周波数*が1000 Hzで、nデシベル*と同じ大きさの感覚を起こす音の大きさをnフォンとする。

lubricant　　潤滑材

2つの物体*の間に生ずる摩擦力*を減らすために、接触面に塗ったり取り付けたりする物質*。油、石鹸、グラファイト、硫化鉛など。

lumen　　ルーメン

光束*の単位。記号lm。単位時間当たりに伝わる光*のエネルギー量を光束という。空間のどの方向にも一様に1 cd（カンデラ）の光度をもつ点光源から放出*される、立体角1ステラジアンあたりの光束を1 lmという。

luminous　　光る、発光体の、輝く

luminous body　　発光体

光*を発する物体*。光源*。

luminous flux　　光束

単位時間当たりに通過する光*のエネルギー量を、視感度を考慮して表わしたもの。単位lm（ルーメン）。

→lumen

luminous intensity 光度

一定方向から物体＊を見る場合の、物体全体としての明るさの程度。光源＊が点光源に近いときは、立体角1ステラジアン当たりの光束＊で表わす。単位cd（カンデラ）。

→luminous flux

luster 光沢

表面が輝き、光＊を反射＊すること。

lux ルクス

照度＊の単位。記号lx（ルクス）。面が光に照らされているとき、単位面積に入射する光束＊の密度＊を照度という。1 m²に1 lm（ルーメン）の光束が入射するときの照度は、1 lx である。

→illuminance

M

μ   透磁率の記号
→ magnetic permeability

μ   マイクロ
→ micro

M   メガ
→ mega

m   メートル
長さの単位。記号m（メートル）。
→ meter

m   分
時間の単位。1 m ＝ 1 minute。

m   ミリ
→ milli

Mach number   マッハ数
物体＊の速度＊が音速＊の何倍かを表わす値。

machine   機械
物体＊に仕事＊をすることができる装置。

magnet   磁石
磁力＊をもつ物体＊。鉄やニッケルなどの強磁性体＊に磁界＊をかけると磁石となる。軟鉄の磁性体＊に、コイル＊を巻いて電流＊を流したものを電磁石＊という。電流を止めると磁性をほとんど失うので、一時磁石＊という。これに対し、鋼鉄に磁界をかけた磁石の場合は磁性を保持しつづけ、永久磁石＊になる。
→ electromagnet

→ permanent magnet

→ temporary magnet

magnetic　　　　　　　　磁気の、磁石の

→ magnetism

magnetic bottle　　　　　　磁気瓶

核融合＊のための水素プラズマ＊を閉じ込められる強い磁界＊。

magnetic charge　　　　　　(1) 磁荷　(2) 磁気量

(1)S極またはN極の磁気＊を帯びた粒、点。S極の磁荷を負磁荷、N極の磁荷を正
磁荷という。電荷＊と異なり単独の磁荷というものはなく、正負の磁荷は必ず2つ
一組で現れるので、これを磁気双極子＊という。磁荷の間に作用する力はクーロン
の法則＊に従う。

→ Coulomb's law of magnetism

(2) 帯びている磁気の量。磁荷の磁気の量。磁荷が及ぼし合う力の大きさから決め
る。単位はWb（ウェーバ）で表わす。日本語で、「磁荷」という場合、磁荷その
ものと磁荷の磁気量と2つの意味に使うことがある。1 Wbは真空中に1 m隔てて
おかれた等しい強さの2つの磁極が $\dfrac{10^7}{(4\pi)^2}$ Nの力を作用し合う磁気量である。

→ electric charge (1) (2)

magnetic dipole　　　　　　磁気双極子

反対符号の2つの磁極がわずかに離れた状態にあるものをいう。磁石、コイルを
流れる電流など。

magnetic domain　　　　　　磁区

磁界＊の向きが一方向にそろった小磁石を作っている領域をいう。磁石は小磁石の
集まりだと考えるが、小磁石がばらばらに並んでも全体としては磁石にならない。
強磁性体＊では、磁界をかけるとこれらの小磁石である磁区の方向がそろい、全体
として強い永久磁石＊になると考えられた。

magnetic field　　　　　　　磁界（理学）、磁場（工学）

空間に磁荷＊を置くとき、磁荷に力＊を生じさせるような空間を磁界または磁場と
いう。このとき、生じた力を磁力＊、または磁荷によるクーロン力＊という。磁荷
の磁気量＊をm、磁界を$\vec{H}$とするとき、生じたクーロン力$\vec{F}$との間には$\vec{F} = m\vec{H}$の

関係がある。

magnetic field lines　　　磁界の向きの線

磁界*の向きと大きさを表わす線。

magnetic flux　　　磁束

ある曲面における磁束密度*Bに断面積Sをかけたものをいう。磁束は磁束密度Bの一様な磁界*中の、磁界に垂直な面積Sの断面を通る磁束線の数である。磁束の向きは、曲面に垂直（法線*の）方向。磁束をΦ、磁束密度をB、断面積をSとすると$\Phi = BS$。

magnetic flux density　　　磁束密度

単位面積当たりの磁束*の数。単位Wb/m^2。磁界*を表わす基本量で、磁束密度Bと磁界Hとの間には、物質の透磁率*をμとして$\vec{B} = \mu \vec{H}$の関係がある。

M

magnetic flux lines　　　磁束線

磁束密度*のベクトル*の向きが、その曲線の接線となるような曲線。

magnetic force　　　磁気力、磁力

磁極*が異種のとき互いに引き合ったり、同種のときしりぞけ合ったりする力。

magnetic induction　　　磁気誘導

磁性体*を磁界*中に入れると磁化*される現象。

magnetic lines of force　　　磁力線

　→ line of magnetic force

magnetic material　　　磁性体

磁界*を加えると、磁界の向きに強く磁化*されることを強磁性(ferromagnetism)という。強磁性をもつ物体では、磁界を取り去っても、磁化されたままである。強磁性体(ferromagnet)の例として、Ni、Co、Feやこれを含んだ合金がある。また、磁界の向きに弱く磁化されることを、常磁性(paramagnetism)という。この場合は磁界を取り去ると磁性はなくなる。このような物質を常磁性体(paramagnetic substance)という。これに対し、反磁性*（磁界の向きと逆に磁化されること）をもつ物質を反磁性体(diamagnetic substance)といい、ビスマスBiがその例である。

magnetic monopole　　　　磁気単極子、モノポール
　　正または負の磁荷*のみをもつ仮想上の粒。注：一般に、磁荷は正負2つ1組の磁荷からなる磁気双極子*からできており、分離することはできない。

magnetic needle　　　　磁針
　　コンパス（方位計）の北または南を向く小さい針状磁石。磁界*の方向や強さを知る。

magnetic permeability　　　　透磁率
　　磁界*Hと磁束密度*Bの比をいう。記号μで表わす。$B = \mu H$の関係がある。なお、真空の透磁率$\mu_0 = 4\pi \times 10^{-7}$ (H/m = Wb/A·m)である。

magnetic pole　　　　磁極
　　磁石*の両端で磁気*の一番強い点。正磁極（N極）と負磁極（S極）があり、必ず2つ1組である。

magnetism　　　　　　**(1) 磁気　(2) 磁性**
　　(1)磁石*と磁石の作用、または磁石と電流*との作用によって起こる現象。
　　(2)磁石としての性質をもつこと。他の磁石を引き付けたり、反発したりする性質。

magnetization　　　　磁化
　　磁界*中に物体*を置くとき、物体が磁気*を帯びることを磁化という。磁気を帯びる物体を磁性体*という。
　　→ magnetic material

magnetization by induction　　　　誘導による磁化、誘導磁化
　　→ magnetization

magnetosphere　　　　磁気圏
　　大気*の最上層部で、地球の磁界*によって、電離した大気中の荷電粒子*の運動が支配されている領域。

magnification　　　　倍率
　　光学装置によって生じた像*と、元の物体*の大きさの比。拡大率。

magnifier 拡大器

物体*を拡大して見る装置。拡大鏡（虫めがね）など。

magnifying glass 虫めがね、拡大鏡

凸レンズ*単体や、組み合わせレンズを使って物体を拡大して見る装置。

major axis 長軸

楕円*の2つの軸のうち、長い方。楕円の2つの焦点*を通る軸*。短い方を短軸(minor axis)という。

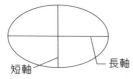

短軸　　　長軸　（図44）

M

malleability 展性

物体*に圧力*や力*をかけたとき、破壊されることなくどれだけ平面的に広がるか（箔になるか）を表わす性質。金や銀は展性に富んでいる。

→ductility

malleable 展性のある

→malleability

manipulated variable 操作変数、操作可能な変数

実験*で、制御しようとする変数*や条件。

maser メーザー

電子*とマイクロ波*の相互作用により増幅されたマイクロ波のこと。またはマイクロ波を増幅する装置。

→induced emission

mass 質量

物体*に力*fをかけて、加速度*aが生ずるとき、$m = \dfrac{f}{a}$ で表わされるmを質量、または慣性質量*という。慣性質量は慣性*の大きさを表わす量である。質量の単位はkg（キログラム）を使う。質量には、この他に重力質量*を使った定義もある。

→gravitational mass

→inertial mass

mass defect　　　　　　　質量欠損

原子核*の質量*と、原子核を構成している個々の陽子*と中性子*の合計の質量は異なる（原子核の質量のほうがわずかに小さい）。その差を質量欠損という。この質量欠損は、質量が原子核を結合*するエネルギー*に変換されたものである（アインシュタインは質量をエネルギーの１形態であることを論証した）。

→law of conservation of energy and mass

mass density　　　　　　　密度

物理量が分布しているとき、単位当たりに含まれる量のこと。一般には密度というと単位体積当たりの質量をいう。

mass number　　　　　　　質量数

原子核*中の陽子*の数と中性*子の数の和をいう。陽子の数をZ、中性子の数をNとすると、質量数Aは$A = Z + N$。Zは原子番号*である。

→atomic number

mass percent　　　　　　　重量パーセント

溶液*に含まれる溶質（溶けている物質）の割合を％で表わしたもの。

mass point　　　　　　　質点

→material point

mass spectrograph　　　　　質量分析器

原子*をイオン*にした後、一様な磁界*中を運動*させて質量*を測定する。磁束密度Bの一様な磁界中に、垂直に速さ*vで入射*した質量m、電気量*qの荷電粒子は、速度と垂直な向きのローレンツ力*により磁界に垂直な平面内で半径*rの等速円運動をする。このときの条件は、

（ローレンツ力）　$qvB = \dfrac{mv^2}{r}$　（円運動の向心力）

q、v、Bは既知であり、半径rを測ることにより原子の質量が求められる。

mass-energy conversion　　　質量・エネルギー変換

質量*がエネルギー*に、あるいはエネルギーが質量に変換されること。質量mの物体は真空中の光速度*をcとすると$E = mc^2$で表わされるエネルギーをもっている。

mass-energy equivalence 　　質量・エネルギー方程式
物体*の質量*m と、エネルギー*E の間には、光速度*を c として、$E = mc^2$ の関係がある。これを質量・エネルギー方程式という。これは、質量とエネルギーは同等であり、互いに形を変えることが可能であることを意味する。

material point 　　質点
質量*をもち、その体積*が無視できるほど小さい物体*。広がりがある物体でも大きさを無視できるとき、1つの点と見なせるときは質点という。

matter 　　物質
質量*をもつもの。中性子*や陽子*、電子*などからできているもの。固体、液体、気体の3つの状態をとる。

M

matter wave 　　物質波
　→de Broglie matter wave

Maxwell equations 　　マクスウェル方程式
　→Maxwell's relations

Maxwell's equations 　　マクスウェル方程式
　→Maxwell's relations

Maxwell's relations 　　マクスウェル方程式
電磁方程式ともいう。電磁気学*の基礎理論となる方程式である。微分方程式*の形で書かれている。空間の1点における磁界、磁束密度、電界、電束密度、電流密度、電荷密度の関係を示しており、4つの式からなる。(1) ファラデーの電磁誘導の法則、(2) 電流*の磁気作用、(3) クーロン*の法則、(4) 磁束密度*の源が電流以外にないこと、を表わしている。

measurement 　　測定
ある物体*の物理量*を測ること。

mechanical energy 　　力学的エネルギー
物体のもつ運動エネルギー*と位置エネルギー*を合わせたもの。保存力*しか物体*にはたらかないときには、力学的エネルギーは保存する。

→law of conservation of mechanical energy

mechanical equivalent of heat　熱の仕事等量

仕事*W [J] と熱量*Q [cal] が等しいエネルギー*の変化をもたらすとき、2つの間の変換係数をいう。仕事等量を J とすると、$W = JQ$ の関係となる。$J = 4.186$ J/cal である。

→Joule's experiment

mechanical resonance　　　機械的共振

物体*に外力*を周期的に作用させるときに生ずる共振*。外力の振動数*が、振動系の固有振動*に近いときに急激に振幅*が増加し、同じだと共振（音*の場合は共鳴*）を起こす。

→resonance

mechanical wave　　　　　力学的な波

→elastic wave

medium　　　　　　　　　媒質

波*や力*を伝える物質*。気体、液体、固体は媒質*になる。たとえば、音波*の媒質は空気である。

mega　　　　　　　　　　10^6 の

「10^6 の」という意味の接頭語。1 MHz $= 10^6$ Hz、1 MeV $= 10^6$ eV。

megaelectronvolt　　　　　メブ、メガ電子ボルト

1 MeV $= 10^6$ eV $= 1.602 \times 10^{-13}$ J。

Melde's experiment　　　　メルデの実験

音さ*の先端に糸をとりつけ、糸のもう一端には滑車*を介しておもり*をぶらさげる。音さを振動*させ、糸の長さ、線密度*やおもりの質量*を変えて、糸の定常波*を作る。糸の張力*と線密度、振動数、波長*の関係を求められる。

melt　　　　　　　　　　融解した、融けた

meltdown　　　　　　　　メルトダウン
　原子炉＊内の核燃料棒＊が高熱のために融けること。

melting　　　　　　　　融解
　固体＊を熱する、または圧力をかけると液体＊になる現象。

melting point　　　　　　融点
　固体＊を熱していって液体＊になりはじめる温度＊。融解＊の起こりだす温度。

memory unit　　　　　　記憶装置
　コンピュータ＊でデータ＊を記録する装置。必要に応じて、データを呼び出す。内部記憶装置と外部記憶装置がある。例：磁気ディスク装置。

M

meniscus　　　　　　　　メニスカス

水銀　　水
（図45）

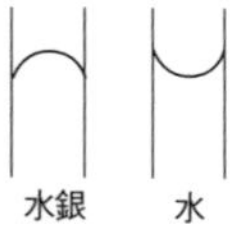

　立てた管内に液体を入れるとできる、凹または凸状の液面の形をいう。表面張力＊により、凹または凸の形が決まる。水のように管壁をぬらす場合は凹状、水銀のように管壁をぬらさない場合には凸状になる。

meson　　　　　　　　　中間子、メソン
　強い相互作用＊をする粒子であるハドロン族＊のうち、スピン＊が0または整数の粒子を中間子または、メソンという。中間子、メソンはクォーク＊と反クォークが結合した粒子で、グルオン＊によって結び付いていると考えられている。例：π中間子、K中間子。
　→elementary particle

metal　　　　　　　　　金属
　金属光沢＊をもち、熱＊や電気＊の伝導性がよく、延性＊・展性＊に富む元素＊。固体は原子が金属結合＊してできた金属結晶の構造をとる。

metallic bond　　　　　　金属結合
　金属＊が結晶＊をつくる際の結合の仕方。＋イオンでつくる結晶の格子(lattice)の中を、金属の価電子(valence electron)が自由に移動できる状態。

metallic luster　　　　　　金属光沢

　金属＊に共通してみられる特有の輝き。鏡の色が金属光沢である。

metallurgy　　　　　　　　金属学

　金属＊や合金の精錬＊法や、作製した金属の性質＊や利用法を研究する学問。

meter　　　　　　　　　**(1)** メートル　**(2)** 計量器、メーター

　(1) 長さの単位。記号m（メートル）。1 mは299792458分の1秒間に光が真空中を進む長さ。

methane　　　　　　　　　メタン

　炭化水素のひとつでCH_4のこと。無色無臭の可燃性気体。天然ガスの主成分である。

method of least squares　　　最小2乗法

　測定結果の処理方法のひとつ。測定値$x_1, x_2, x_3, x_4, \cdots, x_n$に対して、$\sum_i (x_i - a)^2$の値を最小にするaを求め、このaが最も真の値に近い値であるとする。

metric system　　　　　　　メートル法

　長さの単位にm（メートル）、質量の単位にkg（キログラム）を使う単位系。

MeV　　　　　　　　　　　メブ、メガ電子ボルト

　→ megaelectronvolt

mg　　　　　　　　　　　　ミリグラム

　質量＊の単位。記号mg（ミリグラム）。1 mg $= 10^{-3}$ g $= 10^{-6}$ kg。

MHD (MagnetoHydroDynamic) power　　　電磁流体発電、MHD発電

　磁界＊と垂直な方向に、プラズマ＊などの導電性の流体＊を高速で噴射する。このときの、電磁誘導＊で生ずる誘導起電力を利用した発電法。

Michelson-Moley experiment　マイケルソン・モーリーの実験

　光＊を伝えるエーテル＊という物質の存在が信じられていた頃に行われた実験＊。地球は公転＊しているため、エーテルに対して運動方向が変わる。このときに、光速度＊を測れば異なった光速値あるいはエーテルの速度が得られるはずである。と

ころが、どの方向でも光速度は変わらないという結果が得られた。これにより、エーテルの存在が否定された。

→ ether

micro-　　　　　　　　マイクロ

「小さい、微量の、10^{-6} の」という意味の接頭語。記号 μ。$1 \mu F = 10^{-6} F$。

microgravity　　　　　　微小重力

→ null gravitational state

microprocessor　　　　　マイクロプロセッサー

コンピュータ*の主要部分である記憶回路、制御回路、演算回路をひとつのIC*にまとめた素子*。

M

microscope　　　　　　　顕微鏡

2つの凸レンズ*を使って、物体*の大きさを拡大してみる装置。電子顕微鏡は光ではなく電子ビームを試料に当てることによる。

→ electron microscope

microwave　　　　　　　マイクロウエーブ、マイクロ波

極超短波ともいう。波長10 cmから1 mm程度の電磁波*をいう。テレビ中継や電話に使われている。

Milky Way　　　　　　　銀河系、天の川

→ galaxy

Milky Way Galaxy　　　　銀河系

→ galaxy

Milky Way System　　　　銀河系

→ galaxy

milli-　　　　　　　　ミリ

「1/1000の」という意味の接頭語。

milliammeter　　　　　　　ミリアンペア計

1/1000 A 程度の値を測る電流計。

milligram　　　　　　　　ミリグラム

質量の単位。1 mg=1/1000 g ＝ 10⁻⁶ kg。

Millikan's oil-drop experiment　　　ミリカンの油滴の実験

電気素量＊を求めた実験。電界＊をかけた場合とかけない場合の油滴の落下速度を
測ることから、油滴にはたらくクーロン力＊と電気量＊を測定した。その電気量が
常にある値の整数倍になっていることから、その値が電子＊のもつ電気量であると
した。これが電気素量である。

→elementary electric charge

milliliter　　　　　　　　ミリリットル

体積の単位。1 mℓ ＝ 1/1000 ℓ ＝ 10⁻⁶ m³。

millimeter　　　　　　　　ミリメーター

長さの単位。1 mm ＝ 1/1000 m。

millisecond　　　　　　　ミリセカンド、ミリ秒

時間の単位。1 ms ＝ 1/1000 s。

mirage　　　　　　　　　しんきろう、蜃気楼

空気に温度差がある場合、密度＊が変わり屈折率＊が変化し、光線＊が屈折＊する。
このために、遠くの物体＊が見えたり、空中に物体が浮かぶように見えたりする。
この像を、しんきろうという。

mirror equation　　　　　鏡の公式

鏡心と物体＊の距離をa、鏡心と像＊までの距離をb、焦点距離＊をfとして

$$\frac{1}{a} + \frac{1}{b} = \frac{1}{f}$$

が成り立つ。

mixture　　　　　　　　　混合物

2種類以上の物質＊を混ぜ合わせた物。物質はもとの性質を保っており、遠心分離

郵便はがき

168-8755

（受取人）
東京都杉並南郵便局私書箱55号
（株）アルク
『英和物理学習基本用語辞典』
係行

フリガナ			クラブアルク(旧CATクラブ)会員ですか？		
			□ 現会員　□ 旧会員　□ いいえ		
お名前			会員の方は会員番号をご記入ください。		

ご住所 〒 　－

□アルクからの出版および関連情報の送付を希望しない。

年齢　　歳	□男 □女	職業	取得資格 英検　　　級
TEL　　　（　　　）			TOEIC　　　点

●ご購入出版物　7095738　　英和物理学習基本用語辞典

●ご購入方法　□ 書店　　□ アルクから直接　　□ その他

●ご購入日　20　年　　月　　日　書店名

メールによる弊社の新刊情報、関連情報をお送りします。希望される方はメールアドレスをご記入ください。
E-mail

資料をご希望のものがございましたら□のなかに✓印でご記入ください。
□TOEFLテストマラソン　　□1000時間ヒアリングマラソン

Q1. 本書を何で知りましたか？（書店名、雑誌名、新聞名など）

（　　　　　　　　　　　　　　　　　　　　　　　　　　　　　　　）

Q2. 他にどんな科目の用語集が必要ですか？

（　　　　　　　　　　　　　　　　　　　　　　　　　　　　　　　）

Q3. 以下**Q7**までは、留学の予定・経験がある方にお聞きします。留学先の国名、期間、留学機関をお書きください。

国名（　　　　　　　　　　　　　）期間（　　　　　　　　　　　）

留学機関：大学院・大学・短大・専門学校・語学学校・高校・中学

Q4. 留学の目的は何ですか？

（　　　　　　　　　　　　　　　　　　　　　　　　　　　　　　　）

Q5. 留学生活でいちばん不安に思うことは何ですか？

□ 資金繰り　□ 治安　□ 語学力　□ 講義内容　□ 住居

□ その他（　　　　　　　　　　　　　　　　　　　　　　　　　　）

Q6. 留学後の希望進路についてお答えください。

□ 日本で進学・就職　□ 海外で進学・就職

Q7. 小社が行う「就職」や「留学」、「海外生活」などについての取材調査に、協力していただけますか？　　　□ 協力する　□ 協力したくない

Q8. お差し支えなければ、下記の中で今までに受験したテストのスコアを教えて下さい。TOEFL（　　　点）GRE（　　　　点）GMAT（　　　点）

SAT（　　　点）ACT（　　　点）

Q9. 小社のウェブサイト「SPACE ALC」をご覧になったことはありますか？

□ ある　□ 知っているが見たことはない　□ ない

Q10. 留学や就職・転職などに関する情報をEメールでお送りしてもよろしいですか？　　　　　　　□ 送ってもいい　□ 送ってほしくない

Q11. 本書で役に立った点など、ご感想を自由にお書きください。

ご協力ありがとうございました。

や蒸留などの物理的操作によって、もとの物質に分けることができる。
↔compound

MKS system　　　　　　**MKS 単位系**
→MKSA system

MKSA system　　　　　　**MKSA 単位系**
基本単位＊として、長さの単位にm、質量＊にkg、時間にsを使う単位系をMKS
単位系＊、これに加えて電流＊にAを使う単位系をMKSA単位系という。これら
を組み合わせて、組立単位＊が作られる。MKS単位系でN、J、Paなど。MKSA
単位系でC、Vなど。
→derived unit
→fundamental unit
→International System of Units (SI)

M

mL　　　　　　　　　ミリリットル
→milliliter

mm　　　　　　　　　ミリメートル
→millimeter

model　　　　　　　　モデル、模型
一般的でない現象を、一般的な例や現象、構造などにたとえて説明すること。

moderator　　　　　　減速材
核分裂＊で生じた中性子＊はそのままでは速度が速すぎて、次の核分裂を起こしに
くい。そこで、中性子を透過させることで、中性子と減速材の中の原子核とを衝
突させて、中性子の速さ＊を遅くさせる物質＊。水、ベリリウム、グラファイトな
どが用いられる。

modulation　　　　　　変調
送りたい信号の変位＊を、搬送波＊という高い振動数＊の波に特定の変化を与える
ことで送る方法。
→Amplitude modulation
→Frequency modulation

modulus　　　　　　　　率、係数

modulus of elasticity　　　弾性率
　　elastic coefficient のこと。
　　→elastic force

mol　　　　　　　　　　モル
　　物質量の単位。アボガドロ数＊（約 6.0×10^{23}）の個数に相当する、原子＊や分子＊
　　の分量。

molecular mass　　　　分子質量
　　ひとつの分子＊に含まれる原子質量＊の合計。

molecule　　　　　　　分子
　　いくつかの原子＊が結合＊したもの。物質＊の化学的性質＊をもつ最小単位。

molten　　　　　　　　融けた
　　→melt

moment　　　　　　　モーメント
　　能率ともいう。例を以下に示す。
　　・moment of inertia　慣性モーメント
　　　回転運動＊をしているとき、同じ回転運動を保とうとする回転の慣性の大きさ
　　　を表わす。剛体＊を構成する各資点＊i の質量を m_i、軸＊から点 i までの距離を
　　　r_i とするとき、$\Sigma\, m_i r_i^2$ を慣性モーメントという。
　　・moment of a couple　偶力モーメント
　　　回転運動＊を変化させる効果をいう。大きさの等しい逆向きの平行力を偶力と
　　　いい、力と2力間の距離の積を偶力モーメントという。偶力モーメントは回転
　　　軸の位置に左右されない。
　　・moment of force　力のモーメント
　　　回転運動を変化させる力による効果を表わす。
　　　(1) 固定した回転軸の場合：回転軸から距離 r の地点で、力 $\vec{F}$ がはたらいている
　　　とき、r と $\vec{F}$ のなす角度を θ として、$r\vec{F}\sin\theta$ を回転軸の回りの力のモーメント
　　　という。
　　　(2) 1点の回りの場合：外積 $\vec{r} \times \vec{F}$ が力のモーメントとなる。

momentum　　　　　　　運動量

物体*の質量*をm、速度*を$\vec{v}$とすると、$m\vec{v}$を運動量という。速度をベクトル$\vec{v}$とすると運動量もベクトル$m\vec{v}$となり、速度ベクトルと運動量ベクトルは同じ向きである。

monoatomic element　　　単原子元素

分子*を作らずに、原子*1個が単独で存在できる元素。

monoatomic molecule　　　単原子分子

原子*1個で分子*としてふるまうもの。He、Ne、Ar、Krなどの希ガス（不活性ガス）が単原子分子になる。

→diatomic molecule

M

monochromatic　　　　　単色の

monochromatic light　　　単色光

波長*の幅（帯域）が狭い光を単色光という。輝線スペクトル*は単色光である。

→line spectrum

motion　　　　　　　　　運動

物体*などが、時間の経過とともに位置を変える現象。

motor　　　　　　　　　モーター

電気エネルギー*を力学的な仕事*に変換する装置。磁界*から電流*が受ける力を利用している。

moving pulley　　　　　動滑車

↔fixed pulley

ms　　　　　　　　　　ミリセカンド、ミリ秒

→millisecond

multiplication　　　　　乗算、かけ算

musical scale 音階

音楽に用いる、振動数*が一定の比をもつ音*の集まり。音を高さの順に並べている。たとえば、音楽に普通使われている平均率*は、1オクターブ（振動数が2倍になる音）の間を12個に分割している。

→equal temperament

mutual inductance 相互インダクタンス

→mutual induction

mutual induction 相互誘導

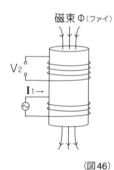

磁束Φ(ファイ)

V_2

$I_1 →$

（図46）

磁気*的に結び付いている2つの回路*で、第1の回路の電流*を変化させると磁束*の変化が生じ、これによって第2の回路で電磁誘導*が起こる。この現象を相互誘導という。第1の回路で、時間 $\varDelta t$ の間の電流の変化を $\varDelta I_1$、第2の回路に生ずる誘導起電力(EMF)の大きさを V_2 とすると、

$$V_2 = -M\ \frac{\varDelta I_1}{\varDelta t}$$

となる。この M の値を、相互インダクタンス(mutual inductance)という。誘導起電力は第1の回路の電流の変化を妨げる向きに生じるので－がつく。単位はH（ヘンリー）である。

N

N　　　　　　　　　　ニュートン
→ newton

n　　　　　　　　　　ナノ
10^{-9} のこと。たとえば 1 nm $= 10^{-9}$ m。

n　　　　　　　　　　中性子の記号
→ neutron

N-type germanium　　　N型ゲルマニウム
ゲルマニウムのN型半導体*。
→ donor

n-type semiconductor　　N型半導体
ドナー*を入れた半導体*のこと。
→ donor

natural frequency　　　固有振動数
→ character frequency

natural logarithm　　　自然対数
e を底*とする対数*。$e^x = y$ のとき、x を「e を底とする y の対数」といい、$\log_e y$ と表わす。ここで e は n を無限に大きくしたときの $\left(1 + \dfrac{1}{n}\right)^n$ の極限であり、$e = 2.71828\cdots$。
→ common logarithm

near infrared rays　　　近赤外線
→ infrared rays

nebula　　　　　　　　星雲
ガスや宇宙塵からできている巨大な雲のような状態。ガスの主成分は水素である。

negative　　　　　　　負の

negative acceleration　　　負の加速度
　物体*の進行方向と逆向きの加速度*。物体の運動を妨げる向きにはたらく加速度。
減速度*。

negative electrode　　　　負極
　電池*の－極。電流*が入る極*、電子*が流れ出す極。
　↔positive electrode

negative sign　　　　　　負の符号

negative terminal　　　　負極
　→negative electrode
　↔positive terminal

net force　　　　　　　　真の力
　つりあいでない力*が物体*にはたらいているとき、物体にはたらく力の合力*が、
真の力となる。

neutral　　　　　　　　(1)中性　(2)電気的に中性
　(1)物質がアルカリ性でも酸性でもない状態。
　(2)正の電荷*も負の電荷も帯びていない状態。正の電荷と負の電荷の量が等しく、
打ち消しあっている状態。

neutrino　　　　　　　　ニュートリノ
　中性微子ともいう。レプトン*に属する素粒子*のひとつ。弱い相互作用*をし、
スピン*は1/2、質量*は0である。弱い相互作用で、他の粒子と対になって発生
する。電子*と対になるものを電子ニュートリノ、ミュー（μ）粒子と対になるも
のをミューニュートリノ、タウ（τ）粒子と対になるものをタウニュートリノと
いい、またそれらの反粒子*がある。

neutron　　　　　　　　中性子
　素粒子*のひとつ。記号n。陽子*とともに原子核*を構成する粒子で、陽子とほ
ぼ同じ質量*をもつ。陽子と中性子をまとめて核子という。電気的に中性で、スピ

ン＊は1/2。

neutron star　　　　　　　中性子星
超新星＊がその強い重力＊による崩壊＊を起こし、そのために陽子＊と電子＊が反応して中性子＊の塊だけになった、きわめて高密度の天体。

Newton ring　　　　　　　ニュートンリング

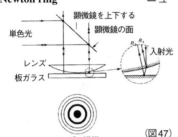

極率半径の大きい平凸レンズ＊を平面ガラスの上に置き、上から光＊を当てると、干渉＊によって明暗のついた同心円状の縞模様が観察されること。上から観察した場合、極率半径をR、縞模様の半径＊をr、波長＊をλとして$\dfrac{r^2}{R} = m\lambda$のとき暗く、$\dfrac{r^2}{R} = (m + \dfrac{1}{2})\lambda$のとき明るくなる。ただし、$m$は0以上の整数。

顕微鏡を上下する
単色光
顕微鏡の面
R_2 R_1
入射光
レンズ
板ガラス

（図47）

リングの模様

N

newton　　　　　　　ニュートン
力＊の単位。記号N（ニュートン）。質量1 kgの物体＊に、1 m/s^{2}の加速度＊を生じさせる力をいう。1 N ＝ 1 kgm/s^2。
→force

Newton's first law　　　ニュートンの第1法則
→Newton's first law of motion

Newton's first law of motion　　ニュートンの運動の第1法則
慣性の法則＊(law of inertia) という。「物体＊に外力＊がはたらかない場合、物体がはじめに静止していれば静止の状態を続け、速度＊をもつならばその速度で等速直線運動＊を続ける」。

Newton's law of cooling　　ニュートンの冷却の法則
物体＊が熱放射＊によって単位時間当たりに失う熱量＊Qは、物体の表面温度Tsと、外界の温度Toの差に比例する。これは物体の温度と周囲の温度にあまり差がないときに成り立つ。

Newton's law of universal gravitation　ニュートンの万有引力の法則

「質量＊のある２物体には、必ず引力＊がはたらく。力の大きさは、２物体間の距離＊に反比例＊し、質量の積に比例する。この力を万有引力という」。物体間の距離を r、質量を m_1, m_2 とすると、万有引力の大きさ F は、

$$F = G\,\frac{m_1 m_2}{r^2}$$

（G：万有引力定数＝ 6.67259×10^{-11} Nm^2/kg^2）。

Newton's laws of motion　　　ニュートンの運動の３法則

ニュートンの運動に関する法則で、第１から第３まで３つある。

Newton's second law of motion　　　ニュートンの運動の第２法則

運動方程式＊または、単に「運動の法則(law of motion)」という。「物体に力＊を加えるとき、加速度＊が力の向きに生じ、その大きさは力の大きさに比例し、物体の質量に反比例＊する」。数式で表わすと、物体の質量を m、力を F、加速度を a として $F = ma$ となる。この式を運動方程式という。

Newton's third law of motion　ニュートンの運動の第３法則

作用・反作用の法則＊(law of action and reaction)という。「力＊は必ず２つの物体＊相互に現れる。ある物体にはたらく力（作用＊）に対して、それと同一の作用線上にあり、向きが逆で大きさの等しい力（反作用＊）が、もう一方の物体に生ずる」という法則。

newton-meter　　　　　ニュートンメーター

仕事＊の単位。記号 Nm（ニュートンメーター）。1 Nm＝1 J。

nm　　　　　　　　　ナノメートル

1 nm＝ 10^{-9} m。

NMR　　　　　　　　核磁気共鳴、磁気共鳴

→ nuclear magnetic resonance

nodal line　　　　　　節線

２つ以上の波源＊からの波＊が重なりあうとき、波の山と谷が重なったところでは振動が弱まる。このような弱めあう点を連ねた曲線を節線という。

→constructive interference

node 節

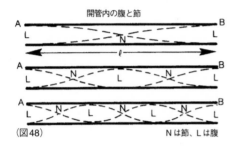

開管内の腹と節

(図48)　　　　　　　　　　Nは節、Lは腹

定常波＊で、波の重ね合わせにより、変位＊が常に0になる点。
↔loop

noise **(1)雑音　(2)騒音**
(1)電気信号＊や楽音において、元の振動＊を邪魔するような不規則な振動や音。
(2)耳に不快感を与える音＊。騒がしい音。

noise level 騒音レベル
信号＊を取り扱う際の雑音＊と信号音の比をいう。騒音比、S/N比＊と同じ。

nonconductor 不導体
熱＊あるいは電気＊をあまり通すことができない物質＊。ガラス、せとものなど。
↔conductor

noninertial frame of reference 非慣性系
→noninertial system

noninertial system 非慣性系
加速度＊運動をしている座標系。慣性の法則が成り立たない。
↔inertial system

nonlinear motion 非直線運動
物体＊の運動の軌跡が直線とならない運動。

nonmetal 非金属
金属＊以外の元素＊。金属光沢をもたず、一般に熱、電気の伝導性が悪い。たとえ

ば、酸素、水素。

nonpolar molecule　　　　無極性分子
電気双極子*をもたない分子*。分子内の正と負の電荷*の中心が一致しており、電気*に偏りのないもの。単原子分子*や2原子分子*は無極性分子である。また、CH_4やCO_2などで、分子の形のため電荷が打ち消しあう場合も無極性分子となる。
→electric dipole

nonrenewable　　　　更新できない

nonrenewable energy resource　　　更新不能なエネルギー資源、再生不能なエネルギー資源
化石燃料*などのように、使ってしまったら元の形に戻すことができないエネルギー資源。

normal　　　　法線、法線の

normal acceleration　　　　法線加速度
向心加速度ともいう。物体*が曲線上を運動しているとき、法線*方向の加速度*。軌道*の曲率半径(radius of curvature)をR、速さをvとすると、法線加速度の大きさaは
$$a = \frac{v^2}{R}$$
で表わされる。たとえば、等速円運動*の加速度では、半径*をrとして
$$a = \frac{v^2}{r}$$

normal atmospheric pressure　　大気圧、1気圧
大気*の圧力*のことで、地上では平均してほぼ1 atmなので、通常は1 atm（気圧）をさす。1 atm = 1.013×10^5 Pa = 1013 hPa = 760 mmHg。

normal component of force　　　垂直力、法線力
ある面の法線*または垂直方向にはたらく力。

normal component of reaction　　　　垂直抗力
物体*が面を押すとき、面から受ける反作用の力*である抗力*の垂直成分。物体の面に垂直にはたらく抗力。これに対し、抗力の水平成分を摩擦力という。

normal force   **(1)** 垂直抗力　**(2)** 法線力
　(1) →normal component of reaction
　(2) →normal component of force

normal line   法線
　(1) 平面上では、曲線上の点を通って、曲線の接線に垂直かつ、曲線の曲率中心*
　（円ならば円の中心）に向かう直線を法線といい、その向きを法線方向という。
　(2) 空間では、曲面上の点を通り、曲面に接する面（接平面）に対し垂直な直線を
　法線という。

normal state   標準状態
　基準になる状態。気体では0℃、1 atm の状態。

north pole   **(1)** 磁石のN極　**(2)** 地球の北極

north pole of magnet   磁石のN極

north-seeking pole   北を向く磁極
　N極*のこと。

NOT circuit   NOT回路、反転回路
　入力信号が0 (off) のときは出力が1 (on)、入力信号が1 (on) のときは出力が0 (off)
　となる回路。

nuclear binding force   核力、核結合力
　陽子*や中性子*を結び付けている力。強い相互作用*。作用*の及ぶ範囲はきわ
　めて小さく原子核*の大きさ程度までしか到達しないが、結合力は非常に強い。
　→interaction

nuclear chain reaction   核分裂連鎖反応
　→chain reaction

nuclear change   核変換
　核分裂*や核融合*、α線*、β線*などの放射線*の放射*、中性子の吸収*など
　によって、ある元素*の原子核*が、別の元素の原子核に変わること。

nuclear decay　　　　　　原子核崩壊
　→decay

nuclear decay series　　　崩壊系列
　→decay series

nuclear energy　　　　　　核エネルギー
　核分裂＊や核融合＊の際に放出＊あるいは吸収＊されるエネルギー＊。核反応の質
　量＊（＝結合エネルギー＊）がエネルギーとして放出・吸収される。エネルギーを
　E、質量変化をm、光速度＊をcとすると、$E = mc^2$ である。

nuclear equation　　　　　核反応式、核方程式
　核分裂＊や核融合＊などの核反応の変化を表わした式。

nuclear fission　　　　　　核分裂
　→fission

nuclear force　　　　　　　核力
　→nuclear binding force

nuclear fuel　　　　　　　核燃料
　原子炉＊で原子核分裂＊を起こす材料。$235U$、$233U$、$230U$ などの核分裂性元素の酸
　化物を焼き固めてある。

nuclear fusion　　　　　　核融合
　→fusion (2)

nuclear magnetic resonance　核磁気共鳴、磁気共鳴
　NMRともいう。原子核＊の磁気モーメントに、外部の振動磁界をかけることで起
　こる共鳴現象。原子核に磁気＊があるために起こる、磁気的な共鳴現象。

nuclear mass defect　　　　核質量欠損
　→mass defect

nuclear moderator　　　　核減速材
　→ moderator

nuclear reaction　　　　核反応
核分裂*や核融合*などの反応。核反応の前後では、質量数の和、原子番号の和は不変である。
　→ fission
　→ fusion (2)

nuclear reactor　　　　原子炉
原子核分裂反応を、ゆったりとした速さで起こるように制御しながら連続的に行わせる装置。発電のためや、核分裂性物質やアイソトープ*の製造、核燃料*のPu の製造などに用いられる。炉の構造は、炉容器、核燃料*、減速材*、冷却材*あるいは冷却装置からなる。

N

nuclear wastes　　　　核廃棄物
核分裂*や核融合*の反応でできた、おもに放射性元素*を含む排出物。

nuclei　　　　原子核
nucleus の複数形。原子*の中心部分にあり、原子の10万分の1程度の大きさをもつ正の電荷*を帯びた粒。原子の質量*の大部分を占める。中性子*と陽子*からなる。

nucleon　　　　核子
原子核*を構成している粒のことで、中性子*と陽子*のことをいう。

nucleus　　　　原子核、核
　→ nuclei

nuclide　　　　核種
原子核*の中性子*と、陽子*の数による分類。異なる中性子数と陽子数をもつ原子核どうしは、異なる核種である。このうち、陽子数が同じで、中性子が異なる核種どうしは、同位体*であるという。

null gravitational state　　　　**無重力状態**

　地球の周囲で等速円運動＊をする物体には、重力＊と遠心力＊が打ち消しあって、重さは生じない。また、自由落下＊するときも重さを感じない。このように、ある座標系＊で、重力による加速度＊が観測されない状態を無重力状態という。無重力状態は重力加速度で運動する座標系で起こる。しかし、ロケット内での運動では、きわめて小さいがロケット内の物体との間に万有引力＊があり、完全な無重量状態とならない。これを、微小重力(microgravity) という。

O

Ω   オーム
　→ohm

object   （レンズで見る）物体

objective   対物レンズ
　→objective lens

objective lens   対物レンズ
　２対のレンズからなる光学器械で、物体に近い側にあるレンズ＊。
　↔ocular lens

observation   観察
　よく注意して、現象を見たり記録したりすること。

octave   オクターブ
　楽音で、振動数＊が２倍の関係にある音＊のことをいう。振動数が２倍または1/2
　倍の音のことを、１オクターブ高い、または低い音であるという。

ocular   接眼レンズ
　→ocular lens

ocular lens   接眼レンズ
　２対のレンズからなる光学器械で、目に近い側にあるレンズ＊。
　↔objective lens

ohm   オーム
　電気抵抗＊の単位。記号Ω（オーム）。１Ａの電流＊が導線を流れており、２点間の
　電位差（電圧）＊が１Ｖのとき、２点間の抵抗＊を１Ωとする。

Ohm's law　　　　　　　オームの法則

導体＊を流れる電流＊の大きさは導体＊にかける電圧＊に比例する。導体にかける
電圧を V、導体を流れる電流を I、導体の抵抗＊を R とするとき、$V=RI$ となる。

→electric resistance

opaque　　　　　　　　不透明な

光＊が物質に入射＊するとき、表面で反射＊したり、内部で吸収＊されたりするた
めに、通過できないこと。

opaque materials　　　　不透明材料

open circuit　　　　　　開回路

閉回路＊を、スイッチなどを使って、一部の接続を絶ったもの。

→closed circuit

open system　　　　　　開いた系、開放系

外界とエネルギー＊や物質＊の交換を行う系＊、世界。

↔closed system

open tube　　　　　　　開管

両端が開いている管。たとえばパイプなど。管内の空気が振動＊して音＊を出す。
開管の振動数＊f [Hz] は、音速＊を V [m/s]、管の長さを L [m] として、$f=\dfrac{m}{2L}V$
（m は自然数）で表わされる。

↔closed tube

open universe　　　　　開いた宇宙

宇宙膨張＊説で、われわれの宇宙の質量＊が小さい場合は、膨張＊が永久に続くと
いう考え方。

→closed universe

optical axis　　　　　　光軸

レンズ＊や鏡で、屈折面や反射面の曲率中心＊（曲面が球の一部となるときの中心
点）とレンズや鏡の中心点を通る直線。レンズ面に垂直。主軸(principal axis)とも
いう。

optical center　　　　　光心

レンズ*の光軸*上にある点で、レンズの内部でこの点を通った光線はレンズから
出た後で元の光線と平行になるような定点のこと。薄いレンズではレンズの中心
点となる。

→optical axis

optical density　　　　　光学密度、光学濃度

吸収度ともいう。物質の不透明さの度合を表わす。

optical distance　　　　　光学距離

→optical path length

optical fiber　　　　　光ファイバー

光通信などで用いられる。細いガラス製の繊維。外側は屈折率*の小さなプラスチ
ックで包んでいる。内側部分と円周部分の屈折率が異なるために、入射光*が全反
射*して光*を伝えることができる。このため、光のもれがなく光を長い距離でも
伝えられる。

→total reflection

O

optical path difference　　　　　光路差

光線*が2つに分かれた後にまた1本の光線になるとき、2つの光線の光路長*の
差をいう。

→optical path length

optical path length　　　　　光路長

光*が絶対屈折率*nの物体*を、距離Lだけ通過するとき、その積nLを光路長ま
たは光学距離(optical distance)という。これは、光が真空中を同時間に通過する距
離に相当する。

optical pyrometer　　　　　光高温計

熱放射*をしている高温物体の発する光のスペクトル*を利用して、接触せずにそ
の物体*の温度*を測定する温度計。700〜3000℃くらいの範囲を測定できるもの
が多い。

optics　　　　　　　　　光学

　光*の関係する現象を取り扱う学問。光の性質を研究する。

OR circuit　　　　　　　OR 回路、論理和回路

　いくつかの入力端子のうちひとつでも信号(on) があるときに、出力信号が出される(on) 回路。

orbit　　　　　　　　　軌道

　物体*にはたらく力によって、物体が運動する道筋。物体の描く軌跡。

orbital function　　　　軌道関数、電子軌道

　原子*や分子*の中の、電子*の運動状態を表わす関数*。雲のように広がった電子の位置を、確率的に表わした関数。また、この関数による電子軌道の模様を指すこともある。

orbital velocity　　　　軌道上の速度

ordinate　　　　　　　縦座標

　縦軸*の座標値。x 軸と y 軸からなる平面座標(a, b) において、x 座標 a を「横座標*」といい、y 座標 b を「縦座標」という。

　↔abscissa

origin　　　　　　　　原点

　座標軸の交わる点で、すべての座標値が 0 の点。

orthoaxis　　　　　　　直交軸

　→Cartesian coordinate system

orthogonal　　　　　　直角な

　→perpendicular

orthogonal coordinates　直交座標

　→Cartesian coordinates

orthogonal coordinate system　直交座標系
→Cartesian coordinate system

oscillating circuit　　　　発振回路
電気振動（電気回路＊の電圧と電流が周期的に変化すること）を発生する回路＊。

oscillator　　　　　　　発振器
電気振動（電気回路＊の電圧と電流が周期的に変化すること）を発生する装置。電気エネルギーを振動のエネルギーに変換する。

oscilloscope　　　　　　オシロスコープ
陰極管＊を表示に使い、電気信号の波形を表示する装置。ブラウン管＊を用いるものが多い。

outer product　　　　　外積

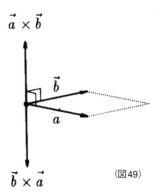

ベクトル積(vector product)ともいう。2つのベクトルからベクトルを作る演算。$\vec{a}$と$\vec{b}$の外積$\vec{a} \times \vec{b}$は、$\vec{a}$、$\vec{b}$が作る面に垂直でかつ、$\vec{a}$から$\vec{b}$の向きに右ネジを回すときのネジの進む向きにベクトルの向きをもち、その大きさが$\vec{a}$と$\vec{b}$で囲まれた平行四辺形の面積をもつようなベクトルだと定義する。$\vec{a}$、$\vec{b}$のなす角度をθとすると、その大きさは、$ab \sin \theta$となる。
↔inner product

（図49）

O

output　　　　　　　　出力
装置や機械＊によって発生させたり加工してから、外部に送る信号＊やエネルギー＊、データ＊など。

output device　　　　　出力装置
(1)電気信号を外部に出す装置。
(2)コンピュータ＊で処理したデータ＊を提示する装置。

output signal　　　　　　出力信号

電気回路によって、増幅＊されたり加工された信号＊。

output unit　　　　　　　出力装置

→ output device

overtone　　　　　　　　倍音

→ overtones

overtones　　　　　　　　倍音

楽音で、基本振動数＊の整数倍になっている音を倍音という。

ozone　　　　　　　　　　オゾン

化学式＊O_3。刺激臭をもち、微青色の気体。漂白、殺菌、酸化作用をもつ。

ozone layer　　　　　　　オゾン層

地上 20 ～ 40 km 程度の範囲の、比較的オゾン O_3 に富んだ部分。大気中の酸素が、紫外線＊を吸収して O_3 ができる。近年、このオゾン層の破壊が深刻な環境問題になっている。

P

p   陽子

→ proton

p   ピコ

→ pico

P-N junction   **PN接合**

P型半導体*とN型半導体*をつなぎあわせたものをPN接合という。このPN接合をもつ素子*をPNダイオードという。P型半導体に正の電圧*を加えると、PからNへ正孔*（ホール）が移動し、NからPへ電子*が移動するため、PからNへ電流*が流れる。N型半導体に正の電圧を加えるときはこれらは動かず、電流が流れない。これを利用して、整流器*として用いられる。

p-n diode   **PNダイオード**

PN接合*をもつ素子*。

→ P-N junction

P-type germanium   **P型ゲルマニウム**

ゲルマニウムのP型半導体*。

→ acceptor

p-type semiconductor   **P型半導体**

正孔*が電流の担い手となる半導体。アクセプター*を入れた半導体。

→ acceptor

Pa   パスカル

→ pascal

pair annihilation   対<ruby>消滅<rt>つい</rt></ruby>

→ pair creation

P

pair creation　　　　　　　対生成

　素粒子＊とその反粒子＊が反応して消滅し、他の素粒子に変化することを、対消滅 (pair annihilation) という。これに対し、素粒子の反応で、ある粒子とその反粒子が同時に生成することを、対生成という。たとえば、電子＊と陽電子＊が反応すると、高エネルギーのγ線＊の光子＊が発生する（対消滅）。逆に、真空中に1.1 MeV以上の高エネルギーの光子が入射＊したときに、1個の光子が消滅して電子と陽電子が同時に発生する（電子対生成＊electron pair-creation）。

parabola　　　　　　　　　放物線、放物線の

　　　　　　　　　　　　　　　$y = x^2$のグラフ＊の曲線の形。例：パラボラアンテナ。

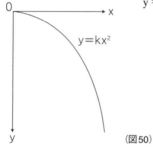

（図50）

parabolic reflector　　　　パラボラ反射器

　放物線型の反射器で平行光線を1点に集めることができる。パラボラアンテナ。

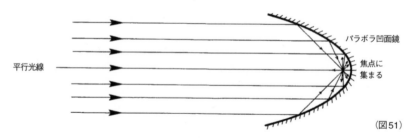

（図51）

parallax　　　　　　　　　視差

　同じ物体＊を2つの観測地点から見たときの角度の差。

parallel circuit　　　　　　並列回路

　ある点で、いくつかの回路＊を並列＊に接続したもの。回路＊や抵抗などの＋側

は＋側どうしで、－側は－側どうしで結んだもの。

→in parallel

parallel connection　　　　並列接続

→in parallel

parallel resonance　　　　並列共振

インダクタンス*Lのコイル*と電気容量がCであるコンデンサー*を並列に*つなぎ、交流電源につなぐ。電源*の振動数*fが

$$f = \frac{1}{2\pi\sqrt{LC}}$$

のとき、回路*は共振*する（電流は最小になる）。これを並列共振という。

parallel-plate capacitor　　　　平行板コンデンサー

2枚の金属板を平行に置き、その間に誘電体*をはさんだもの。

parallelogram method　　　　平行四辺形の方法、平行四辺形の法則

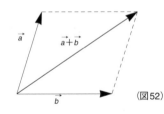

合成ベクトルを求める方法。2つのベクトル$\vec{a}$、$\vec{b}$の足し算（合成）は、$\vec{a}$と$\vec{b}$の起点を同じにして、2つのベクトルを描き、これらを2辺とする平行四辺形を描く。$\vec{a}$と$\vec{b}$の合成ベクトルはこのときの起点から起点を通る対角線で表わされる。

（図52）

paramagnetism　　　　常磁性

→magnetic material

parity　　　　パリティ、偶奇性

空間座標の符号を変えるとき、符号が変わらない量はパリティが正または偶であるといい、符号が変わる量はパリティが負または奇であるという。強い相互作用*、電磁相互作用*の場合は、系全体のパリティは一定である。これをパリティ保存の法則という。

particle　　　　　　　　粒子

物質＊をつくっているきわめて細かい粒、微視的な粒。原子レベルの原子や分子、電子、陽子、原子核などをいう場合と、もっと大きな水滴や粉末などをいう場合とがある。

particle accelerator　　　　粒子加速器

→accelerator

particle beam　　　　　　粒子線

電子＊、陽子＊、中性子＊、イオン＊、原子核＊などの微視的な粒子が同じ方向に進む流れ。

pascal　　　　　　　　　パスカル

圧力＊の単位。記号 Pa（パスカル）。1 m²の面に 1 N の力＊がかかるときの圧力を 1 Pa とする。1 Pa ＝ 1 N/m²。

partial pressure　　　　　分圧

混合気体中で、ある成分気体の占める圧力＊。同体積を成分気体だけで占めるときの圧力となる。また、混合気体の圧力（全圧）に成分気体の比率をかけた値となる。各成分気体の分圧の合計は全圧と等しい。

→law of partial pressure

Pascal's principle　　　　パスカルの原理

容器内に縮まない液体を入れ、容器を押して中の圧力＊を高めるとき、液体中のどの点の圧力も同じになる。

Pauli's exclusion principle　　パウリの排他原理

→exclusion principle

Pauli's principle　　　　　パウリの排他原理

→exclusion principle

pendulum　　　　　　　　振り子

ある 1 点の周りを振動＊する物体＊。たとえば、おもり＊を糸にぶら下げて振らせる単振り子＊や、ばねに物体をつけて振らせるバネ振り子がある。

percent concentration　　　％濃度
溶液＊の質量＊に対する、溶質＊の質量の比を％で表わした量。

perfect elastic body　　　完全弾性体
　→elasticity

perfect gas　　　理想気体
　→ideal gas

perigee　　　近地点
衛星＊がある天体を焦点＊とする軌道＊を回っているとき、その天体に一番近づい
た点を近地点という。
　↔apogee

perihelion　　　近日点
惑星＊が太陽を回る軌道を通るとき、太陽に一番近づく点のこと。
　↔aphelion

P

period　　　周期
振動＊や波動＊、円運動＊など、繰り返す運動をする場合で、次の繰り返しまでの
時間。最初の状態と、まったく同じ状態になるまでの時間。

period of revolution　　　公転周期
太陽や恒星＊、あるいは惑星の回りを楕円運動する天体の、１周に要する時間。

periodic law　　　周期律
元素＊を原子番号＊の順に並べると、化学的性質＊の似た元素が何個かおきに、周
期的に繰り返されること。これは、原子中の電子＊の数、配置＊、軌道＊などが原
因となって現れる。

periodic motion　　　周期運動
一定の時間の間隔（周囲）で、同じ運動を繰り返し続けること。振子＊の運動な
ど。

periodic table 周期律表

元素＊の周期律＊を使って、元素を横に原子番号＊の順に並べ、縦に化学的に似た元素を並べた表。

→periodic law

permanent magnet 永久磁石

磁性体＊を磁界＊中に入れると、磁化＊され磁石＊となる。このとき、外部磁界を取り去っても磁石の性質を保つものを永久磁石、磁性を失うものを一時磁石＊という。鋼鉄は、永久磁石となり、軟鉄は一時磁石となる。

↔temporary magnet

permeability 透磁率

→magnetic permeability

perpendicular (1) 垂直な、直角な (2) 垂線

(1) ある面や線と、他の面や線のなす角度が90度であること。orthogonal ともいう。

→vertical

(2) 直線や面と直角に交わる直線を垂線という。垂線と他の面などの交点を垂線の足(foot of perpendicular) という。

perpetual motion 永久運動

機関が始動するのに必要なエネルギーをはじめに与え、あとは機関が自分で仕事をしながら生成したエネルギーの一部を運転のエネルギーに変え、燃料を補給しなくても仕事を続けること。不可能なことが証明されている。

perpetual mobile 永久機関

エネルギー＊を発生する装置。エネルギーを与えなくても、永久に仕事をしつづける機関。第1種と第2種の永久機関がある。第1種永久機関は、外部からもらったエネルギーをすべて仕事＊に変え、それ以外には外部に何の変化も残さないような機関＊をいう。エネルギー保存則＊より不可能である。第2種永久機関は、熱源＊からもらった熱＊をすべて仕事に変え、熱源の温度低下のほかには、外部に何の変化も残さないような機関をいう。熱力学第2法則＊より不可能である。

personal computer　　　　パーソナルコンピュータ

個人が使うように設計されたコンピュータ*。

perturbation　　　　摂動

太陽を回っている惑星は、太陽の力以外に、他の惑星の重力*の影響も受ける。この太陽以外の力によるずれを摂動という。これを一般化し、ある運動において主にはたらく力以外の、副次的な力による運動*のずれも摂動という。

phase　　　　(1) 位相　(2) 相

(1) 振動*や波動*で、ある時刻や位置における、1周期*の中の相対的な位置を表わす変数。位相が同じならば、その点の波*の高さや速度*などの振動の状態は同じである。たとえば、波動で山*と隣の山は同位相である。位相で、角度で表わす場合は位相角*という。

(2) 物質*のどの部分をとっても、物理的、化学的に同一の状態にあるとき、物質はひとつの相にあるという。どの部分も同じ濃度の水溶液や完全に混合している混合気体はひとつの相である。たとえば、物質全体が液体、固体、気体の場合はそれぞれ液相、固相、気相という。

phase angle　　　　(1) 位相、位相角　(2) （交流の）位相角

(1) → phase (1)

(2) 交流*回路で電圧*と電流*の位相の差を角度で表わしたもの。

phase change　　　　相変化

物質*が液体、気体、または固体の状態から、別の状態に変化すること。

phase of matter　　　　物質の相

→ phase (2)

phosphor dots　　　　点状蛍光体

カラーテレビに使われている、点状のケイ光体*。赤(red)、緑(green)、青(blue)の3色を用いる。

phosphorescence　　　　リン光

紫外線*や可視光線などを物質*にあてたとき、元と異なった波長*をもつ光*を発することがあるが、このとき元の光を消してもしばらく光っている（残光）も

P

のをリン光という。

↔fluorescence

phosphors　　　　　　　ケイ光体、リン光体

ケイ光＊またはリン光＊を発する物質＊のこと。

→fluorescent

photocell　　　　　　光電池、フォトセル

光電効果＊を利用して、光エネルギーを電気エネルギーに変換する素子＊。太陽電池の場合は、PN接合型＊(P-N junction) 半導体を使い、光起電力効果＊を利用して、光＊を起電力＊に変える。とくにこのPN型太陽電池を光電池と呼ぶこともある。

→photovoltaic effect

photochemical smog　　　光化学スモッグ

太陽光による光化学反応（光のエネルギーによって進む化学反応）により、空気中の汚染物質から反応してできた微粒子が、霧のようになった状態。

photoconductor　　　　光伝導体、光導体

光＊を当てると電気＊の伝導率＊が大きくなり、電気抵抗が小さくなる物質＊。たとえば、CdS（硫化カドミウム）。光測定器に用いられている。

photodetector　　　　光検知器、光検出器

光＊の強度や有無を測定する装置。

photoelastic　　　　　光弾性の

外からの力＊を受けて変形した弾性体＊が、光学的異方性＊を示し、復屈折＊を示すこと。復屈折光による干渉＊を利用して、弾性体内部のひずみ（＝力）の分布が目で観察できる。光弾性体には、エポキシ樹脂などがある。

photoelectric cell　　　光電池

→photocell

photoelectric effect　　　光電効果

物体＊に波長の短い光＊（紫外線＊、X線＊、γ線＊など）を当てるとき、物体の表面から電子＊が飛び出したり、物体の内部で電子が移動して電流や起電力＊（光起

電力という）が生ずる現象。また飛び出した電子を光電子という。当てた光の振動数*を ν、電子の質量*を m、速度*v、電子が飛び出すのに必要な仕事量（仕事関数という）を W、プランク定数*を h として、光電子の運動エネルギーは

$$\frac{mv^2}{2} = h\nu - W$$

である。また、光電効果の起こる最低の振動数（限界振動数(threshold frequency)という）を ν_0 とすると、$W = h\nu_0$ の関係がある。仕事関数*W は物質によって決まっている。

photoelectrons　　　　　　光電子
光電効果*で、物体*の表面から飛び出した電子*。
→ photoelectric effect

photometer　　　　　　光度計、測光器
光源*の光度*を測定する機械*。

photometry　　　　　　測光（法）
光源*からの光*の放射量を測ること。

photomultiplier　　　　　　光電増倍管
フォトマルということがある。光電効果*によって発生する光電子*による電流*を増幅*する真空管*。光電子を真空管内におかれた電極*中で加速し、電極に衝突*させて2次電子放出*の増幅効果を利用して、電子流を増やす。この加速用の電極を多層にすることにより、1個の光電子から、電流計で計測できる電流を取り出すことができる。シンチレータと組み合わせて、放射線検知器（シンチレーションカウンター*）に用いられる。

photon　　　　　　光子
フォトンともいう。光*の量子*である素粒子*。電荷*0、質量*0、スピン*0のボース粒子*。光子の速度*は光速度*c である。電磁相互作用*を媒介する粒子である。振動数*ν の光は、プランク定数*を h として、エネルギー*$h\nu$、運動量*$\frac{h\nu}{C}$ の粒子としてふるまう。

photosensitive　　　　　　感光性の
光*に反応して、物理的または化学的変化を生ずる性質。

P

photovoltaic cell　　　　　　光^{ひかり}起電力電池、光電池
　→ photocell

photovoltaic conversion　　　光^{ひかり}起電力変換
　光電効果＊によって、光＊エネルギーを起電力＊に変えること。

photovoltaic effect　　　　　光起電力効果
　光電効果＊のうち、光＊の入射＊で物質＊内部に起電力＊が生ずる現象。生じた光
　による起電力を光起電力(photovoltaics) という。太陽電池などのPN接合＊型半導
　体＊で、光が接合面に入射＊すると、光のエネルギーを吸収して接合面付近の電位
　差＊（界面電位という）が大きくなることによって、正孔＊（ホール）と電子＊が
　分かれて、光起電力を生ずる。

photovoltaics　　　　　　　　光^{ひかり}起電力
　→ photovoltaic effect

physical change　　　　　　　物理変化、物理的変化
　別の化合物＊ができるような化学的な変化を伴わずに、物質＊の物理的状態のみを
　変化させること。密度＊、体積＊、比重＊、相＊などを変えるのが物理変化の例で
　ある。

physical property　　　　　　物理的性質、物理的特性
　物理＊で対象とする、物体＊のもつ特性＊や性質。化学変化＊に関するものを除く。

physical quantity　　　　　　物理量
　物理＊で取り扱う現象について測定した量。

physical science　　　　　　自然科学
　物理学＊、化学＊、生物学、地学などの自然現象を研究対象にする学問。

physics　　　　　　　　　　物理、物理学
　力学＊、電磁気学＊、光学＊、統計力学、量子力学＊、相対性理論＊、素粒子論など
　を使って、自然現象全般について研究する学問。

pico　　　　　　　　　　ピコ

10^{-12} のこと。記号p。たとえば、1 pF $= 1 \times 10^{-12}$ F。

piezoelectric effect　　　圧電効果

電気的に一様な方向性をもたない結晶*に力*を加えたとき、誘電分極*によって結晶の表面に電荷*を生ずる現象。結晶がひずみ、結晶中のイオンの中心位置がずれるために起こる。生じた電荷のことを圧電気(piezoelectricity)という。

piezoelectricity　　　　　圧電気、ピエゾ電気

→ piezoelectric effect

pigment　　　　　　　　色素、顔料

特定の波長*の光*を吸収*したり、反射*したりする物質*。

piston　　　　　　　　　ピストン

エンジンで、シリンダー*内に接した円筒。気体の圧縮*や膨張*を行ったり、爆発で発生した仕事*を外部に取り出したりする。

pitch　　　　　　　　　音程

2つの音*の振動数*の間隔。音の振動数の違いは音の高さの違いとして聞こえる。

pivot point　　　　　　回転軸、回転の中心

ある物体*が定点の回りを回転しているときの、定点。または、定点を通って回転の軌道*面に垂直な軸。

plane mirror　　　　　　平面鏡

表面が平らな面でできている鏡。

Planck's constant　　　　プランク定数

量子力学*の基本定数。光はその振動数 ν に定数 h をかけたエネルギーをもつ粒子となって、光速度で運動している。この定数 h をプランク定数という。記号 h。$h = 6.6261 \times 10^{-34}$ Js。

P

plasma プラズマ

気体が超高温で電離＊し、原子核（あるいは正イオン）＊と電子＊に分かれた状態。電気的には中性。

plastic 塑性体の

→plasticity

plastic body 塑性体

→plasticity

plasticity 塑性

物体＊に力＊が加えられたとき、力を取り除いても変形が元に戻らないような物体を塑性体(plastic body)といい、その性質を塑性という。粘土など。

↔elasticity

plate **(1)** 真空管のプレート、陽極 **(2)** 面、平面

(1)真空管の陽極、電池の＋極をつなぐ側。アノードともいう。

→anode

point at infinity 無限遠点

原点から無限に遠い点。位置エネルギー＊などで用いる概念。他の天体などの影響を無視して考えるときに使う。

point charge 点電荷

電荷＊がある点に集中している状態。

point of action 作用点

力＊が加わっている点。力が物体＊に作用＊している点。

→line of action

point source 点源、点光源、点音源

波動＊や、光＊などが発生している点。大きさを考えに入れないでいいほどの小さな発生源。

polar molecule　　　　　極性分子

電子がかたよって存在しているために、分子*の一端に＋、他端に－の電荷*をもつ分子*。たとえば水 H_2O の分子では、水素原子の方に正電荷、酸素原子の方に負電荷がかたよっている。

polar screen　　　　　　偏光フィルター

→polarizing filter

polarization　　　　　　**(1)** 分極　**(2)** 偏光

(1)不導体*の原子*や分子*内に束縛されている電子*の平均位置が、外部の電界*の影響によってわずかにずれること。このとき電子は電界の＋極側にかたよる。

→induced polarization

(2)→polarized light

polarization angle　　　偏光角、ブルースター角

→Brewster's law

polarization charge　　　分極電荷

→polarized charge

polarize　　　　　　　　**(1)** 分極する　**(2)** 偏光する

→polarization

polarized　　　　　　　**(1)** 分極した　**(2)** 偏光した

→polarization

polarized charge　　　　分極電荷

誘電分極*によって生じた電荷*。

→induced polarization

polarized light　　　　　偏光

光*が伝わるときに、電界*または磁界*の振動*方向がひとつの平面内にあるものを偏光という。偏光はその振動面と同方向の目をもつ偏光板は通れるが、垂直な方向の目をもつ偏光板は通れない。

polarized wave　　　　　偏波

波*が伝わるときに、媒質の振動*方向がひとつの平面内にあるものを偏波という。

polarizing angle　　　　偏光角、ブルースター角

→ Brewster's law

polarizing filter　　　　偏光フィルター

透過光*が偏光*となるようなフィルター。

pollutant　　　　　　　汚染物質

環境に対して有害な物質。

polluted water　　　　　汚染水

環境に対して有害な水。

pollution　　　　　　　汚染、汚濁

環境に対して有害な状態*や物質*になること。またはそのような状態、物質。

polychromatic light　　多色灯

いくつかの波長*のスペクトル*が合わさって、目には白色と見える光*。たとえば蛍光灯。

position　　　　　　　位置

観測者から見た物体*のある場所。または原点からの物体の距離。

positive electrode　　　正極

電池*の＋極。電流がでる極*、電子*が入る極。

↔negative electrode

positive rays　　　　　陽極線

放電管で陽極*から陰極*へ向かう陽イオン*または原子核*の流れ。

positive terminal　　　正極

→ positive electrode

↔negative terminal

positron　　　　　　　　陽電子
ポジトロンともいう。電子＊の反粒子＊。電子と同じ質量＊をもち、電荷＊の大きさが等しく正の電荷をもつ。antielectron ともいう。
→ pair creation

postulate　　　　　　　仮定、基礎条件
基本的な条件や自明なこととしての仮定。

postulates of the special theory of relativity　　　特殊相対性理論の仮定
特殊相対性理論の元になった２つの原理。(1)慣性系＊とそれに対して等速度で運動する別の慣性系の間で、すべての物理法則は同じ形で表わされる。(2)真空中の光速度＊は、観測者や物体＊の速度＊に無関係で、常に一定である。

potential　　　　　　　ポテンシャル
物体＊が基準点に対してもつ位置エネルギー＊。物体がある点から基準点まで動くとき、力＊のする仕事＊。運動エネルギーとポテンシャルの和は一定である。電界＊の場合のポテンシャルは、その点の電位＊を表わす。

potential difference　　　電位差
→ electric potential of difference

potential difference between two points　　　２点の電位差、ポテンシャルの差
２点間の電位＊の差。電界＊に逆らって２点間を動くときの仕事量。
→ electric potential of difference

potential energy　　　　ポテンシャルエネルギー
位置エネルギー。物体＊の位置＊によって決まるエネルギー＊。ある点から基準点まで動くとき、物体にはたらく力＊のする仕事＊が途中の道筋によらないとき、この仕事をポテンシャルエネルギーとする。

potential gradient　　　ポテンシャルの勾配
単位長さ当たりの位置エネルギー＊の変化量。電位＊の場合は、電位勾配という。

P

potentiometer　　　　　　ポテンショメーター

可変抵抗器の一種。電流を流さずに、正確に起電力や電位差を測定する装置。

power　　　　　　　　**(1)仕事率、電力　(2)乗、べき**

(1) 単位時間当たりの仕事量＊を仕事率という。仕事をする速さを表わす。電気＊の場合は電力＊や出力＊ということがある。単位はW（ワット）。時間 t の間にした仕事が W のとき、仕事率 P は $P = \dfrac{W}{t}$ 。

また、電気の場合は、電圧＊が V、電流＊を I として、仕事率（電力）P は $P = VI$ で表わされる。

(2) a^n と書いたときの n。third power of ten で10の3乗。

power factor　　　　　<ruby>力率<rt>りきりつ</rt></ruby>

交流＊で、回路＊にコイルやコンデンサーがつながれているとき、一般に電圧＊と電流＊の位相は異なる。電圧と電流の位相差が θ のとき、$\cos\theta$ を力率という。交流の実効電圧を V、実効電流を I とすると、平均電力 P は力率を使って次の式で表わせる。$P = VI\cos\theta$

→ active power

→ apparent power

power reactor　　　　　動力炉

発電用の原子炉＊。エネルギーの発生を目的とする原子炉。

power stroke　　　　　爆発行程

エンジンで燃料＊が爆発して燃焼し、ガスの膨張＊によりピストン＊が下がり外部に仕事＊をする過程。

power supply　　　　　電源

回路＊に電流＊を供給する装置。

precession　　　　　　<ruby>歳差運動<rt>さいさ</rt></ruby>

こまを回す場合、こまの自転軸が、こまの鉛直軸の回りを一定の角度を保ちながら回ること。こまが首を振りながら回る運動。

precision　　　　　　　精度、精密さ

計測器などで測定した値が、誤差＊の観点から何桁目まで有効かをいう。真の値に

対してどれほど正確かの度合。

pressure　　　　　　　　圧力

単位面積当たりの力*の大きさ。単位Pa（パスカル）。1 Pa＝1 N/m²。面に加わる力をF、面の断面積をSとすると、圧力Pは$P = \dfrac{F}{S}$。

primary　　　　　　　　1次の

primary cell　　　　　　1次電池

電池*内の化学変化*で電流*を取り出すことはできるが、電池の消耗後に電流を逆転させて元の電池の状態に戻すことはできないような電池。充電*できない電池。乾電池など。

primary coil　　　　　　1次コイル

変圧器*（交流電圧を上下する装置）で電流*を入力*する側のコイル*。変換した電流を取り出す側のコイルは2次コイル*という。

→transformer

primary colors　　　　　原色、3原色

光の3原色はred（赤）、green（緑）、blue（青）である。色または絵の具の3原色はmagenta（赤紫）、yellow（黄）、cyan（青緑）である。これらを混ぜ合わせることにより、すべての色を作ることができる。3つの原色を等量混ぜ合わせると、光の場合は白に、色（絵の具）の場合は黒色となる。

primary colors in light　　光の原色

→primary colors

primary colors in paint　　色の原色、絵の具の原色

→primary colors

primary energy source　　1次エネルギー資源

石油や石炭、天然ガス、水力、風力、潮力など、自然に存在するエネルギー源。

→secondary energy source

P

primary light colors　　　光の原色
　　→ primary colors

primary pigment colors　　色の原色、絵の具の原色
　　→ primary colors

principal axis　　　　　主軸
　　→ optical axis

principal focus　　　　　焦点
　　→ focus

principal quantum number　主量子数
ボーアの量子条件＊での n の値（量子数＊）。原子の定常状態＊のエネルギー＊値を
決める。
　　→ Bohr atom model

principle　　　　　　　原理
他のものが、それを元にして成り立っているような基本的な理論＊、考え。

principle of Archimedes　　アルキメデスの原理
　　→ Archimedes' principle

principle of conservation of charge　　電荷保存の原理
　　→ law of conservation of electric charge

principle of constancy of light velocity　　光速度不変の原理
「真空中の光速度＊は、観測者や物体＊の速度＊に無関係で、常に一定である」。特
殊相対性理論の基礎をなす２つの原理のひとつ。

principle of equivalence　　等価原理
「重力＊と、加速度運動をしている物体にはたらく慣性力＊とはまったく同等であ
る。または、重力質量＊と慣性質量は同じである」。一般相対性理論の基礎をなす
原理のひとつ。
　　→ inertial system

principle of superposition　　波の重ね合わせの原理

２つの波の足し算が合成波になる

（図53）

２つの波源*A、B からの波*が
ある点で出会うとき、単独の波
の変位*を Y_A、Y_B、ある点での
２つの波の合成波の変位をYとす
ると、$Y = Y_A + Y_B$で表わされる。

prism　　　　　　　プリズム

ガラスや水晶などでできた三角柱で、光*の分散*を利用して、光をスペクトル*
に分けるのに使う。

probability　　　　　確率

ある現象が起こりうる割合。

probe　　　　　　　探針、プローブ、測定用電極

電圧*などの測定に使う針状の電極*。

problem of three bodies　　三体問題

→ three body problem

processing unit　　　処理装置

コンピュータ*で、データ*の演算や比較を行う装置。

program　　　　　　プログラム

→ computer program

progressive wave　　　進行波

波*の波面が、時間の経過とともに移動する波をいう。空間を伝わっていく波は進
行波である。

↔ standing wave, stationary wave

projectile　　　　　発射体

ボールや弾丸など、外力*で飛び出した物体*。また、入射粒子を指すことがあ
る。

P

projection　　　　　　射影

　ある方向から見た、物体＊の投影図。

propagation　　　　　　伝搬、伝播

　波＊やエネルギー＊が空間を伝わること。

proper motion　　　　　固有運動

　→characteristic vibration

property　　　　　　　特性

　物体＊のもつ物理的性質＊。たとえば、質量＊、電気伝導度＊、弾性率＊など。

proton　　　　　　　　陽子

　素粒子＊のひとつ。記号p。中性子＊とともに原子核＊を構成する粒子で、中性子とほぼ同じ質量＊をもつ。水素原子の原子核が陽子である。＋eの電気素量＊をもち、スピン＊は1/2。質量は電子の1836.2倍。

pulley　　　　　　　　滑車、プーリー

　中心に軸＊をもつ回転できる円盤で、円盤の外周部に糸やひもを取り付けて、物体を動かすのに使う装置。

　→fixed pulley, moving pulley

pulsar　　　　　　　　パルサー

　きわめて周期＊の安定している規則的な電波＊を出す天体をパルサーという。パルサーの正体は、高速で自転する中性子星＊だと考えられている。

　→neutron star

pulse　　　　　　　　　パルス

　1回だけで繰り返さない変位＊。きわめて短い時間だけ信号＊が発生すること。

pumping　　　　　　**(1)** ポンピング　**(2)** 排気

　(1) レーザー＊光発生の際に、原子＊が励起状態＊に引き上げられる過程。
　(2) 液体や気体などを外部に送り出すこと。

Q

quality 質、性質、特性

他と異なった特徴。

quantitative 量的に

数量が大きいか小さいかの観点から。

quantity 量

測定して数値で表わせるもの。測定によって得られる数値。

quantity of electricity 電気量

→electric charge (2)

quantization 量子化

連続的な量から量子＊を作ること。連続的な量を量子で置き換えること。

quantized 量子化された

quantum 量子

ある物理量＊が連続的でなく、ある最小の数値の整数倍で表わされるとき、その最小量をその物理量の量子という。光子＊（光量子）、電気素量＊など。

quantum condition 量子条件

→Bohr atom model

quantum mechanics 量子力学

原子＊、分子＊、素粒子＊、原子核＊などの運動とその性質を取り扱う。物理量＊に演算子、状態には波動関数を対応させ、現象を確率的に表わす。

quantum model 量子模型

物理量＊を量子＊や演算子で表わし、物体＊の状態を確率的に表わした原子や分子のモデル＊。

quantum number 　　　　量子数

量子力学＊で、原子＊や分子＊の状態を決める数値や数値の組。

quantum of electricity 　　　電気素量

　→ elementary electric charge

quantum theory 　　　　量子論

古典力学に対し、量子力学＊を基礎にして物理現象を取り扱うこと全般を指す。

　→ quantum mechanics

quark 　　　　　　　　　クォーク

quarks 　　　　　　　　　クォーク

　→ fundamental particle

quasar 　　　　　　　　　クエーサー

強い青い光＊を出し、赤方偏移＊が大きく、強い電波源を伴った天体。数億光年以上の距離にあり、宇宙の初期にできた天体だと考えられている。

　→ red shift

R

radar　　　　　　　　レーダー

マイクロ波*による電波*を使って、物体*の反射波から、物体*の運動や距離を
測定する装置。

radian　　　　　　　　ラジアン

弧度法*による角度の単位。単位rad（ラジアン）。1 rad とは2本の半径にはさま
れた弧の長さが半径*r*に等しいときの中心角の大きさ。2 π rad ＝ 360°。
→circular method

radiant energy　　　　　放射エネルギー

物体*から粒子や電磁波*などを放出*するときの放出したエネルギー*。電磁波*
のエネルギー。

radiation　　　　　　　放射、輻射、放射線

物体*から粒子や電磁波*、エネルギー*などを放出*すること。また放出したも
の。

radiator　　　　　　　ラジエーター

暖房などで、発生した熱*を外部に放出*する放熱器。エンジンなどで、発生した
熱を外部に放出してエンジンを冷やす冷却器。

radio waves　　　　　　電波

電磁波*のこと。
→electromagnetic waves

radioactive　　　　　　放射性の、放射能の
→radioactivity

radioactive decay　　　放射性崩壊、放射性壊変
→decay

radioactive element　　　　放射性元素

原子番号の大きな元素では原子核を構成する陽子＊と中性子＊の数が多くなり、結合が不安定になっているため、原子核の構成を変えて安定しようとする。こうしてα崩壊＊、β崩壊＊、γ崩壊＊などを起こす元素＊。放射能＊をもつ物質＊。
→radioactivity

radioactive isotope　　　　放射性同位体、放射性同位核、放射性同位元素
→radioisotope

radioactive materials　　　　放射性材料、放射性物質

放射性＊を示す物質＊。放射能＊をもつ物質。

radioactive pollution　　　　放射能汚染

放射性物質＊がまき散らされたり、放射性物質に接触することで、接触された物質も放射性を帯びるようになること。

radioactive series　　　　放射系列

放射性元素＊が崩壊＊によって別の放射性元素に変わっていく流れを記したもの。最終的には鉛などの安定な核種＊になる。
→decay series

radioactive waste　　　　放射性廃棄物

核分裂＊や核融合＊の反応でできた、放射性元素＊を含む排出物。

radioactivity　　　　放射能

原子＊が放射線＊を出して自発的に崩壊＊する性質。原子が粒子やエネルギー＊を外部に放出＊する性質。これらの性質を放射性、または放射能という。

radioisotope　　　　放射性同位体、放射性同位核、放射性同位元素

ラジオアイソトープともいう。放射能＊をもつ同位体＊。同じ元素＊でも、中性子＊数の違いにより、放射性＊をもつ同位体ともたない同位体がある。
→radioactivity

radionuclide　　　　放射性核種

放射性＊をもつ核種＊。

→nuclide

radius　　　　　　　　半径
円で、円の中心から円周までの距離。radius of curvature は曲率＊半径、radius of gyration は回転半径（回転軸から回転体までの距離）。
→curvature

RAM　　　　　　　　ラム
内容を書き換えたり、場所を指定して読み書きすることができる、コンピュータ＊用の記憶素子＊。

random　　　　　　　　乱雑な、ランダム
でたらめなこと。無作為。不規則。法則性のないこと。

random walk　　　　　　　　ランダムウォーク
液体や気体中に微粒子を置くとき、微粒子が不規則ででたらめな運動をすること。
→Brownian motion

rarefaction　　　　　　　　（波の）疎
縦波（疎密波＊）が進むときには媒質が密なところとまばらなところが交互にできる。このように、波＊が伝わらないときの媒質の位置＊よりも、媒質の位置が互いに離れまばらな状態をいう。
↔compression

rate　　　　　　　　割合、比率、時間当たりの変化率
全体に対する割合や、他の量との比率を表わす。また、単位時間当たりの物理量＊の値を指す。たとえば、rate meter で計数率計。

rate meter　　　　　　　　計数率計
単位時間当たりの現象の発生回数を測定する計数器。たとえば、放射線の線量計。

rate-determining process　　　　　　　　律速過程、律速段階
化学反応がいくつかの反応から成り立っているとき、全体の反応の速度を決める反応をいう。一番遅い反応が律速段階となる。

R

ratio　　　　　　　　　率、比率、割合
　２つの量の比（何対何かの比）を表わす数。

raw material　　　　　　　原料
　物を作るのに要する素材で、その性質が製品に残らないもの。

ray　　　　　　　　　　　線
　光＊や粒子の流れ、伝わる様子。また、光や粒子の通る道筋。

ray model of light　　　　光の光線モデル
　光＊が通る道筋は直線である。

Rayleigh scattering　　　レイリー散乱
　波長＊の1/10以下の大きさの粒子に光が当たり散乱＊するとき、波長が変化することなく散乱する現象。空の青色は、レイリー散乱より説明される。

reactance　　　　　　　　リアクタンス
　交流＊回路におけるコイル＊やコンデンサー＊などの抵抗＊としての効果（大きさ）を表わす。コイルのインダクタンス＊をL、コンデンサーの電気容量＊をC、交流の角周波数＊をωとすると、コイルのリアクタンスはωL、コンデンサーのリアクタンスは$\dfrac{1}{\omega C}$。
→capacitive reactance
→inductive reactance

reaction　　　　　　　　反作用

reaction force　　　　　　反作用の力
　２つの物体＊A、Bの間に力が作用＊するとき、この力と向きが逆で大きさが等しく一直線上にある力が必ず同時に生ずる。生じた力は、元のAからBに及ぼす力に対し、BからAに及ぼす力である。片方を作用＊または作用の力＊とすると、もう一方は反作用または反作用の力という。
→law of action and reaction

reaction speed　　　　　　反応の速さ
　時間内に進行する反応の比率で、単位時間内に変化した反応の濃度。

reactor　　　　　　　　原子炉、リアクター
　→nuclear reactor

reactor core　　　　　（原子炉の）炉心
原子炉*内部で、連鎖反応*の起こっている部分。燃料*、減速材*、冷却材*などを含む。

read/write memory　　　リード／ライトメモリ
コンピュータ*の記憶装置のひとつ。RAMのこと。
　→RAM

real image　　　　　　実像
　↔virtual image

receiver　　　　　　　受信機
電波*の検出器。電波による信号を再生する装置。

recoil　　　　　　　　反跳
　→recoil nucleus

R

recoil nucleus　　　　反跳核
物体*Aから物体Bが放出*されたり、物体Aに物体Bが衝突*して飛ばされるときに、作用・反作用の法則*（または運動量保存則でも同じ）によって、物体Aも反対方向に力を受け、飛ばされることを反跳(recoil)という。反跳によって飛ばされた原子核*を反跳核という。電子対生成*反応では、電子*と陽電子*の間に反跳が見られる。

rectangular coordinate system　　　直交座標系
　→Cartesian coordinate system

rectifier　　　　　　　整流器
交流*から直流*を作る装置。ダイオード*は整流器としてのはたらきがある。
　→diode

rectilinear propagation　　　直進

　一直線上を進むこと。

recycle　　　リサイクル

　→recycling

recycling　　　リサイクル

　（廃物を）再利用する。再生する。

red giant　　　赤色巨星

　表面温度が低く赤く見え、太陽よりもかなり大きい星*。太陽の1/10から10倍程度の大きさの星が、内部の水素をほとんど使い果たした星の老年期の姿。

red shift　　　赤方偏移

　高速で地球から遠ざかる星の出す光*は、ドップラー効果*によって、波長*が長くなり、そのスペクトル*が本来のスペクトルより波長の長い側の赤側にずれる。これを、赤方偏移という。ハッブルの星の赤方偏移の観測により、すべての星は距離に比例した速度で地球から遠ざかっていることがわかり、宇宙膨張*説が考えられた。重力による赤方偏移もある。

　→expanding universe

　→gravitational red shift

reduced pressure　　　減圧

　圧力*を下げること。

reduction　　　収縮、縮小

　大きさが小さくなること。縮むこと。

reference object　　　参照物体

　物体*の運動を観測するときの、基準となる静止している物体。

reference wave　　　参照波

　→holography

refining   精錬、精製

金属*の鉱石から、不純物を取り除き金属の比率を高めること。

reflectance   反射率

→reflectivity

reflected ray   反射光線

反射*によって進む光線*。反射前の波*を入射光線*といい、反射後の波を反射光線という。

→incident ray

reflecting telescope   反射型望遠鏡

望遠鏡*で対物レンズ*として凹面鏡、接眼レンズとして凸レンズを使ったもの。

reflection   反射

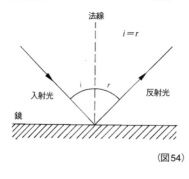

（図54）

波*が媒質Iから媒質IIに進むとき、媒質の境の面（境界面という）に到達した後再び、媒質I中を元の進行方向と異なった方向に進むことを反射という。このとき、入射波と反射波は同一平面内にある。入射波と境界面の法線のなす角度（入射角*）を θ_1、反射波と境界面の法線*のなす角度（反射角*）を θ_2 とすると、入射角と反射角は等しい。これを、反射の法則という。

入射角 $\theta_1 = \theta_2$ 反射角。

reflectivity   反射率

入射波のエネルギー*に対する、反射波のエネルギー。振幅*の2乗の比が反射率である。

refracted ray   屈折光線

屈折*によって進む光線*。屈折前の波*を入射光線*といい、屈折後の光線を屈折光線という。

→incident ray

refracting telescope　　　屈折型望遠鏡

　凸レンズ*または凹*レンズを利用した、屈折*のみを利用した望遠鏡*。反射型望遠鏡*より視野が広い。また、扱いやすいので広く利用されている。

refraction　　　　　　　屈折

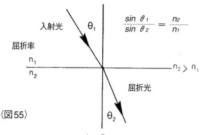

$$\frac{\sin \theta_1}{\sin \theta_2} = \frac{n_2}{n_1}$$

（図55）

　波が媒質 I から媒質 II に進むとき、媒質中の波の速度が変化するため、波の進行方向が曲がること、変化することを屈折という。このとき、入射波と屈折波は同一平面内にある。入射波と境界面の法線*のなす角度（入射角*）を θ_1、屈折波と境界面の法線のなす角度（屈折角*）を θ_2 とすると、$\dfrac{\sin \theta_1}{\sin \theta_2}$ の値は媒質によって決まった値となる。この値を、媒質 I に対する媒質 II の相対屈折率*または単に屈折率*という。屈折において、相対屈折率を n_{12}、媒質 I 中での波長*を λ_1、速度を v_1、媒質 II 中での波長を λ_2、速度を v_2 とすると、$n_{12} = \dfrac{\sin \theta_1}{\sin \theta_2} = \dfrac{\lambda_1}{\lambda_2} = \dfrac{v_1}{v_2}$ の関係がある。これを屈折の法則という。

refraction angle　　　　屈折角
　→ refraction

refractive index　　　　屈折率
　→ absolute index of refraction
　→ relative index of refraction

regular reflection　　　正反射

　波*が進むとき、物体*の表面や、媒質*との境界面が滑らかである場合、反射の法則*にしたがって反射*する。これを、正反射という。これに対して、滑らかでない場合は、入射角*に対して、反射角*がいくつも生じ、全体として反射波が広い範囲に広がる。これを乱反射*という。
　↔ diffuse reflection

reinforce　　　　　　　強め合う

reinforcement　　　　　　強め合う

いくつかの波*が干渉*によって強め合うこと。このとき、波の振幅*が大きくなる。

relative　　　　　　　　相対的な、相対の

他の物と比較したときのある物体*の値。

relative deviation　　　　相対偏差

測定値の平均偏差との差を、平均偏差で割って％で表示したもの。

→deviation

relative error　　　　　　相対誤差

ある物理量*の真の値をa、測定値をxとするとき、真の値と測定値との差を真の値で割った値$\left| \dfrac{x-a}{a} \right|$をいう。

↔absolute error

relative humidity　　　　相対湿度

その温度の大気*が含むことが可能な最大の水蒸気量*（飽和水蒸気量）に対する、実際に大気に含まれている水蒸気量の割合を％で表わしたもの。

↔absolute humidity

R

relative index of refraction　　相対屈折率

ある媒質に対する別の物体*の屈折率*を相対屈折率という。光*や水波などの波が媒質Ⅰから媒質Ⅱに進むとき、波の入射角*i、屈折角*rとして、媒質Ⅰに対する媒質Ⅱの相対屈折率n_{12}は$n_{12} = \dfrac{\sin i}{\sin r}$で表わされる。また、媒質Ⅰの絶対屈折率を$n_1$、媒質Ⅱの絶対屈折率*を$n_2$とすると、$n_{12} = \dfrac{n_2}{n_1}$で表わされる。また、物質の絶対屈折率は、媒質Ⅰが真空*で、媒質Ⅱが物質であるときの相対屈折率と考えてよい。

↔absolute index of refraction

relative mass　　　　　相対論的質量

相対性理論*では、静止している質量*（静止質量*という）に対して、（相対的に）運動する物体*の質量は変化する。これを相対論的質量という。速さvで運動している物体の慣性質量*mは、光速度*をc、静止質量をm_0として、

$$m = \frac{m_0}{\sqrt{1 - \beta^2}} \quad (ただし\, \beta = \frac{v}{c})$$

で表わされる。νが光速*に近くなると質量は無限大になる。

relative motion　　　　　　相対運動

(1)ある点を基準点とした座標系*（基準系）に対して、基準点から見た物体*の運動のようす。基準点はさまざまな運動*をしうるので、この運動に伴って物体の運動のようすも異なって見える。

↔ absolute motion

(2)ある物体から観察した、別の物体の動きのようす。

relative refractive index　　　相対屈折率

→relative index of refraction

rem　　　　　　　　　　レム

生体に吸収される電離放射線の線量当量の単位。線量当量とは、生体にX線*または γ 線*を照射したときの影響を基準1とし、他の放射線がその何倍の影響を与えるかで係数を求め、これを吸収線量（放射線を照射された物体の一部が単位質量当たり受ける放射線のエネルギー）にかけたもの。1 rem＝0.01 Sv（シーベルト。シーベルトも線量当量の単位）。

→Sv

renewable　　　　　　　更新できる

renewable resource　　　更新できる資源

一定の時間がたつと元の形で使うことができるエネルギー*。たとえば、水力発電に使う水の位置エネルギー*。

repel　　　　　　　　　反発する、抵抗する

repulsion　　　　　　　斥力、反発力

repulsive force　　　　　斥力、反発力

2つの物体*の距離を増加させる向きにはたらく力*。たとえば、N極*どうしにはたらく磁気力*など。

↔attraction

residual magnetism　　　　残留磁気

強磁性体*で、磁界*をかけて磁化*させた後に外部の磁界を0にしても、磁化の強さは少し弱まるが0にはならない。この残留した磁化の強さをいう。

resistance　　　　**(1)** 抵抗力、抵抗　**(2)**（電気などの）抵抗

(1)物体*が水中や空気中を運動するとき、その運動を妨げる向きにはたらく力*を抵抗力または抵抗という。例：摩擦力、空気抵抗。
(2)電流*や熱*、流体*を流す場合の流れにくさ。電流の場合を電気抵抗または単に抵抗という。電流が流れる場合、抵抗をはたらく素子*を単に抵抗と呼ぶこともある。
→ electric resistance

resistance force　　　　抵抗力
→ resistance (1)

resistivity　　　　抵抗率

物質*によって定まる抵抗*の係数。抵抗率は、電気伝導度* σ の逆数である。導体*の断面積を S、長さを L、抵抗*を R、抵抗率を ρ とすると、$R = \dfrac{\rho L}{S}$ の関係がある。金や銀は抵抗率がきわめて小さく、電流*を流しやすい。
→ electric conductivity

R

resistor　　　　抵抗器、抵抗
電流*を分配するための抵抗*。

resolution　　　　（力やベクトルの）分解、分解
→ resolve

resolution of forces　　　　力を成分に分解すること
→ resolve

resolve　　　　（ベクトルの成分に）分解する

力ベクトル*や他のベクトル量*から特定の方向の成分を作ることを、ベクトルの分解(resolution) という。これは元のベクトルから、分解したい方向へ、射影のベクトルを作ることである。
→ components of a vector

→component force

resolving power of lens　　　　レンズの解像力、レンズの分解能

レンズ*を使って接近した2点を見るとき、その2点をはっきりと見分けることの
できる最小の間隔。

resonance　　　　共鳴、共振

振動体*の固有振動数*に等しい振動数*の力を外部から与えるとき、振動体の振
動の振幅*がきわめて大きくなる現象を共振という。また、音*の振動体の場合は、
共鳴という。

→forced vibration

→mechanical resonance

resonance absorption　　　　共鳴吸収

原子*や分子*が励起状態*から基底状態*になるとき発光する光*と同じ波長*
の光を、その原子や分子が吸収すること。原子などの発光は2つの定常状態*のエ
ネルギー準位*の差に相当するエネルギーをもつ光子*を放出*する現象だが、原
子はこれと同じエネルギー*をもつ光子も吸収して定常状態になる。

resonator　　　　共振器

音波*や電磁波*などで、特定の振動数*の波に共振*するようにつくられた器具
をいう。アンテナは電磁波の共振器である。

→antenna

rest mass　　　　静止質量

観測者または観測系に対して、静止している状態の質量。

→relative mass

restoring force　　　　復元力

単振動*をする物体*にはたらく力*。単振動を引き起こす力である。物体が単振
動をしているとき、つりあいの位置からの物体の変位*を x、物体にはたらく力を
F とすると、$F = -Kx$（ただし、K は $K > 0$ の定数。$K = m\omega^2$）の形に表わせる。
復元力は変位 x に比例する変位とは逆向きの力で、その向きは常につりあいの位置
を向く。m は質量、ω は角速度。

→simple harmonic oscillation

resultant　　　　　　　合力、合成した

いくつかのベクトル＊を合わせて、それらと同じはたらきをするひとつのベクトルに直したもの。２つのベクトルの合成ベクトルは、平行四辺形の法則＊によって求められる。

↔component

→parallelogram method

resultant force　　　　合力

いくつかの力＊を合わせて、それらと同じはたらきをするひとつの力に直したもの。２つの力の合力は、平行四辺形の法則＊によって求められる。

↔component force

→parallelogram method

reverberation　　　　　残響

部屋の中などで音＊を出したとき、多数の反射＊が起こり、元の音に対しそれらがつながって連続的に聞こえること。

reverse　　　　　　　　逆の

reverse bias　　　　　　逆バイアス

PN接合＊部分に発生する雑音＊電流を減らすために、通常とは逆向きに電圧＊をかけること。

→noise

reversible　　　　　　　可逆の

↔irreversible

reversible change　　　可逆変化

元の状態＊に戻ることが可能な変化を可逆変化という。Aの状態からBの状態へ変化したときに、逆の変化を起こさせて、それが、系＊の内外を含めてまったく元の状態に戻っていれば、それは可逆な変化である。例：重力＊など、保存力＊だけがはたらいているときの物体＊の運動＊。

↔irreversible change

R

reversible engine　　　　　可逆機関

可逆変化*による熱機関*。熱力学第2法則*より実現は不可能で、概念上の熱機関である。例：カルノーサイクル*。

→ Carnot cycle

reversible process　　　　可逆過程

可逆な状態*の変化をする過程、一連の反応、進み方。

revolution　　　　　　　公転

惑星が恒星の回りを、衛星が惑星の周りを回ること。1周に要する時間を公転周期*という。

Reynolds number　　　　レイノルズ数

慣性*の大きさと粘性*の大きさの比を表わす量。長さLの物体が、粘性係数をμ、密度*ρの流体*の中を速度*Uで運動するとき、$\dfrac{\rho UL}{\mu}$ をレイノルズ数という。

→ viscosity

rheostat　　　　　　　　加減抵抗器

電流*の強さを加減するため、抵抗*の値が変えられる抵抗器*。可変抵抗器。

right-hand rules　　　　右手の法則

磁界*に垂直に置いた導線*を磁界と垂直に動かすとき、誘導電流*は磁束*の変化を妨げる向きに流れる。導線の運動方向を右手の親指、磁界の向きを人さし指に対応させると、誘導電流の向きは、親指と人さし指に垂直に立てた中指の向きに生ずる。

→ Fleming's law

right-handed screw rule　　　右ねじの法則

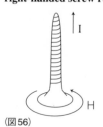

直線電流で、電流*の進む向きを右ネジの進む向きとすると、電流によって生ずる磁界*の向きはネジの回る向きである右回りとなる。

(図56)

242

rigid   剛体の、硬い

rigid body   剛体
外力*が加わるとき、物体*の形や体積*がまったく変化しないで、力はすべて物
体の運動に関わるような物体を剛体という。これに対して、力で変形した物体を
変形体*という。
↔deformable body

ripple tank   リップルタンク
水波の実験に使う造波装置を伴った透明水槽。光源*を使って、波源*からの水波
の山*や谷*をレンズ*として、スクリーンに投影して観察する。

Ritz combination principle リッツ結合則
2つの線スペクトル*の振動数*の、和または差に相当する振動数をもつ線スペク
トルが存在するという経験則。1908年にリッツが発見。

roentgen rays   レントゲン線
X線のこと。
→X rays

R

rolling friction   ころがり摩擦
面上をすべらずにころがりながら移動する物体*が、接触面から受ける摩擦力*。
摩擦力の中では最も小さい。

ROM   ROM、ロム
Read Only Memory。コンピュータ*で、記憶すべきデータ*を書き込み、その読
み出しのみが可能な記憶素子*。
→RAM

root-mean-square (rms) current rms、2乗平均電流
交流*において電流*の強さを表わすために、1周期についての電流の各瞬間の値
を2乗し、それを平均してから平方に開いた値で示す電流。
→effective value

root-mean-square velocity　　　2乗平均速度

　気体分子の運動＊で、それぞれの分子＊の速度＊の2乗を平均した後、平均値のルートをとったもの。分子の2乗の平均を$\overline{v^2}$とし、気体の分子量＊をM、気体定数＊をR、絶対温度＊をTとして、2乗平均速度

$$\sqrt{\overline{v^2}} = \sqrt{\frac{3RT}{M}}$$

で表わされる。これは、分子の2乗平均速度は気体の絶対温度で決まり、圧力＊や体積＊とは無関係であることを意味している。

rotary motion　　　　　　回転運動

　物体＊がある点を中心として、その周りを回る運動。その物体には、中心に向かう向心力＊がはたらく。

→centripetal force

rotation　　　　　　　　**(1)回転運動　(2)自転**

(1)→rotary motion

(2)天体が、天体内の軸＊を中心として回転すること。

rotational equilibrium　　　回転の平衡、回転のつりあい

　軸＊の回りの回転運動＊で、つりあいの成り立つときは、回転軸＊の右回りの力のモーメント＊と左回りの力のモーメントの大きさが等しいときである。

→moment

rotational inertia　　　　　回転の慣性

　回転体における回転の慣性＊で、慣性モーメント＊で表わされる。

→moment

rule　　　　　　　　　　規則

Rutherford atom model　　　ラザフォードの原子模型

　原子番号＊Zの原子には、その中心に＋Zeの電荷＊をもち質量＊の大部分を占める小さい核（原子核＊）があり、そのまわりをZ個の－eの電荷をもつ電子＊が回っているというモデル。円運動＊の向心力＊は電荷間のクーロン力＊によるとした。水素原子についてはよく実験値と合った。水素原子の半径＊をr、電子の質量をm、速度をvとすると、次の関係が成り立つ。

$$K \frac{e^2}{r^2} = m \frac{v^2}{r}$$

右辺はクーロン力、左辺は向心力。

Rutherford scattering　　　ラザフォード散乱

　ラザフォードは α 線 * を薄い金箔にあてて、α 線が散乱 *（衝突）するようすを調べたところ、ほとんどはまっすぐ進むが、ごくまれに大きく散乱するものがあった。α 線は＋の電荷 * をもっているので、正電荷が原子内に一様に分布していれば進路はさほど影響されないはずだが、まれに大きく散乱するものがあるならば、原子 * の一部に重くてきわめて大きさが小さく正の電荷が集まった領域がなければいけない。ラザフォードはこのように考え、原子核 * モデルを考えだした。

→Rutherford atom model

R

S

s　　　　　　　　　　秒
→second

satellite　　　　　　　衛星、人工衛星
地球などの惑星の周囲を回る天体を衛星という。また人間の作った衛星をいう。
たとえば、月、人工衛星(artificial satellite)。

saturated　　　　　　　飽和した
一定の条件の下で溶液＊の濃度＊、磁気＊、電流＊、原子価＊、蒸気圧＊などの量が、
最大になった状態。それ以上の量は含めない状態。
↔unsaturated

saturated solution　　　飽和溶液
ある温度＊の溶液＊で、溶質（溶かしたい物質）の量が最大限に達しており、もう
溶けこめない状態。

scalar　　　　　　　　　スカラー
温度や仕事、質量など、ひとつの数量で表わすことのできる量。

scalar product　　　　　スカラー積、内積
→inner product

scalar quantity　　　　　スカラー量
→vector quantity

scale　　　　　　　　　目盛り
ある物理量＊の、基準量に対する量の大きさを示すためにつけたしるし。音楽の場
合は、音階を意味する。

scaling　　　　　　　　スケーリング
ある量が別の量と何乗の関係になっているかを調べること。たとえば、面積Sはそ

の物体の長さ L の 2 乗に比例し $S = kL^2$（k は定数）とかける。このときの指数である 2 を求めることがスケーリングである。

scanning　　　　　　　　　走査

電子ビーム＊や光線＊を物体＊の面に、線状に順次左端から右端へ移動しながら当て、それを上から下まで繰り返すことで、面全体を照射する方法。面全体の濃淡の情報を、電気信号＊の時間的な変化に変えられる。ブラウン管＊やコピーなどに使われる。

scanning electron microscope (SEM)　　　　走査型電子顕微鏡

SEM ともいう。物体＊の表面に、電子線を走査＊的に照射するタイプの電子顕微鏡＊。

→electron microscope

scanning tunneling microscope (STM)　　　走査型トンネル顕微鏡

物体＊に先のとがった針を表面から 1 nm 以下の距離＊におき、電流＊を流すことで生ずるトンネル効果＊による電流から、物体の凹凸の状態を調べる装置。トンネル効果の電流は、針と面との距離の関数＊で表わされるので、電流より距離を調べられる。物体の面全体を走査することで、面全体にわたる微少な高さ（原子の大きさ程度）の変化を知ることができる。

S

scatter　　　　　　　散乱する

→scattering

scattering　　　　　　散乱

一定の方向に進んでいる粒子や波動＊が、標的や障害物などによって入射＊方向と異なる方向に進むこと。光＊の場合は気体中では散乱＊するが、液体や固体中ではとんどせず、屈折光＊や反射光＊となる。

→reflected ray

→refracted ray

schematic diagram　　　　回路図、配線図

電気回路＊で、抵抗＊やトランジスタ＊などの接続の仕方をそれぞれのシンボルで表わした図。

247

Schrödinger wave equation　　シュレジンガーの波動方程式
物質粒子の波動＊としての性質を示した、量子力学＊の基本方程式＊。粒子の状態は、確率的な波（波動関数＊という）として表わされている。

science　　　　　　　　科学
自然現象を取り扱い、その中に現れる法則を、観察や実験＊、推論＊を通して調べる学問。

scientific law　　　　　　科学法則
自然現象の起こり方や構造について、言葉を使って表わしたり、数式で表わしたもの。特定の条件下で、起こる現象を予言したもの。

scientific method　　　　科学的方法
問題の解決を、実験＊や観察を通して、帰納＊的あるいは演繹＊的に行うこと。
→ deduction
→ induction 2

scientific notation　　　　科学的表記
特定の数値を $A \times 10^x$ の形の指数＊で表わすこと。ただし仮数 A は $1 \leqq A < 10$ の数値とする。例：324568.23 は 3.2456823×10^5 の形で表記する。

scintillation　　　　　シンチレーション
放射線＊の入射＊によって、ZnS（硫化亜鉛）や CsI（ヨウ化セシウム）などの物体がケイ光＊を発すること。

scintillation counter　　　シンチレーションカウンター
ZnS（硫化亜鉛）や CsI（ヨウ化セシウム）などの物体＊は、放射線＊の入射＊によってケイ光＊を発する。このような物質＊をシンチレーター(scintillator) といい、発生した光をシンチレーション光という。このシンチレーターと光電増倍管＊を組み合わせて、放射線の入射数やエネルギーレベルを調べる放射線測定器がシンチレーションカウンターである。

screw　　　　　　　　らせん
円運動＊をしながら、円の面と垂直に等速直線運動＊をするとらせんを描く。

second　　　　　　　秒
　時間＊の単位。記号 s（秒、セカンド）。

second astronomical velocity　第 2 宇宙速度
　ロケットなどが地球の重力＊から脱出するための速度＊（脱出速度）。11.2 km/s。
　→ astronomical velocity

second law of photoelectric emission　　光電子放出の第 2 法則
　光電効果＊で、「飛び出した光電子＊の運動エネルギー＊は、入射光＊の強度に無関係である」。

second law of thermodynamics　　　熱力学の第 2 法則
　熱現象が不可逆過程であることを示した法則＊。いくつかの表現法がある。
「熱＊が高温物体から低温物体へ移動する現象は不可逆変化＊である（クラジウスの原理＊）」。「仕事＊が熱に変わる現象は不可逆変化である（トムソンの原理）」。「第 2 種の永久機関＊は不可能である」。

second-class lever　　第 2 種てこ
　てこ＊での回転軸＊である支点＊が一端に、てこに加える外力＊の力点が他端に、物体へのてこの作用点＊がその間にあるようなてこ。

secondary　　　　　　2 次の
　入力＊側と出力＊側の回路＊や装置があるとき、出力側の回路や装置を指す。また、2 次コイル＊を指すことがある。

secondary axis　　　　2 番目の軸
　光学系で、主軸(principle axis)以外に引かれた直線。
　→ optical axis

secondary coil　　　　2 次コイル
　変圧器＊（交流電圧を上下する装置）で、交換した電流＊を取り出す側のコイル。
　→ primary coil
　→ transformer

S

secondary colors　　　　　原色の混色、原色の混合

　２つの原色＊を混ぜてできた色。光＊の場合は、赤と緑からyellow（黄色）、赤と青からmagenta（赤紫）、青と緑からcyan（青緑）が混色としてできる。絵の具の場合は、red（赤）、green（緑）、blue（青）を指す。

　→primary colors

secondary electron emission　　２次電子放出

　→secondary emission

secondary emission　　　　　２次電子放出

　固体＊に高速の電子＊を衝突＊（入射）させると、固体表面から別の電子（２次電子という）が飛び出す現象。入射電子のエネルギー＊や、物体の種類により、出てくる電子のエネルギーや個数が異なる。これを用いて、電子流を増倍することが可能で、光電増倍管＊はこの原理を用いている。

secondary energy source　　　２次エネルギー資源

　電気エネルギー＊などのように、１次エネルギー資源＊から取り出したエネルギーをいう。

　→primary energy source

secondary light colors　　　　光の原色の混色

　→secondary colors

secondary pigment　　　　　色の原色の混色、絵の具の原色の混色

　→secondary colors

Seebeck effect　　　　　　ゼーベック効果

　２種類の金属導線で回路＊を作って、その２つの接合部分を異なる温度＊にすると、熱起電力＊が生ずる現象。

selectivity　　　　　　　選択性

　電波＊の受信機＊で、異なる２つの振動数＊をどこまではっきりと分離できるかの能力。

self-induced EMF　　　自己誘導起電力
　→ self induction

self-inductance　　　自己インダクタンス
　→ self induction

self-induction　　　自己誘導
コイル*などを含む磁気*的な回路*で、回路の電流*を変化させると磁束*の変化が生じ、これによって回路内に電磁誘導*が起こる。この現象を自己誘導という。またこのときの誘導起電力*を自己誘導起電力(self-induced EMF)という。回路の電流の変化をΔI、変化に要する時間をΔtとし、回路に生ずる誘導起電力*の大きさをVとすると、$V = -L\dfrac{\Delta I}{\Delta t}$となる。この起電力は回路の電流の向きと逆向きに生ずる。またLの値を、自己インダクタンス(self inductance)という。単位はH（ヘンリー）である。
　→ induced electromotive force

semiconductor　　　半導体
導体*と不導体*の中間の抵抗値を示す物質。ゲルマニウムやシリコンなど。これらに、不純物を入れることで、P型半導体*、N型半導体*が作られ、さまざまな電子素子*として利用されている。
　→ acceptor
　→ donor
　→ hole

semiconductor laser　　　半導体レーザー
半導体*のPN接合*(P-N junction)を利用したレーザー*。P型からN型へ電流が流れるようにし、接合部分で起こる誘導放出*を利用している。
　→ induced emission

sensibility　　　感度
計測器がどれだけ小さい物理量*を測定できるかの程度。

sensitivity　　　感度
　→ sensibility

S

series circuit　　　　　　直列回路

ある点で、いくつかの回路＊を直列＊に接続したもの。回路＊や抵抗などの＋は－
と、－は＋と順々に結んだもの。

→in series

series connection　　　　直列接続

→in series

series resonance　　　　直列共振

インダクタンス＊Lのコイル＊と電気容量がCであるコンデンサー＊を直列＊につ
なぎ、交流電源につなぐ。電源＊の振動数＊fが

$$f = \frac{1}{2\pi\sqrt{LC}}$$

のとき、回路は共振＊する（電流は最大になる）。これを直列共振という。

shape memory alloy　　　形状記憶合金

物体＊を変形させても、温度変化を与えると、元の形に戻る合金。

shear strain　　　　　　せん断ひずみ

物体＊を上下の方向に圧縮＊または引っ張るとき、上下と垂直な左右方向の変形量
⊿Lを、元の物体の横方向の長さLで割った値。

shielding　　　　　　　　遮蔽

→electric shielding

shock wave　　　　　　　衝撃波

波源＊となる物体＊が、媒質中の波＊の速度＊よりも速く移動するときに見られる、
物体を頂点とする三角すい形の波面を衝撃波という。頭部波＊ともいう。波の速度
より速く移動するときは、ホイヘンスの原理＊より各時点での大きさの異なる素元
波（波面上の各点を波源とする小さい球面波＊）が移動しながら重なりあって、強
め合う波面を作る。これが衝撃波の波面となるので、振幅が非常に大きい。たと
えば、音速以上で飛ぶ飛行機による衝撃波がある。これをソニックブーム(sonic
boom)という。

→bow wave

short circuit　　　　　ショート回路

回路 * の抵抗 * の部分を短絡（バイパス）させると、大電流が流れ加熱する。

SI　　　　　　　　　　国際単位系

→ International System of Units (SI)

signal　　　　　　　　信号

情報を含んだ電圧 * や光 * などの変化。

signal-to-noise ratio　　SN 比

信号 * の振幅 * と雑音 * の振幅の比。

significant digits　　　有効数字

→ significant figures

significant figures　　　有効数字

測定値で、何桁目までが誤差を含めて信頼できるかをいう。1.20 は有効数字 2 桁、0.2345 は有効数字 4 桁である。一般に、測定の場合は、目盛りの 1/10 まで読んでその値までを有効数字とする。

significant values　　　有効数字

→ significant figures

silica　　　　　　　　シリカ

二酸化ケイ素 SO_2 のこと。

simple harmonic motion　　単振動

→ simple harmonic oscillation

simple harmonic oscillation　　単振動

物体 * の加速度 *a が、つりあいの位置からの変位 *x に比例し、変位と逆向きにはたらくときに生ずる運動 *。つりあいの位置を中心に、上下や左右に振動する。このときの物体にはたらく力は復元力 *F といわれ、$F = -Kx$ の形で表わされる。また、物体のつりあいの位置からの最大の変位を振幅 *A といい、1 回の振動に要する時間を周期 *T、1 秒当たりの振動の回数を振動数 *f、1 秒当たりの単振動の位

S

相角 * の変化を角振動数 * ω という。物体に加わる復元力を F 、物体の質量 * を m 、物体の速さ * を v 、時間を t とするとき次の関係がある。

$$T = \frac{1}{f}$$

$$\omega = \frac{2\pi}{T} = 2\pi f$$

$$F = -Kx = ma$$
$$x = A\sin\omega t$$
$$v = \omega A\cos\omega t$$
$$a = -\omega^2 A\sin\omega t = -\omega^2 x$$
$$K = m\omega^2$$

simple pendulum

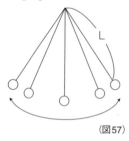

（図57）

単振り子

糸におもり * をつけて鉛直に垂らしたのち、左右に振らせたもの。単振動 * をする。振り子（糸の固定点からおもりの重心までの距離） * の長さを l 、重力加速度 * を g とすると、振り子の周期 T は

$$T = 2\pi\sqrt{\frac{l}{g}}$$

となる。これは振り子の振幅 * や質量 * によらず一定で、振り子の長さのみで決まるので、「振り子の等時性」という。

simulation　シミュレーション、模擬計算

ある条件を設定し、コンピュータ * などを使って、模型を使って実験 * を仮想的に行うこと。

sine curve　サイン波、サインカーブ

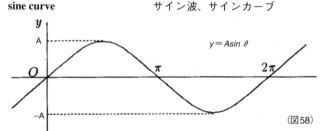

（図58）

$y = A\sin\theta$ のグラフ。単振動 * の変位 * や、交流 * 電圧 * はサイン波となる。

sliding friction　　　　　　　すべり摩擦、運動摩擦

物体＊が他の物体と接して運動＊しているとき、物体の接触面にはたらき、物体の運動を妨げる向きにはたらく力。

→rolling friction

→static friction

slit　　　　　　　　　　スリット

幅がきわめて小さいすきま、切れ目。光＊の回折＊、干渉＊などの実験に用いる。進行していく波＊の前方にスリットがあるとき、スリットはこの波の新しい波源＊のようになる。2つの接近したスリットのことをdouble slitといい、ヤングの干渉実験＊で用いる。

→Young's experiment for interference

slope　　　　　　　　　傾き

グラフの傾き＊。2点(x_1, y_1)、(x_2, y_2)を通る直線の傾きmは $m = \dfrac{y_2 - y_1}{x_2 - x_1}$ の形で表わせる。

smog　　　　　　　　　スモッグ

煙(smoke)と霧(fog)からできた造語。空気中の汚染物質＊による微粒子が空気分子や水蒸気＊と結び付いてできた霧のような状態。

S/N　　　　　　　　　　SN

→signal-to-noise ratio

Snell's law　　　　　　　スネルの法則

屈折＊の法則ともいう。光＊が媒質Ⅰから媒質Ⅱへ屈折して進むとき、次の法則が成り立つ。

(1) 入射光＊と屈折光＊は入射点Oに立てた同一平面上にあり、互いに法線＊の反対側にある。

(2) 入射角θ_1と屈折角θ_2の間には、

$$\frac{\sin \theta_1}{\sin \theta_2} = n = 一定$$

の関係がある。定数nは媒質ⅠとⅡによって決まる。

→refraction

soft X-rays 　　　　　　軟 X 線
　波長 * が比較的長い X 線 * をいう。透過力や化学作用が弱い。

software 　　　　　　ソフトウェア
　→ computer program

solar cell 　　　　　　太陽電池
　太陽の光エネルギーを電気エネルギーに変換する素子 *。PN 接合型 * 半導体を使
い、光起電力効果 * を利用している。
　→ photocell

solar collector 　　　　　　太陽光集光装置
　太陽の光 * や熱 * を反射鏡や吸収体で集めて、熱エネルギーに変える装置。

solar constant 　　　　　　太陽定数
　毎秒当たりに、地球表面の単位面積（$1\ m^2$）に降り注ぐ太陽からの光 * のエネルギ
ー * の値を、太陽定数という。約 1400 J/s ＝ 1400 W である。

solar energy 　　　　　　太陽エネルギー
　太陽から放射 * されるエネルギー *。光 * や電磁波 * など。おもに水素を燃料とす
る核反応 * による。

solar power 　　　　　　太陽の出力
　1 秒当たりに太陽が放出 * する全エネルギー *。

solar spectrum 　　　　　　太陽のスペクトル
　太陽光のスペクトル * は完全な連続スペクトル * でなく、フラウンホーファー線 *
と呼ばれる暗線（吸収スペクトル）が見られる。これは、太陽光の中の特定の波
長 * の光が太陽中の水素や鉄、ナトリウムや地球の大気 * によって吸収されるため
である。
　→ absorption spectrum
　→ Fraunhofer lines

solenoid 　　　　　　ソレノイド
　円筒状コイル *。導線を長い円筒状に巻いたもの。半径 * に比べて円筒部分の長さ

が十分に長いとき、ソレノイド内部の磁界*Hは、流した電流*をI、コイルの1 m
当たりの巻数をnとしてH＝nIで表わされる。

solid 　　　　　　　固体の
一定の体積*と形をもち、力*を加えても体積がほとんど変化しない、物質*の状
態。原子*または分子*が規則正しく並んでいる。

solid-state 　　　　　　　ソリッドステートの
「真空管を用いず、半導体*を利用した」の意の形容詞。

solid-state detector 　　　　　　　固体検出器
放射線*が半導体*に入射*し、電離*してできたイオン*から、放射線の検知を
行うタイプの放射線検知器。液体窒素*で冷却したゲルマニウムなどが用いられ
る。

solid-state device 　　　　　　　固体素子利用装置
半導体*を利用した電子装置。

solidification 　　　　　　　凝固
液体*が固体*に変わること。液体を冷やして熱エネルギーを奪ったとき、分子が
分子間力*によって固化することで起きる。

soliton 　　　　　　　ソリトン
孤立波ともいう。孤立した波*が、エネルギー*や波形、速度*を失わずに伝わっ
ていくとき、これをソリトンという。例：浅い水の表面波*。

soluble 　　　　　　　溶解の、溶解性の
ある物質*（気体、液体、個体）が別の液体物質に溶けることができること。溶け
やすいこと。

solute 　　　　　　　溶質
→solvent

solution 　　　　　　　溶液、溶解
ある物質*が別の液体物質に溶けている状態を溶液という。また別の液体物質に溶

S

けることを溶解という。
→solvent

solvent 溶媒

溶液*で液体物質を溶媒といい、この液体に溶けている物質を溶質(solute) という。両者が液体の場合は多いほうを溶媒という。
→solution

sonar ソナー

超音波*の反射波*を使って、水深を測る装置。

sonic boom 衝撃波

→shock wave

sonometer ソノメーター

何本かの弦を貼った装置。弦*の振動数*を調べたり、振動*のようすを調べるために用いる。

sound 音、音波

空気や固体などを伝わる弾性波*で、人の耳に聞こえる 20～20000 Hz の範囲の振動数のものを音という。空気を伝わる場合は、ある点での音源*の振動*によって空気の分子*が衝突*し、その分子がとなりの空気の分子に次々と衝突することで伝わっていく。このため、音*は振動方向と、波*の進行方向が同じ縦波*（疎密波）である。空気中の音速*Vは、セ氏温度*をtとして$V = 331.5 + 0.6t$で表わされる。音は波動*なので、干渉*、回折*、屈折*、反射*などの性質をもつ。

sound insulator 遮音器、遮音材

音*を減衰*させるための装置や材料。グラスウールなど。

sound intensity 音の強さ

音の強さは音*の進行方向と垂直な単位面積を通る、単位時間当たりの音のエネルギー*で表わされる。音の振動数*の 2 乗、および振幅*の 2 乗に比例する。単位はdB*（デシベル）。intensity level は音の強さのレベルのこと。

sound level meter　　　　騒音計

騒音＊の大きさをdB＊（デシベル）やphon＊（フォン）で示す装置。

sound source　　　　　　音源

音＊の発生源。

sound wave　　　　　　　音波、音

→ sound

source　　　　　　　　　源

電荷＊、磁荷＊、音＊、信号＊などのいる位置、発生している場所。電気力線＊や磁力線＊などが発生している場所で、わきだしともいう。

south pole　　　　　　　**(1)** 磁石のS極　　**(2)** 地球の南極

(1)south pole of magnet という。

south-seeking pole　　　南向きの磁針

S極＊のこと。

space charge　　　　　　空間電荷

真空管＊内に生ずる負の電荷＊。陰極付近にたまった電子による電荷をいう。

space probe　　　　　　　探査機

地球の引力＊による軌道＊を離れて、他の惑星や衛星＊を調べる人工天体。

space-time　　　　　　　時空

縦、横、高さからなる3次元の空間に、4番目の次元として時間をとり、これらを合わせた4次元空間を時空という。相対性理論＊で取り扱われる。

spark chamber　　　　　放電箱

気体中に入った放射線＊による放電現象を利用した放射線検知器。ネオンやヘリウムを満たした容器中に、平行に何本かの導線＊をおいて高電圧を与える。ここに放射線＊が入射＊すると、放射線の軌跡＊に沿って放電＊が観察される。

spark plug　　　　　　スパークプラグ

ガソリンエンジン*で、燃料*の混合気体を発火させるのに使う電極*。火花放電を起こし、爆発させる。

special theory of relativity　　　特殊相対性理論

互いに等速度で運動する慣性系*では同じ物理法則が成り立つという相対性理論と、光速度不変の原理*によって、導かれた理論。1905年にアインシュタインが発表した。互いに等速度で運動する慣性系どうしは、ローレンツ変換*によって結び付けることで、互いに同じ物理法則が成り立つとされる。また、質量 m とエネルギー E の関係式 $E = mc^2$（c は光速度）はこの理論の結論のひとつである。特殊相対性理論は等速度で運動している慣性系の場合のみ成り立つが、これを一般化して加速度運動をしている非慣性系についても考えたのが、一般相対性理論*である。

→ general theory of relativity

specific charge　　　　　比電荷

→ specific charge of electron

specific charge of electron　　　比電荷

荷電粒子の質量*に対する、電気量*の比を比電荷という。比電荷の同じ粒子は電界*や磁界*内で同じ動きをする。電子*の電荷*e とその質量 m とすると、電子の比電荷は e/m（イーバイエム）＝ 1.7588×10^{11} C/Kg。

specific electric conductivity　　　電気伝導度、導電率

→ electric conductivity

specific gravity　　　　　比重

水の密度*に対する物質*の密度の比をいう。ただし、1気圧、4℃の水の密度を1とする。または、ある物質に対する、それと同体積*の物質の質量の比をいう。

specific heat　　　　　比熱

物質*1 g を、温度*1 K 上げるのに必要な熱量*を比熱という。比熱の単位は J/g・K である。

spectroscope　　　　　分光器
プリズム＊や回折光子＊などを使って、光のスペクトル＊を得るのに使う装置。

spectrum　　　　　スペクトル
→ spectrum of light

spectrum of light　　　　　光のスペクトル
分光器＊に光を通した後に見られる、波長＊あるいは振動数＊の順に並んだ色の帯、パターン。それぞれの色は、原子＊や分子＊の出す光に対応している。
→ absorption spectrum
→ continuous spectrum
→ line spectrum

speed　　　　　速さ
→ velocity

speed of light　　　　　光速度、光の速度
真空中の光速 c は $c = 2.99792458 \times 10^8$ m/s （定義）である。この速度＊は、光源＊や観測者の運動に関わらず不変である（光速度不変の原理＊）。また、物体＊中の光速は値が異なる。

spherical aberration　　　　　球面収差
→ aberration

spherical wave　　　　　球面波
空間の波源＊から出た波＊は、どの方向にも一様に同じ速さ＊で進むため、波面は球状となる。このような球状の波面＊をもつ波を球面波という。

spin　　　　　スピン
(1) 自転＊による角運動のことをいう。例：惑星のスピン。
(2) 素粒子＊の自転による角運動を量子化＊したもので、スピン量子数またはスピンという。この場合のスピンのとりうる値は1/2の整数倍だけである。

spiral galaxy　　　　　渦巻銀河、らせん銀河
星の密集した中心部分と、その周囲に渦のようなたくさんの腕の部分をもつ銀河＊

S

のこと。
→galaxy

spontaneous　　　　　　　自然に進む、自発的
外からなにも作用＊を加えなくても、ひとりでに反応が進むこと。

spontaneous emission　　　自然放出
原子＊がエネルギー準位＊が高い励起状態＊にあるとき、外部からエネルギー＊や
光＊をもらうことなく、自然に低いエネルギー準位＊の定常状態＊に移ることがあ
る。このときにエネルギー差に相当する光子＊を放出＊する。これを自然放出また
は自然放射という。
↔induced emission

spontaneous emitted radiation　　　自然放射
→spontaneous emission

spontaneous nuclear fission　　自然核分裂
核分裂性物質では、外部から中性子＊などをもらわなくても、長い時間では自然に
核分裂＊が起こる。これを自然核分裂という。

spontaneous reaction　　　自然反応
化学反応＊で、外部からの作用＊がなくとも自然に進むような反応。

stable　　　　　　　　　安定な、安定した

stable isotope　　　　　　安定同位体
時間がたっても自然には崩壊＊しない同位体＊。
↔radioactive isotope (radioisotope)

stable state　　　　　　　安定状態
エネルギー的または時間的に安定な状態。特に、原子＊や分子＊がとる安定でとび
とびのエネルギー（エネルギー準位＊）の状態をいう。

standard　　　　　　　　標準

standard atmospheric pressure　　　標準大気圧

　1 atm ＝ 760 mmHg ＝ 1.013×10^5 Pa。

standard pressure　　　標準圧力

　standard atmospheric pressure と同じ。

standard temperature　　　標準温度

　0℃＝273 K を標準温度という。

standard unit　　　標準単位

　標準単位として、MKSA 単位系＊または SI 単位系＊を使う。

　→MKSA system

　→International System of Units (SI)

standing wave　　　定常波

　振幅＊の分布が変わらない波＊。波の波面が止まって見えるような波。波長＊と振幅が同じ 2 つの波が互いに反対向きに進み、干渉＊するとできる。定常波で振幅＊が最大の部分を腹＊、振幅が 0 の部分を節＊という。

　→node

　↔progressive wave, travelling wave

star cluster　　　星団

　銀河系＊内にある星の密集した状態。

state　　　状態

state of matter　　　物質の（相）状態

　物質＊が固体の状態（固相）か、液体の状態（液相）か、気体の状態（気相）か、またはプラズマ＊の状態かのどれかをいう。

static　　　静的な

　時刻によって物質＊の状態が変化しないか、またはその変化がきわめてゆっくりと進むこと。

S

static charge　　　　　**静電荷**
電荷*が動いていないこと。電流が流れていないこと。

static electricity　　　　**静電気**
　→electrostatic

static friction　　　　　**静止摩擦**
静止した物体*を別の物体の面上において横に引くとき、接触面に進行方向と逆向きの力が生ずる。この力を静止摩擦力という。さらに力を大きくしていくと、物体が動きはじめる。このときの摩擦力を、最大静止摩擦力という。静止摩擦力は物体が面を押す力に比例する。最大静止摩擦力を F、物体が別の物体を押す力である垂直抗力*を N とすると、$F = \mu N$ の関係がある。ここで、μ は定数で静止摩擦係数*という。静止摩擦係数は、2つの物体の種類や面の状態によって決まる定数である。
　↔sliding friction

stationary state　　　　**定常状態**
　→steady state

stationary wave　　　　**定常波**
　→standing wave

steady state　　　　　**定常状態**
原子*や分子*、原子核*などが安定な状態。このとき、そのもつエネルギーはとびとびの値をとる。
　→excited state

steam heating system　　**蒸気熱システム**
床面やラジエーター*中を蒸気*を通し循環させることで、全体を温めるシステム。

steam point　　　　　**沸騰点**
　→boiling point

steam turbine　　　　蒸気タービン
蒸気機関＊で、蒸気＊を噴き出させ、そのもつ膨張＊によるエネルギー＊を、回転運動＊のエネルギーに変換する装置。回転体にするたくさんの羽根車が取り付けられている。

steel　　　　鋼、鋼鉄
鉄と炭素の合金で弾性率＊が高い。ばねを作ることができる。

step-down transformer　　　　降圧器
↔step-up transformer

step-up transformer　　　　昇圧器
回路＊内で電圧＊を下げるものを降圧器＊、上げるものを昇圧器という。抵抗＊やコイル＊、発振器＊などを使って電圧を変化させる。

steradian　　　　ステラジアン
立体角の単位。

stimulated emission　　　　誘導放出
→induced emission

storage battery　　　　蓄電池
→storage cell

storage cell　　　　蓄電池
電池＊の放電＊後、充電＊することによって再び電流＊を取り出すことができる、繰り返し使用可能な電池。2次電池ともいう。鉛蓄電池、ニッカド電池など。
→primary cell

strain　　　　ひずみ
物体＊を長さの方向に引っ張るとき、元の長さをL、伸びた長さを$\varDelta L$として、$\dfrac{\varDelta L}{L}$をひずみという。単位長さ当たりの変形量をいう。

strangeness　　　　ストレンジネス、奇妙さ
ハドロン＊がもつ量子数＊のひとつ。ストレンジネスは強い相互作用＊と電磁相互

作用*では保存されるが、弱い相互作用*では保存されない。

→elementary particle

→interaction

streamline　　　　　　　流線

流体*が層流*となって流れているとき、流体の微小部分が運動に伴って描く軌跡。その接線が、各点での流れの方向を示す。

→laminar flow

stress　　　　　　　　応力

物体*を長さの方向に引っ張るとき、引っ張る力を F、物体の断面積を S として、$\dfrac{F}{S}$ を応力という。

string　　　　　　　　弦

ギターの弦など、張力*を与える糸やひも。引っ張った糸。

→tension

stroboscope　　　　　　ストロボスコープ

時間間隔が可変*な閃光を発生する装置。運動体に当てて、時間と位置の関係を調べるために使われる。マルチストロボスコープともいう。

strong force　　　　　　強い力

strong interaction　　　　強い相互作用

→interaction

strong nuclear interaction　　核にはたらく強い相互作用

→interaction

structural formula　　　　構造式

電子*の配置を取り入れた化学式。分子を構成する原子の結合の仕方を表わす。

sublimation　　　　　　昇華

→sublime

sublime　　　　　　　　昇華する

物質*が固体の状態*から気体の状態に変わること。また、気体から固体になることも昇華(sublimation)という。例：ドライアイス。

submerge　　　　　　　　沈澱する

物質*が溶けないで、下に沈み堆積すること。また、溶液*で固体が分離すること。

subtraction　　　　　　　減算、引き算

subtractive　　　　　　　減算の、引き算の

subtractive colors　　　　減法的な色

→ subtractive primary colors

subtractive primary colors　　減法的な原色

色（絵の具）の3原色であるmagenta（赤紫）、yellow（黄）、cyan（青緑）は、それらを適当な割合で混ぜることにより、任意の色を合成することができる。この場合は光*と異なり、特定の色の光が吸収*されることで他の色が合成される。このため、減法的な（原）色という。この3つを等量に混ぜると、光が吸収されて黒色となる。

↔ additive primary colors

supercollider　　　　　　超衝突型加速器

陽子*が互いに衝突*してクォーク*を生み出せるエネルギー*まで、陽子を加速できる加速器*。

superconductivity　　　　超伝導

→ superconductor

superconductor　　　　　超伝導体

金属*、合金、セラミックスなどの中には、温度*を下げていくとある温度以下で電気抵抗*が0になるものがある。このような電気抵抗が0の状態を超伝導(superconductivity)といい、これらの物質を超伝導体という。超伝導体に磁界*をかけると、その内部の磁界が0になり完全反磁性体となる。これをマイスナー効果

S

(Meissner effect) という。たとえば、超伝導体に上から磁界をかけると、反磁性*のため磁石が空中に浮き上がる。超伝導の原理は、BCS 理論と呼ばれる理論で表わされる。

→diamagnetism

supercooled liquid　　　過冷却液体

凝固点*以下に冷やしたにもかかわらず、固体にならない状態の液体。

→supercooling

supercooling　　　過冷却の

凝固点*以下に液体*をゆっくりと冷やしていくとき、本来なら液体から固体*への相*変化があるはずなのに液体のままでいることがある。この状態を過冷却という。この状態は不安定で、たとえば外部から振動*を与えるだけで、本来の固体に凝固*してしまう。同様に沸点*以下に冷やしても蒸気のままで液体にならないのも過冷却である。

supergiant　　　超巨星

太陽よりもかなり大きい星が内部の水素を消費した星の末期に、赤色巨星*よりも大きく、明るい星になる。これを超巨星という。

→red giant

supernova　　　超新星

質量*が重い星の末期に、自身の重力*により崩壊*し、内部で核融合*が急激に進んで爆発することを、超新星爆発という。爆発のとき、明るく輝くのでこの爆発を超新星という。このとき、鉄以上の重い元素*が作られ、爆発によって宇宙空間にばらまかれる。星の死に相当する。

superposition　　　波の重ね合わせ

→principle of superposition

supersaturated　　　過飽和

→supersaturated solution

supersaturated solution　　　過飽和溶液

飽和溶液*にさらに溶質を溶かした状態や、ある温度における蒸気が飽和蒸気圧以

上の蒸気圧＊をもつ状態を過飽和(supersaturated) という。

surface tension　　　　表面張力
液体には、液体分子の分子間力＊により、表面の面積をなるべく小さくしようとする一種の張力＊がはたらく。これを表面張力という。水滴が丸くなるのは表面張力のせいである。

surface wave　　　　表面波
媒質の表面や、他の媒質との境界面に生ずる波＊。固体や液体の表面に沿って伝わる波。表面の分子が円運動あるいは楕円運動をしながら波を伝える。内部の波は、表面や境界面から離れると急激に減衰＊する。浅い水深を伝わる水波は表面波である。縦波＊でも横波＊でもない。

suspension　　　　懸濁液
大きな分子＊が溶液＊中に均等に分散＊している状態で、目にはにごって見える。

Sv　　　　シーベルト
電離放射線の線量当量の単位。記号Sv（シーベルト）。1 Sv ＝ 1 J/Kg。また、1 Sv ＝ 100 rem。
→rem

switch　　　　スイッチ
回路＊の電流＊の接続／切断を行う装置。

symbol　　　　記号
ある物体＊や物質＊を表わすのに、省略した図や文字の組み合わせを用いて表わすことがあり、これらを記号という。元素記号Cで炭素原子を表わす、など。

symmetry　　　　対称性、対称
図形や現象にある操作を加えても、元と同じ形をとるとき（不変）、その図形や現象はその変換に対して対称であるという。例：線対称（図形をある点で折り返して移動したもの）。

sympathetic vibration　　　　共振
→resonance

synchroscope　　　　　　シンクロスコープ

　オシロスコープ*の一種。一般に、オシロスコープでは波形を静止させる同期（synchronization という）を手動で行うが、シンクロスコープでは入力信号*の周波数*に合わせ自動的に行う。このため、周波数が変動しても常に同期し静止像が見られる。

　→oscilloscope

synchrotron　　　　　　シンクロトロン

　円形の粒子加速器*の一種。中央部に穴のあいた電磁石*をドーナツ状になるように並べて粒子を加速する。このドーナツ型軌道*を常に、加速された粒子が同じ半径*で回るように、磁界*の強さと、振動数*を変えて加速する。この構造はサイクロトロン*とほぼ同じである。サイクロトロンでは粒子のエネルギーが大きくなると相対性理論より質量が増え、回転周期が長くなってしまう。シンクロトロンではこの効果を打ち消すために振動数を変化させることで、より高いエネルギー状態まで粒子を加速できる。陽子*などを高エネルギーに加速する手段として用いられ、素粒子の発見に役立った。

　→cyclotron

synchrotron radiation　　　シンクロトロン放射

　シンクロトロン*やサイクロトロン*などの、円形加速器で中心方向に加速された荷電粒子は、その接線方向に紫外線*からX線*におよぶきわめて強い電磁波*を発生する。この電磁波の放射を、シンクロトン放射または放射光という。

synthetic　　　　　　合成の、人工の

synthetic elements　　　人工元素

　原子炉*内で、中性子*などとの核反応*によって新たにできた元素*。原子番号93以上の元素は人工的に作られたものである。ほとんどすべてが放射性*をもつ。

system　　　　　　系、システム

　相互作用*をもつ物体*の集合。一定の関係をもつ物体の集合。

system of inertia　　　慣性系

　→inertial system

T

T　　　　　　　　　　テスラ
→ tesla

tangent　　　　　　　**(1)** 接線　**(2)** 正接、タンジェント
(1) 曲線上のある点Pでの接線は、点Pにきわめて近い（極限に近い）２点を通る直線をいう。
(2) 角度を θ とするとき、$tan\ \theta$ をいう。$tan\ \theta = \dfrac{sin\ \theta}{cos\ \theta}$

tangential acceleration　　　接線加速度
曲線上を運動する物体＊の、接線方向の加速度＊をいう。この大きさは物体の速度を v として、v の時間に関する変化率 $\dfrac{dv}{dt}$ で求められる。

target　　　　　　　　ターゲット
X線＊発生装置で、陰極＊からの加速電子が当たる側、加速電子を衝突させる側（陽極＊）。材質は金属。ターゲットの材質により、出てくる固有X線＊の波長＊が変わる。
→ character X-rays

T

technologist　　　　　科学技術者

technology　　　　　　技術、科学技術
科学理論を実地に応用して、自然の事物を加工・利用し、人間のために使うこと。

telecommunication　　　電気通信
電信、電話などの通信および、コンピュータ＊と遠隔地の端末とのデータ＊通信。

telegraph　　　　　　　電信
文字や数字を電気信号のオン、オフに変えて遠隔地に送るデータ＊通信の方法。

telemetering　　　　　　遠隔測定、テレメトリー
センサーと組み合わせた有線あるいは無線装置を使って、遠隔地のデータ＊を収集

するること。

telephoto　　　　　　　望遠レンズ
遠距離にある物を拡大するレンズ*。焦点距離*が大きい。

telescope　　　　　　　望遠鏡
遠距離の物体*を拡大して観察する光学装置。対物*レンズと接眼レンズ*をもつ。
→reflecting telescope
→refracting telescope

temperature　　　　　　温度
温かさや冷たさを示す尺度。とくに分子運動のエネルギー*を表わす尺度とする場合は、単位K（ケルビン）を使う。
→absolute temperature

temporary magnet　　　　一時磁石
外部磁界を取り去ると、磁化*が消え、磁石*としての性質をなくすもの。あるいは常磁性*体が磁界*の中で磁化*し、一時的な磁石となったもの。軟鉄は一時磁石になる。
↔permanent magnet

tensile strength　　　　引っ張り強さ
棒状の物体*を引っ張るとき、引っ張って切れたときの張力*Tと引っ張る前の物体の一番細い部分の断面積（引っ張り方向と垂直な面）Aとして、$\dfrac{T}{A}$ を引っ張り強さという。

tension　　　　　　　　張力
糸の一端を物体*につけ他端を引っ張ったときに、わずかに伸びた糸が元に戻ろうとする力*。おもり*をぶら下げた糸の張力などをいう。

term　　　　　　　　　　項
式の中で文字と数字をかけあわせてできたひとまとまり。式 $3x^2 + 2x + 1$ で項は $3x^2$、$2x$、1 である。

terminal　　　　　　　　端子

電池＊や素子＊の電流＊を流す電極＊。

terminal velocity　　　　終端速度

空気抵抗＊を受けて自由落下＊する物体について、抵抗力は物体の落下速度に比例するので最終的に抵抗力＊と重力＊がつりあい、その後は等速直線運動＊をする。このときの速度＊が自由落下の場合の終端速度になる。終端速度は一般に、抵抗力を受けている物体が、抵抗力により加速度＊が打ち消され、その運動が等速度になったときの速度をいう。単に終速度ということもある。

terrestrial magnetism　　　地磁気

地球自体による磁界＊や磁極＊（地球は全体でひとつの大きな磁石のようになっている）。地磁気の原因は地核内の金属流体の移動と考えられている。

terrestrial radiation　　　地球放射

地表が太陽から吸収＊したエネルギー＊の一部を、地球外に放射＊すること。

tesla　　　　　　　　テスラ

磁束密度＊の単位。記号T（テスラ）。1 T＝1 Wb/m^2。

theory　　　　　　　理論

個々の現象についての統一的・普遍的な説明や予言を言葉や式で表わしたもの。

T

theory of relativity　　　相対性理論

　→ general theory of relativity

　→ special theory of relativity

thermal　　　　　　熱の

thermal electron　　　熱電子

　→ thermoelectric effect

thermal energy　　　熱エネルギー

物体＊中の分子＊や原子＊の運動エネルギー＊と位置エネルギー＊の全合計を、物体のもつ熱エネルギーという。巨視的な物体のもつ熱＊（熱エネルギー）は、これ

らの微視的な分子レベルのエネルギー＊の合計である。気体の場合はほぼ分子の運
動エネルギーと考えてよい。

thermal equilibrium　　　　熱平衡

外界に熱＊が移動しないようにして、2つの物体＊を接触させると、2つの物体の
間で高温側から低温側へ、熱の移動が起こる。しかし十分に時間がたつと、熱の
移動が止まる。この状態を熱平衡という。熱平衡状態では2つの物体の温度は等
しい。

thermal expansion　　　　熱膨張

物体＊に熱＊を加えたり、温度を上げると、物体の長さや体積＊が大きくなること。
これは、外部からもらった熱エネルギー＊が、分子＊の運動を盛んにし、分子間の
距離＊を広げるために起こる。

thermal insulator　　　　断熱材

→adiabator

thermal neutron　　　　熱中性子

常温の物質＊と熱平衡＊状態にある中性子＊をいう。室温程度（たとえば20℃）
で熱運動をする。原子炉＊内で核燃料＊に吸収されれば、核反応を起こすことがで
きる。

↔cold neutron

thermal pollution　　　　熱汚染

エネルギー消費は最終的に熱エネルギー＊として環境に放出＊され、地球の温暖化
という問題を引き起こす。熱の環境に対する汚染である。

thermal radiation　　　　熱放射、熱輻射

熱＊の伝わり方のひとつ。高温の物体＊が、赤外線＊などの電磁波＊の形で熱エネ
ルギー＊を放出＊し、空間を越えて伝達する。太陽の熱が地球に届くのは熱放射の
例。

thermionic emission　　　　熱電子放出

→thermoelectric effect

thermocouple　　　　　　熱電対
　2種類の金属*を両端で接続して回路*をつくり、2つの接点の片端を高温に、もう一端を低温に保つと、接点の間に、熱*による起電力*が生ずる（熱起電力 (thermoelectric power)）。このような2種類の金属を組み合わせたものを、熱電対といい、温度計のセンサーとして利用する。

thermodynamics　　　　　　熱力学
　熱現象とエネルギー*の関連を研究する学問。基礎となる理論*に熱力学の3法則*がある。

thermoelectric effect　　　　　　熱電効果
　真空中で、高温の金属*や半導体*から、電子*が放出*されること。高温により自由電子*の運動が激しくなることによる。エジソン効果(Edison effect) または、熱電子放出(thermionic emission, thermoelectronic emission) ともいう。放出された電子を、熱電子(thermoelectron) という。

thermoelectric power　　　　　　熱起電力
　2種類の金属*を接続した回路で2つの接点に温度差を与えると、熱*による起電力*が生ずる。これを熱起電力という。熱起電力の大きさは温度にかかわりなく、金属の組み合わせで決まる。これをゼーベック効果*という。
　→ thermocouple

T

thermoelectron　　　　　　熱電子
　→ thermoelectric effect

thermoelectronic emission　　　　　　熱電子放出
　→ thermoelectric effect

thermography　　　　　　サーモグラフィ
　物体*の出す赤外線*を像*にしたもの。

thermometer　　　　　　温度計
　物体*の温度*を測定する装置。

thermonuclear fusion　　　熱核融合
　　原子核＊の集団が熱平衡＊状態に近い場合に起こる原子核の反応を、熱核反応
(thermonuclear reaction) という。また反応で核融合＊が起きるときは、熱核融合と
いう。核力＊に打ち勝って、原子核どうしが反応するためには、この熱平衡状態は
1億度以上を必要とする。恒星＊の内部ではこの温度に達しており、熱核融合反応
が生じている。核融合によりエネルギーが発生しつづける。

thermonuclear reaction　　　熱核反応
　　→thermonuclear fusion

thermostat　　　サーモスタット、恒温槽
　　容器内の温度＊を一定に保つ装置。

third astronomical velocity　　　第3宇宙速度
　　ロケットなどの物体が太陽系から脱出する速度。16.7 km/s。
　　→astronomical velocity

third law of photoelectric emission　　　光電子放出の第3法則
　　光電子＊が金属＊表面から飛び出すときの運動エネルギー＊の最大値は、入射光＊
の振動数＊（限界振動数＊）の値に正比例する。

third law of thermodynamics　　熱力学の第3法則
　　純粋物質の絶対零度＊におけるエントロピー＊は、その物質がどのような状態にあ
っても0である。

third-class lever　　　第3種てこ
　　てこ＊での回転軸＊である支点＊が一端に、物体＊へのてこの作用点＊が他端に、
てこに加える外力＊の力点がこの間にあるようなてこ。

thought experiment　　　思考実験
　　条件や装置を頭の中で構成し、そこで起こる実験結果を、知られている理論＊から
推測すること。実際に実験はしない。

three body problem　　　三体問題
　　3つの質点＊の間に相互作用＊がはたらくときの運動をニュートンの運動方程式＊

を使って解析すること。一般には三体問題の数学的な解はなく、近似的な解のみ
が求められる。

threshold frequency　　　　限界振動数
光電効果＊で、光が当たったとき光電子＊を放出＊することのできる光の最低の振
動数＊を、限界振動数という。

threshold of hearing　　　聞くことができる最小の音量
人が聞くことのできる音の大きさの最小値は、1 kHz の音で約 10^{-16} W/cm^2 程度で
ある。

tidal energy　　　　　　潮力のエネルギー
　→tidal power

tidal power　　　　　　潮力の出力
海の潮流によって得られるエネルギー＊や出力＊。潮力発電などに利用される。

timbre　　　　　　　　音色
　→tone color

time　　　　　　　　時間
物理＊では、ある現象の起こった時刻または、2 つの現象の時間差をいうことが多
い。単位 s（セカンド、秒）。

time dilation　　　　　時間の遅れ
相対性理論より得られた結論。2 つの物体＊の相対速度が光速度に近い場合、互い
に相手の物体側の時間よりも、自分の側の時間がより遅れて進むように見える。

time-lag　　　　　　　時間遅れ
ある現象が少し遅れて伝わること。

tolerance　　　　　　**(1) 公差　(2) 許容誤差**
(1) 工業製品などで、規定された最大値と最小値の差。製品としては設計値からの
ずれが＋側と－側でこの公差の範囲外だと不良品とされる。
(2) 測定器などで、測定器自体の許されるずれ。例：1 kg の質量＊を、測りで測る

と 1.02 kg の目盛りになり、これが許されるならば、許容誤差は 2 % となる。

tone　　　　　　　　　　音色
→tone color

tone color　　　　　　　　音色
同じ振動数*で同じ大きさの音が異なった音として聞こえること。たとえば、バイオリンとフルートで同じ振動数の音を出しても異なる音と聞こえる。これを、音色という。音色は主に、含まれている倍音*の種類や強さによって作られる。

tone pitch　　　　　　　　音の高さ
音*の振動数*のこと。

tone quality　　　　　　　音色
→tone color

tone timbre　　　　　　　音色
→tone color

torque　　　　　　　　　　トルク
力のモーメント*をトルクという。
→moment

torque arm　　　　　　　　腕の長さ
力*が作用*している場所から回転軸*までの垂直距離*をいう。回転軸から力の作用線*におろした垂線の長さ。

Torr　　　　　　　　　　　トル
気圧*の単位。記号 Torr（トル）。 1 Torr = 1 mmHg = $\dfrac{1.103 \times 10^5}{760}$ Pa

total internal reflection　　全反射
→total reflection

total reflection　　　　全反射

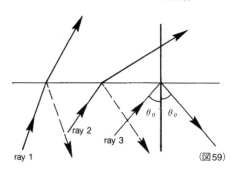

ray 1　　　　ray 2　　　　ray 3　　　　θ_0　θ_0　　（図59）

光*が媒質Iから物質IIへ進むとき、その一部は境界面で反射*され、また一部は屈折*される。媒質Iが媒質IIより屈折率*が大きいとき、入射角θ_1よりも屈折角θ_2の方が大きい。いま入射角θ_1を0から次第に大きくしていくと、屈折角θ_2も大きくなり、ある点で90度となる。これより入射角を大きくすると、屈折できず、その結果入射光はすべて反射光となる。これを全反射という。θ_2が90度となる入射角の値を臨界角*という。臨界角をθ_0とし、媒質I、IIの絶対屈折率*をn_1, n_2とすると、全反射では次の関係が成り立つ。

$$\frac{\sin \theta_0}{\sin 90°} = \frac{n_1}{n_2}$$

たとえば、水から空気へ進むときの臨界角は48.4度である。

→reflection

→refraction

toughness　　　　靭性（じんせい）

材料*の粘り強さをいう。外力*や衝撃を受けても自身が変形し破壊しない性質をいう。鞭のしなやかさ。

↔brittleness

tracer　　　　トレーサー

医療や生物学などで元素の移動のようすを調べるために用いられる、微量の放射性同位体*のこと。放射線*を出すので、生物が吸収しても追跡(trace)できるので名付けられた。

trajectory　　　　軌道、弾道

粒子や物体*の通る道筋をいう。化学反応*の際の分子*の道筋、彗星や惑星の通る道筋、弾丸やロケットの弾道をいう。

transform　　　　　　　変換する

　ある形式を別の形式に変えること。数式の変換(transformation)。

transformation　　　　（数式の）変換

　ある数式を、一定の条件を用いて別の数式に変換すること。

transformer　　　　　**(1) 変換**　**(2) 変圧器、トランス**

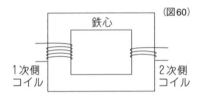

（図60）

(1) 数式の変換。transformation ともいう。
(2) 交流*電圧を別の電圧*に変える装置。
1次および2次コイル*と鉄心からなる。
相互誘導*の原理を用いて電圧を変換する。

transistor　　　　　　トランジスタ

　ゲルマニウムやシリコンなどの半導体*を用いて作られた3本の電極をもつ素子*で、電気信号の増幅作用がある。N型半導体*とP型半導体*をサンドイッチのようにした、NPN型とPNP型のトランジスタがある。真空管*の3極管*と同じはたらきをする。

→emitter

→triode

transition　　　　　　遷移、転移

　物質*がある状態から別の状態へ移ること。結晶構造の変化や同素体*の変化、相*の変化では「転移」を使う。原子*や電子*で、ある定常状態*から別の定常状態に移ることを「遷移」という。

transition temperature　　遷移温度

　超伝導*で、温度*を下げていって、抵抗*が急に0になるときの温度をいう。

translation　　　　　　並進

　グラフ*で同じ形を上下、左右に移動したもの。平行移動。

translucent　　　　　　半透明な

　光*は一部通すが、中を透かして向こう側が見えないこと。

translucent materials　　半透明材
　→ translucent

translucent substance　　半透明物質
　→ translucent

transmission　　　　　**(1)** 伝導　**(2)** 透過
(1) 物体*内を移り伝わっていくことを伝導という。その中で、電気*を伝えることを電導、電気伝導*といい、熱*を伝えることを、熱伝導*という。
(2) 光*が物質中を通り抜けること。透き通っている状態。たとえば、透過型電子顕微鏡（transmission electron microscope(TEM)）とは、試料を透過した電子線を使った電子顕微鏡*のこと。

transmit　　　　　　　**(1)** 伝える　**(2)** 送信する
(1) → conduction
(2) 電波*や信号*を送り出す。

transmitter　　　　　送信器
電波*や信号*を送り出す装置。

transparent　　　　　透明な
透きとおっていること。物質*が光*をよく通過させること。

transparent materials　　透明材
　→ transparent

transparent substance　　透明物質
　→ transparent

transuranium elements　　超ウラン元素
原子番号*93以上の元素*。人工的に作られた元素で、すべて放射性*をもつ。なお、原子番号92の元素はU（ウラン）である。Pu（プルトニウム）、Am（アメリシウム）などがある。

T

transversal wave　　　　　横波

波＊の進行方向に対し、媒質の振動＊方向が垂直であるような波。電波＊、光＊、地震＊のＳ波など。

↔compression wave

↔longitudinal wave

transverse wave　　　　　横波

→ transversal wave

traveling wave　　　　　進行波

→ progressive wave

triode　　　　　３極管

グリッド＊がひとつと陽極＊、陰極＊の３極からなる真空管＊。グリッドに負の電圧＊をかけて使い、増幅器＊や発振器＊として用いる。

→ vacuum tube

triple point　　　　　３重点

ある圧力＊、温度＊の条件下で、固体＊、液体＊、気体＊が共存できる（平衡状態にある）点をさす。水の３重点は圧力610.6 Pa、温度0.01 ℃である。

trough　　　　　（波の）谷

横波＊で、変位＊が最小のところ。一番沈んだところ。サイン波＊では$\sin \theta = -1$の点に相当する場所。

↔crest

tuning　　　　　同調

テレビやラジオで送られて来た電波＊に対して、回路＊の固有振動数＊を変化させて、共振＊させること。

tuning fork　　　　　音さ

鋼鉄性のＵ字型棒に、Ｕの字の下の部分に取手をつけたもの。振動＊させると、ほぼ基本振動のみのサイン波＊を発生する。音＊が持続し、周波数＊安定度がいいので、楽器の調律に使われる。

tunnel effect　　　　　　トンネル効果

　量子力学＊で、運動エネルギー＊が足りないために位置エネルギー＊の障壁（束縛）を本来越えられないはずの粒子が、その障壁を越えてしまう現象をいう。たとえばα崩壊＊の場合で、原子核＊中の核力＊の束縛で本来原子核の外に飛び出ることができないα粒子が、核の外に出てくる。エネルギー的には本来出てこないはずなのに、トンネルを掘って出てきたように見えるので、トンネル効果という。この現象は、粒子が確率的な状態で存在するために起こる、量子力学特有の現象である。

turbine　　　　　　　　タービン

　気体＊や液体＊などの流体をあて、その運動エネルギー＊を、回転運動＊に変換するための、翼や羽根のついた回転体。

turbulent flow　　　　　乱流

　↔laminar flow

T

U

u　　　　　　　　　原子質量単位
→ atomic mass unit

ultrasonic　　　　　　超音波の

ultrasonic range　　　超音波領域
音波＊について、振動数＊が20000 Hz以上の領域。

ultrasonic waves　　　超音波
振動数＊が20000 Hz以上の音を超音波という。ふつうの音に比べ、エネルギー＊が大きく、指向性や直進性が強い。人の耳には聞こえない。

ultrasound　　　　　　超音波
→ ultrasonic waves

ultraviolet　　　　　　紫外の

ultraviolet light　　　紫外線光
→ ultraviolet ray

ultraviolet radiation　　　(1)紫外放射　(2)紫外線
紫外線＊を放出＊すること。また、放出した紫外線をさすこともある。

ultraviolet ray　　　　紫外線
可視光線よりも波長＊が短く、およそ380 nmから1 nmの範囲の電磁波＊を紫外線または紫外線光(ultraviolet light)という。紫外線は化学作用＊が強く、光電効果＊を起こす。

umbra　　　　　　　　本影
日食＊などで、中央の影の部分。光＊が当たらず黒い部分。

uncertainty   **不確実**

確かでないこと。

uncertainty principle   **不確定性原理**

粒子の運動量*と位置*を同時に正確に決めることができないとする原理*。運動量の不確定さΔp、位置の不確定さΔx、プランク定数*をhとして

$$\Delta p \cdot \Delta x \geq \frac{1}{2} \cdot \frac{h}{2\pi}$$

この原理は、原子*のレベルの世界では、現象を正確にひとつの状態に決められず、確率的にしか表わせないことを意味する。

↔causality

unified field theory   **統一場理論**

重力*と電磁力*をひとつにまとめようとする理論。その後統一理論*に発展してきている。

→ unified force theory

unified force theory   **統一理論**

4つの相互作用*の力である、強い力、弱い力、電磁力*、重力*をひとつにまとめようとする理論。

→ interaction

U

uniform accelerated motion   **等加速度運動**

一定の加速度*で、物体*が運動*すること。物体にはたらく力が一定のとき、ニュートンの運動方程式*$f = ma$より、等加速度運動となる。物体の運動の方向と物体に生じた加速度の方向が同じときは直線上の等加速度運動をし、加速度をa、物体の初速度をv_0、時間*tでの速度*をv、変位をxとすると、

$$v = v_0 + at$$

$$x = v_0 t + \frac{1}{2} at^2$$

である。また、物体の初速度と加速度または力の向きが異なるとき、物体の運動の軌跡は放物線*となる。

uniform circular motion   **等速円運動**

円の回りを一定の速さで物体*が運動*すること。円運動*の加速度*aは、円の

中心を向かうため向心加速度*という。円運動にはたらく力 F は向心力*とよばれ、円の中心を向く。速度*v は、円の接線方向を向く。円運動の半径*を r、周期*を T、角速度*を ω、回転数を f とすると、以下の関係がある。

$$f = \frac{1}{T} \qquad \omega = \frac{2\pi}{T} \qquad v = r\omega$$

$$a = \frac{v^2}{r} \qquad F = \frac{mv^2}{r}$$

uniform motion　　　　等速度運動、等速直線運動

一直線上を一定の速さ*で運動すること。加速度*は 0 である。物体*にはたらく力の合力*が 0 のときの物体の運動となる（慣性の法則*）。速さを v、時間 t での位置を x とすると、$x = vt$ となる。

unit　　　　単位

測定した物理量*を数値で表わす場合、その量の多少を表わすものと、その量の性質を表わすものが必要である。この性質を表わすものが単位である。たとえば、長さ 10 m で、単位は m である。

unit analysis　　　　次元解析

→ dimensional analysis

unit cell　　　　単位格子

結晶*の構造を作っている配列（格子* lattice という）のうちで、一番小さくて基本となる配列または網目模様をいう。

unit magnetic pole　　　　単位磁極

1 Wb（ウェーバ）の磁気量をもつ磁荷*。1 Wb は真空中で、1 m の距離をおいて同じ磁気量*の磁荷をおいたとき、生ずる力が $\frac{10^7}{(4\pi)^2}$ であるような磁荷の磁気量。

→ magnetic charge

unit vector　　　　単位ベクトル

ある向きのベクトル*を考えるとき、それと同じ向きで大きさが 1 のベクトルを、単位ベクトルという。元のベクトルを $\vec{a}$、その大きさを k、単位ベクトルを $\vec{e}$ とすると $\vec{a} = k\vec{e}$ となる。

universal constant of gravitation　万有引力定数
　→universal gravitational constant

universal force　　　　　統一の力、4つの力
粒子間にはたらく4つの力、すなわち強い相互作用、弱い相互作用、電磁力と重力の4つを統一した力。
　→interaction

universal gas constant　　気体定数
　→gas constant

universal gravitation　　万有引力
すべての物体の間には、それぞれの質量の積に比例し、物体間の距離の2乗に反比例する引力がはたらいている。この質量*のある物体*どうしに生ずる引力*をいう。2つの物体の質量*をm_1, m_2、距離をrとして、2つの質量に生ずる万有引力*Fは、$F = G \dfrac{m_1 m_2}{r^2}$　（ただし、Gは定数で万有引力定数と呼ぶ）の関係がある（万有引力の法則）。

universal gravitational constant　　万有引力定数
記号Gで表わす。万有引力の法則*の定数。$G = 6.673 \times 10^{-11}$ Nm^2／kg^2。

universal law of gravitation　万有引力の法則
　→universal gravitation

U

unknown　　　　　　　未知の
まだ解明されていない、測定されていない。

unsaturated　　　　　不飽和の
一定の条件の下で溶液*の濃度*、磁気*、電流*、原子価*、蒸気圧*などの量が、まだ、理論的にとりうる量に達していない状態、最大になっていない状態。
　↔saturated

unsaturated solution　　不飽和溶液
溶液*が飽和*しておらず、溶質（溶かしたい物質）がまだ溶かすことができる状態。

unstable   不安定な、不安定状態

unstable state   不安定状態

エネルギー的または時間的に不安定な状態、特に原子＊や分子＊が余分なエネルギー＊をもっている状態をいう。不安定状態にある原子＊や分子＊は、外部に粒子や光子＊を放出＊して、安定状態＊になろうとする。

V

V   ボルト

vacuum   真空

空間に物質＊が全然ない状態。一般には希薄な気体の状態でも真空ということがある。

vacuum discharge   真空放電

ガラス管に陽極と陰極を封入し、両端に数千 V の電圧＊をかける。空気を抜いて数十 mmHg 以下の希薄な空気にすると放電＊する。このような低圧気体の中での放電をいう。

vacuum tube   真空管

ガラスの容器内の圧力＊を下げ、電極＊を封入したもの。電子＊を放出する陰極 (cathode) と、受け取る陽極(plate) の間に、格子＊状の電極であるグリッド＊をいくつかもつ。グリッドに流す電流を変化させて、真空管内の電子の流れを制御する。検波、整流、増幅などに使われる電子装置。3 極管＊など。

valence electron   価電子

原子＊内の電子＊の軌道＊のうち、最外殻の軌道＊を回る電子＊のことをいう。化学反応＊やイオン結合＊などで作用する電子で、元素の化学的性質を左右する。

value   値

Van de Graaff accelerator   ファンデグラフ加速器

原子核＊研究用の加速器＊。電源＊と絶縁体ベルト、金属球、滑車＊、モーター＊からなる。電源からコロナ放電でベルトに吹き付けられた電荷＊が、ベルトで運ばれ、金属球にコロナ放電で再びつくのを利用した、静電気型の加速器。10 MV 程度の電圧＊を発生できる。

Van de Graaff generator   ファンデグラフ発電機

V

Van der Waals' forces　　　ファン・デル・ワールス力
　　→intermolecular force

vapor　　　蒸気
固体*や液体*が気体*となったときの、気体分子*のこと。

vaporization　　　蒸発、気化
固体*や液体*が表面で気体*に変わること。

variable　　　**(1)** 変数　**(2)** 可変な
(1)実験を制御しながら行うときの、制御できる条件や物理量*。
(2)値を変化させることができる。

variation　　　**(1)** 変化量、変化　**(2)** 偏角
(1)最初の物理量*がx_1、変化後の物理量がx_2のとき、この差$x_2 - x_1$をいう。
(2)→declination

vector　　　ベクトル
向きと大きさをもつもの。

vector product　　　ベクトル積、外積
　　→outer product

vector quantity　　　ベクトル量
向きと大きさをもつ物理量*をベクトル量という。たとえば、速度*、加速度*、変位*、力*、電界*などはベクトル量である。これに対し、大きさだけをもつ量をスカラー量(scalar quantity)といい、その大きさをスカラー*という。

vector resolution　　　ベクトル分解
あるベクトル*を、いくつかの方向の成分*に分けること、分解すること。
　　→components of a vector

velocity　　　速度
距離の変化Δsを時間の変化Δtで割ったものを速さ(speed) vという。これに、速さの向きを合わせたものを速度$\vec{v}$という。速度はベクトル量である。これに対して、

速さは大きさだけをもつスカラー量である。

速さ $v = \dfrac{\Delta s}{\Delta t}$

速度 $\vec{v} = \dfrac{\vec{\Delta s}}{\Delta t}$

velocity of sound 音速

音*の媒質*中の速度*を音速という。空気中では約340 m/s、水中では1500 m/sである。空気の温度*をt℃とすると、音速Vは$V = 331.5 + 0.6t$で表わされる。

vernal equinox 春分、春分点

昼と夜の長さが等しい春の日。

vertex 頂点、頂上

図形の辺が出会う点。

vertical 鉛直の、垂直の

おもり*をぶら下げるときの向き、地球の重力*の向きを鉛直という。ある面に対して90度の向きを垂直な向きという。

↔horizontal

vertical axis 垂直軸

ある面や線に対し、垂直*方向の軸*。y軸はx軸の垂直軸である。

vertical line 鉛直線、垂線

ある面や線に対して90度の角度をなす線。

vertical velocity 垂直方向の速度

地球の表面に対して垂直な方向の速度。

vibrate 振動する

vibration 振動

→ vibrational motion

V

vibrational motion　　　　　振動運動

位置やある物理量＊が周期的に繰り返す現象。振動する物体を振動体という。例：おもり＊をばねや糸にぶら下げてから引くと、左右や上下位置が変化する。ギターの弦の振動、太鼓などの膜の振動など。

virtual image　　　　　虚像

レンズ＊や鏡で、光線＊を延長して１点で交わる（延長しなければ交わらない）ような像＊を虚像という。実際に光線が交わってできた像ではない。虚像の位置にスクリーンをおいても像は投影されない。虫メガネでものを拡大してみるときは、虚像を見ている。これに対し、光線が１点で交わるような像を実像(real image)という。屈折＊、反射＊した光が実際に集まってできた像である。実像の位置にスクリーンを置くと投影像が見える。

viscosity　　　　　粘性

流体＊が流れるとき、流体内部で、流れを妨げようとする性質。

viscous fluids　　　　　粘性流体

水や石油などの流れにくい流体＊。粘性＊の大きい流体。
→viscosity

visible light　　　　　可視光、可視光線

人が見ることのできる電磁波＊。波長＊がおよそ400〜800 nm の電磁波である。

visible light spectrum　　　　　可視光のスペクトル

visible radiation　　　　　可視光放射

可視光線＊を放射＊（発光）すること。
→visible light

visible spectrum　　　　　可視スペクトル

可視光＊のスペクトル。波長＊が400〜800 nm の範囲のスペクトル＊。虹のスペクトルは可視光スペクトル＊を表わしている。大まかに並べると、波長の長い方から、赤、だいだい、黄、緑、青、紫の順になる。

volatile fluid　　　　　　揮発性液体

アルコールやベンジンなどの、蒸発＊しやすい液体。

volt　　　　　　　　　　　ボルト

電位差＊（電圧）の単位。記号 V（ボルト）。1 C の電荷＊を電位差をかけて移動さ
せるのに必要な仕事＊が 1 J であるとき、この電位差を 1 V という。一般に、電位
差 V で電気量＊q の電荷を移動させるときの仕事 W は W＝qV で表わされる。

voltage　　　　　　　　　電圧、電位差

→electric potential of difference

voltage driver　　　　　　電圧分配器

抵抗＊の電圧降下＊を利用して、電圧＊を低くする装置。

→voltage drop

voltage drop　　　　　　　電圧降下

抵抗＊に電流＊を流すと、電流の向きに進むにつれて電位＊が下がる。これを電圧
降下という。抵抗値を R、電流を I とすると、電圧降下は V＝RI で表わされる（オ
ームの法則）。

voltage sensitivity　　　　電圧感度

電圧＊の測定装置の感度＊。1 目盛りが何 V かで表わす。

Voltaic cell　　　　　　　ボルタ電池

1800 年頃にボルタが発明したはじめての電池＊。陽極＊を銅、陰極＊を亜鉛、電解
液＊を希硫酸を使った化学反応＊を利用しているもの。

voltmeter　　　　　　　　電圧計

2 点の間の電位差＊を測る測定器。電圧＊の測定器。

volume　　　　　　　　　　体積、容積

物体＊が空間で占める大きさ。

volume strain　　　　　　体積ひずみ＊

体積＊V の物体＊に力＊を加えて、体積が $\varDelta V$ だけ縮むとき、$\dfrac{\varDelta V}{V}$ を体積ひずみ

V

という。弾性体＊では、体積ひずみは物体に加えた圧力 P に比例する。$P = k \dfrac{\varDelta V}{V}$ と表わされ、比例定数 k を体積弾性率という。

W

W ワット
　→watt

W ± particle W 粒子、W ボソン

W-boson W 粒子、W ボソン
　→W-particle

W-particle W 粒子、W ボソン
弱い相互作用*の力を伝達する粒子。ウィークボソン*のひとつ。ボソンはスピン
*が整数の粒子を意味する。
　→interaction
　→weak boson

water turbine 水車
水の流れを仕事*に変換する装置。

water vapor 水蒸気
水の気体。

W

watt ワット
仕事率*の単位。記号 W（ワット）。1 秒間に 1 J の仕事*をする能力があるとき、
仕事率は 1 W である。一般に仕事 W をするのに、時間 t がかかるとき、仕事率 P は
$P = \dfrac{W}{s}$ で表わされる。

wave 波、波動

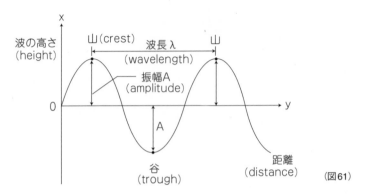

（図61）

物質*内のある点での振動*や変化が、少しずつ遅れてとなりの点に伝わっていく現象を、波または波動という。波を伝える物質を媒質*という。波の振動数*を f、波長*を λ、波が媒質を伝わる速さ*を v とすると、$v = f\lambda$ と表わせる。波が共通してもつ性質として、反射*、屈折*、回折*、干渉*がある。波の発生する源となる点を波源*という。周期的な波の、波長*(wavelength)、振幅*(amplitude)、山*(crest)、谷*(trough) などを図に示す。

wave equation 波動方程式

古典物理学*において、波動*現象に対して立てた運動方程式*のこと。電磁波*や弾性体*に生ずる波（弾性波、例：音）などを取り扱う。量子力学*においては、粒子の運動を表わしたシュレディンガーの波動方程式*をさす。

→ Schrödinger wave equation

wave front 波面

波*が伝わるときに、ある瞬間に波の変位*（高さ）や位相*の同じ状態である点を結んだ線や面をいう。平行に進む波は波面が平面となり、平面波という。ひとつの波源から出る波は波面が球面となり、球面波*という。

wave function 波動関数

波動*を、位置*と時間の関数*として表わしたもの。また、量子力学*では、シュレディンガーの波動方程式*の解をさす。このときの波動関数は、粒子の位置と時間の確率的な波のような状態を表わす。

wave model of sound　　　音の波モデル
音＊は空気という弾性体＊が、圧縮＊されて伝わる波＊で、空気の分子＊が衝突することで、空気の圧縮された濃い部分（密＊）と膨張された薄い部分（疎＊）の部分を伝えていく疎密波＊である。

wave nature of electron　　　電子の波動性
電子がもっている波動＊としての性質。
→electron diffraction

wave pulse　　　パルス波、パルス
ひとつの山＊（谷＊）、または１組の山と谷をもつ波＊だけが媒質＊を伝わるような波。

wave speed　　　波の速さ
→wave velocity

wave velocity　　　波の速度
波＊の振動数＊をf、波の波長＊をλ、媒質を伝わる波の速さをvとすると、波の速さは$v = f\lambda$で表わされる。

wave-particle duality　　　波動ー粒子の２重性
粒子＊と波動＊は互いに異なる性質をもつように見えるが、粒子も電子波のように波動的性質をもつし、逆に電磁波＊も光電効果＊のような粒子の性質をもつ。互いに両者は結び付いており、その関係はド・ブロイの物質波の式＊によって表わされる。
→de Broglie matter wave

W

wavelength　　　波長
サイン波＊などの周期的な波＊において、山＊と次の山、谷＊と次の谷までの長さをいう。または、波の位相＊が2π(rad)だけ異なる２点の間の距離をいう。波長は記号λで表わすことが多い。
→crest

Wb　　　ウェーバ
磁束＊または磁荷＊（磁気量）の単位。記号Wb（ウェーバ）。1 Wbは真空中で、1

m の距離をおいて同じ磁気量の磁荷をおいたとき、生ずる力が $\frac{10^7}{(4\pi)^2}$ (N) であるような磁荷の磁気量。1巻のコイル*を貫く磁束が1秒間に1 Wbだけ変化するときに、そのコイルには1 Vの誘導起電力*が生ずる。

weak boson　　　　　　　ウイークボソン
弱い相互作用の力を伝達する粒子。WボソンとZボソンがある。スピン*は1。
→W-particle

weak forces　　　　　　　弱い力
weak interaction のこと。

weak interaction　　　　　弱い相互作用
→interaction

weak nuclear interactions　核にはたらく弱い相互作用
weak interaction のこと。

weber　　　　　　　　　　ウェーバ
→Wb

wedge　　　　　　　　　　くさび
一端を厚く、もう一端にいくにつれて薄くなっている、板状のもの。

weight　　　　　　　　　　(1) 重さ、重量　(2) おもり、分銅
(1) 物体*にはたらく重力*のこと。重さ、重量などという場合があるが、物理*ではすべて力である。質量*mの物体にはたらく重力Fは$F=mg$ となる。
(2) てんびんに使う測定用の物体や、糸などにぶら下げる物体。

weightless　　　　　　　　無重量の、無重力の
重力*による加速度*が観察されない状態。重力加速度*g で自由落下*している人には、物体*の重力mg と、慣性力*$-mg$ が見かけ上つりあって、無重量状態になる。この人は、重力を感じない。

wet cell　　　　　　　　　湿電池
電解液*が液体状の電池*。

←dry cell

Wheatstone bridge　　　ホイートストンブリッジ

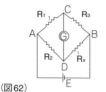

（図62）

未知の抵抗*値を既知の抵抗値のブリッジ回路を使って
測定する方法。既知の抵抗をR_1, R_2, R_3を可変抵抗、未知
抵抗をR_xとする。検流計*に電流*が流れないように、
可変抵抗R_3を調整する。このときのR_3の値を使って、未
知抵抗の値R_xを求める。$R_x = \dfrac{R_2 \cdot R_3}{R_1}$　となる。

white dwarf　　　白色わい星

太陽の質量*の6倍以下の星が燃えつきて重力により収縮し、半径*が小さくきわ
めて密度*が高くなったもの。赤色巨星*の次の段階のひとつ。

→red giant

white light　　　白色光

光のスペクトル*の各部分が等しいエネルギー*をもつような光をいう。白色光を
分光器*で見るとさまざまな色が連続して見える。例：白熱灯。太陽の光は線スペ
クトル*を含むが、普通は白色光として扱う。

wide-angle lens　　　広角レンズ

鮮明に写る入射角*の範囲が60度以上のレンズ*。普通のレンズに比べて、広い
角度を撮影することができるレンズ。

→lens

W

Wilson cloud chamber　　　ウィルソンの霧箱

→cloud chamber

wind farm　　　ウィンドファーム

電力*を起こすための風車の一群。

wind power　　　風の出力

風を、発電機*に接続したプロペラ（回転羽根）に当てて、風のもつエネルギーを
電気エネルギーに変える。

wind turbine　　　　　　　　風力タービン

風力発電用の大きなプロペラ（回転羽根）と、それに接続した発電機＊からなる装置。

windmill　　　　　　　　　　風車

風の流れを仕事＊に変換する装置。

work　　　　　　　　　　　　仕事

物体＊に力を加えて力の向きに移動させたとき、力が物体に仕事をしたという。物体に力Fを加えて、力の方向に距離sだけ移動するとき、力のした仕事Wは $W = Fs$ で定義される。仕事の単位はJ（ジュール）を使う。力$\vec{F}$と移動距離（変位）$\vec{s}$が角度θをなすときの仕事は $W = Fs\cos\theta = \vec{F} \cdot \vec{s}$（内積＊）となる。

work function　　　　　　　　仕事関数

金属＊や半導体＊の表面直下にある電子＊を、表面から外に取り出すのに必要な最小のエネルギー＊。たとえば、光電効果＊で振動数＊νの光を当てて光電子＊が速度＊vで飛び出すとき、仕事関数をW、プランク定数＊をhとすると、光電子の運動エネルギー＊は

$$E = \frac{mv^2}{2} = h\nu - W$$

となる。これは光のもつエネルギー$h\nu$の一部が金属表面から電子を取り出す仕事Wに使われたことを意味する。

→photoelectric effect

work-energy theorem　　　　　仕事ーエネルギーの関係式

物体＊の運動エネルギー＊の変化量は、その間に物体がされた仕事＊に等しい。

working material　　　　　　　作業物質

熱機関＊などで外に仕事＊をする物質＊。蒸気機関＊の水蒸気＊、ガソリンエンジン＊のガソリンなど。

working substance　　　　　　作業物質

→working material

X

X rays　　　　　　　　X線

波長が紫外線＊より短く、γ線より長い電磁波＊。回折＊、干渉＊などの性質をもつ。電離作用があり、物質をよく透過する。

→ Bragg equation

→ character X-rays

→ continuous X-rays

x-axis　　　　　　　　x軸

→ axis

x-coordinate　　　　　　x座標

→ coordinate

xerography　　　　　　ゼログラフィー

静電気による電子写真のひとつの方法。電子コピー。

XOR circuit　　　　　　XOR回路

入力端子のすべてが1 (on) か0 (off) のときは出力が0 (off) となり、それ以外の入力では常に出力が1 (on) となる回路。

Y

y-axis　　　　　　　　**y軸**
　　→axis

y-coordinate　　　　　**y座標**
　　→coordinate

Young's experiment for interference　　　　**ヤングの干渉実験**

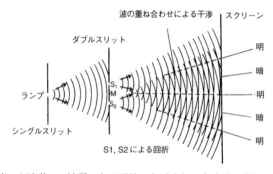

（図63）

　光*が波動*の性質である干渉*を示すという実験。光源*からの光をスリット*S
を通した後に、Sと等距離にある2つの接近したスリットS1, S2を通してスクリー
ンに当てると、干渉による縞模様ができる。これはスリットSによって位相*と振
幅*のそろった光がS1, S2に到達し、これらが波源*となって干渉を起こすためで
ある。この実験に用いるS1, S2スリットをdouble slitという。

Young's modulus　　　　**ヤング率**
　伸び弾性率ともいう。長さL、断面積Sの一様な太さの弾性体*(elastic body)でで
きた棒を力（張力*）Fで引き伸ばす。伸びをΔLとすると、単位面積当たりの張
力（応力という）$\dfrac{F}{S}$　と、単位長さ当たりの伸び（単に伸びという）$\dfrac{\Delta L}{L}$　は
比例し、比例定数をEとして

$$\frac{F}{S} = E\,\frac{\Delta L}{L}$$

となる。このEをヤング率という。Eは物質によって決まる定数である。

Z

Zeeman effect　　　ゼーマン効果

磁界＊中に置かれた光源＊の線スペクトル＊が、元の線スペクトルに対して何本かに分かれること。これは、磁界をかけることによって、電子＊の運動やスピン＊による磁気モーメント＊が変化し、光源の原子＊や分子＊のエネルギー準位＊が、何種類かに分かれるために起きる。

→energy level
→line spectrum

zero point energy　　　零点エネルギー

古典力学＊では、エネルギー＊の最低値は位置エネルギー＊が最小の位置で静止している場合である。これに対し、量子力学の考えでは、位置エネルギーの最低点でも、粒子は静止していることができないので、運動エネルギー＊をもつ。このときの、運動エネルギーの値を零点エネルギーという。たとえば、古典力学では絶対温度 0 K では分子＊や原子＊の振動がなく運動エネルギーが 0 になるはずだが、量子力学では運動エネルギーをもつとされる。

zeroth law of thermodynamics　　　熱力学の第 0 法則

熱平衡＊と温度＊の関係を述べたもの。「物体＊ a と b が熱平衡にあり、b と c も熱平衡にあるならば、a と c を接触させても熱平衡が成り立つ。このときの a と c の温度は等しい」。これは、b を温度計とすれば、a と c の温度が等しいかどうかを調べられるという、温度計＊の原理になっている。

Z

索引

索 引

索引

311

索引

315

317

索 引

索引

索引

索引

索引

索引

333

索 引

索引

337

索引

附録

◆ アメリカの教育制度
JOBA（日本海外放送アカデミー）　チーフカウンセラー
吉田　博彦

◆ アメリカの物理教育
HIS（ひのきインターナショナルスクール）・ニューヨーク
緒方　陽介

◆ イギリスの教育制度
HIS（ひのきインターナショナルスクール）・ロンドン　数学主任
木村　良徳

◆ イギリスの物理教育
HIS（ひのきインターナショナルスクール）・ロンドン　高校部　物理担当
Dorje Brody

● 海外で使って便利な日本の物理参考書・問題集

◆ アメリカの教育制度

●教育制度の概観

コミュニティーを基盤とするアメリカの学校

アメリカの学校に入学して、「なぜアメリカの学校ではこうなんだろう」という疑問をもつほど愚かなことはない。「批判しても仕方がない」という意味ではない。アメリカの高校は「アメリカの学校」とひとくくりで語るにはあまりにも、ひとつひとつの学校に違いがありすぎるのである。アメリカの教育を現場レベルで語るときには「アメリカの学校」というのではなく、○○州の△△市の××高校という形で語らないかぎり、なかなか正確な議論にはならない。

ところが、ここではそのような無謀なことを企てている。つまり、アメリカと日本の教育制度の違いという一般論からさらにもう一歩突っ込んで、両者の教育現場、指導体系、そして物理教育を比較検討しようというのである。

だから、アメリカの学校で学んでいる皆さんには最初に断っておかねばならない。「うちの学校はちょっと違うよ」ということが当然あります、と。日本人がアメリカの教育制度を理解することは、おそらくアメリカそのものを理解するのと同じくらい難しいといえる。それは教育というものがその国の歴史、ひいてはその国民の価値観に深く根ざしていることの証明でもある。たとえばアメリカ合衆国の成立の過程を眺めてみると、移民によって町ができ、そのコミュニティーが中心となって教会を建て、自分たちの手でコミュニティーを守ってきたことがわかる。拳銃の規制があれほど叫ばれても、なかなか圧倒的な賛同を得られないのも、「自分の家は自分で守る」というのが基本であった、そのような国の歴史があるからである。

いまのアメリカの教育制度や教育実態にもそのような合衆国の歴史が大きく影響を与えている。政府の力で近代国家建設を強く押し進めた日本の場合、学校とは「官」から与えられたものであり、教育制度は国の政策のひとつとしてスタートしている。一方、アメリカではコミュニティーの中で住民の手によって作られてきた学校を基本とする。アメリカの教育制度は、「親」が学校経営に参加するのは当然のこととしたうえで成立している。こうした点において、日本のそれとは本質的に大きく異なるわけだ。

学校によって大きく異なる教育内容

たとえば、日本では各公立学校の予算に大きな差が生じることは考えられないが、アメリカの公立校は税金、特に固定資産税（住宅の評価額が基準となっている）で賄われているため、裕福で教育熱心な住民が住む町にある学校と、そうでない町にある学校では、予算のうえで極端な差が生まれる。また、州政府からの補助金の額が生徒の出席日数をベー

スに算出されるようになってからは、学校間の予算格差は開くばかりである。当然、公立校の中には廃校となる学校も出てくることになる。そのような中で父母に支持される「魅力ある学校作り」が提唱され、「マグネット・スクール（生徒を集めるために特色を持たせた学校）」が多く作られるようになったので、「同じような学校」はどんどんなくなってきているのである。

　教育問題がここ2回の大統領選挙の争点となった。このことは選挙民（つまりは親）の教育に対する関心が高いことの証明でもある。また、アメリカの大学入学希望者を対象とする統一試験であるSATが、1994年からこれまでの選択式問題（multiple choice）から記述式を取り入れたものに大きく変わった。これも今までの学校教育に不満を持つ人が多いということを示しているといえる。このような中で、州ごとの変化や学校区（教育行政で最も強い権限を持つ。教育委員会と学校局から成り、教育委員会は公選制になっている）ごとの変化も考えると、ひとことで「アメリカの教育」というには、さらに困難な時代を迎えようとしている。

●学校制度

　そのような状況を前提としたうえで共通項としてのアメリカの教育制度というものをくくり出す。まず義務教育学校制度について述べてみよう。これも日本と異なり統一形態ではないが、P. 344図1のように大きくまとめることができる。

　アメリカの学校が9月はじまりということはよく知られているが、その年の12月末までに何歳になるかで、学年が決定されることはあまり知られていない。日本では学校は4月新学期であるから3月生まれまでで学年を切るので、ここも日本と大きく違うところである。ところが、日本人にとっては大切な学年決定のシステムも、学校区や私立の学校によって異なっており、11月で切るところや、9月で切るところもある。飛び級（skipping a grade）が一般的になっていることもあって、「何歳だから何年生」というこだわりが日本ほどない。だから、準義務教育化しているキンダーガーテン（Kindergarten）は5歳児ということになってはいるが、希望すれば6歳児でも問題はない。

　学制は6・3・3制が基本といわれてきたが、6・6制、5・3・4制、8・4制とさまざまで、統一されていない。これは日本と違って、中学から高校への受験というものがなく、高校教育が義務教育化されているから（公立校は無料）で、「中学〇年生」というよりも「〇グレード」という学年で示すことのほうが一般的である。だから、飛び級の関係もあって、何歳かは別にして12グレードが日本でいう高校3年生、つまり高校の最終学年であること以外は、いろいろな歳の生徒が各学年に存在するなどして統一感がない。

　また、先にも述べたように学校間の教育内容の差は激しく、地域や学区、また公立と私立の差も大きい。ただ、日本のように有名大学へ何人合格したかということでのランキングはないものの、その学校の教育予算や教師と生徒の割合、特別プログラムの種類、州一斉テスト（state's standardized test）の結果などを記載した報告書が住民に公開されており、

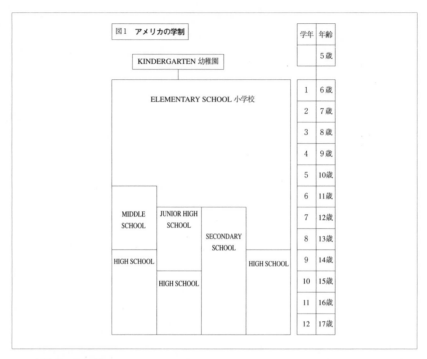

図1 アメリカの学制

| KINDERGARTEN 幼稚園 |
| ELEMENTARY SCHOOL 小学校 |

学年	年齢
	5歳
1	6歳
2	7歳
3	8歳
4	9歳
5	10歳
6	11歳
7	12歳
8	13歳
9	14歳
10	15歳
11	16歳
12	17歳

MIDDLE SCHOOL
JUNIOR HIGH SCHOOL
SECONDARY SCHOOL
HIGH SCHOOL
HIGH SCHOOL
HIGH SCHOOL

これを基準にある種のランキングができている。それに基づいて、子供の入学する学校が選ばれているのが実情である。

●カリキュラムと達成度評価

<u>能力、希望による選択の幅が大きい</u>

　アメリカの学校の主要教科は日本と同じで、数学・国語（アメリカだから英語）・外国語・理科（科学）・社会となっている。生徒の学力に応じた指導が基本となっているアメリカでは、レベル別にクラスが編成されており、たとえば日本でいう中学で数学のアドバンスクラスに入ると、1学年上の内容を修了させることができ、高校での単位に認められることが多い。高校ではオナーズコースやアドバンス・プレイスメントコースという講座が設置されていて、9年生で12年生の数学を学んだり、大学と同じレベルの授業を受けたりもできるようになっている。

　高校レベルになると教科選択の幅が広がり、数学・国語（英語）という必修科目（compulsory subjects）以外では、理科なら、生物・地学・物理・化学・生態学・天文学・

地球物理学・自然科学と、大学並みの教科分類となっている。また、Arts（美術芸術）も絵画・彫刻・映画・ファッションデザイン・建築・陶芸・自動車修理などに分類され、コンピュータ、ビジネスなど職業訓練的な教科も多く（ただし進学校には少ない）、将来の進路を考えて教科を選んでいかねばならない。アメリカの高校には教科の担当教師以外に、カウンセラー（ガイダンス担当）やディーン（Dean）と呼ばれる教師がいて、どの科目を履修するかについて相談にのってくれたり、進路についてアドバイスしたりしてくれる。

高校の成績は、大学合否の重要な判定材料になる

　成績表は学期ごと（一般的には年4回）に渡されるが、高校生の場合、これが大学進学のためには重要なものとなる。AからFの5段階評価が基本であるが、日本でいう中学の段階ではBとCの段階がさらに2段階に分かれ、7段階評価が一般的である。また、日本でいう高校段階ではA、B、C、Dの段階に＋、－の評価が付き、12段階評価になることが多い。高校卒業には、日本と同じように卒業単位の取得が必要となるが、高校教育が義務教育化しているため、卒業できないというのはよほどのことがないかぎりない（ただし、留学生の場合、英語ができなければ卒業できないこともあり得る）。
　たとえば卒業単位が16単位とすると、だいたい1年で1教科1単位（週4回の授業）なので、3年間で考えると1年間で5単位、つまり5つの科目を履修しなければならない計算になる。授業時間にすると1週20授業時間、1週を5日で考えると1日4時間の授業となる（図2）。
　卒業には卒業単位を取得するほか、卒業資格試験を義務づけている州もあるが、内容は基礎的なものが多く、大学によってはこの資格試験の証書を必要としない。

図2　アメリカの高校生の時間割例						
		月	火	水	木	金
1時限	8：00～8：50	英語	化学		歴史	数学
2時限	8：55～9：45	数学		化学		英語
	9：50～9：55	ホームルーム				
3時限	10：00～10：50		数学	彫刻	数学	体育
4時限	10：55～11：45	独語	歴史		化学	化学
	11：50～12：15	ランチタイム				
5時限	12：20～13：10	歴史	独語	歴史	独語	独語
6時限	13：15～14：05	体育	英語			
7時限	14：10～15：00			英語	体育	彫刻

大学へ進学するためには高校での単位の取得（大学によっては教科の指定がある）、その成績、大学進学適性試験（SAT、ACH、ACTなど）の成績、面接結果などが必要で、これらさまざまなデータを基にして合否が判定される。

　　　　　　　　　　（日本海外放送アカデミー　チーフカウンセラー：よしだひろひこ）

◆ アメリカの物理教育

　ここアメリカでは高校までが義務教育であるが、他の教科と同じように、物理においてもアメリカには標準カリキュラムというものは存在せず、各学校、さらには教師の方針によって授業内容が決定されるのが普通である。したがって、日本で習う物理の内容と単純に比較するのは難しいし、日米の学習単元を比較することにはほとんど意味がない。ここでは日本人のよく通っているある現地中学・高校を具体例としてとりあげ、そこでの理科学習について物理中心に話していきたい。

　公立A中学・高校では7、8年生（日本の中1、中2）の頃にBasic Scienceとして物理・化学・生物・地学の実験や観察を中心とする学習が始まり、まず、理科に親しむことに重点が置かれている。この頃は1時限45分の授業が週に4回ほどあるが、授業内容は非常に片寄っていることが多く、生物については日本の高校範囲まで学習することもあるのだが、物理についてはまったくといっていいほど触れない。化学については酸性・中性・アルカリ性の中和の実験なども実施しているがイオンについては学習せず、身の回りにある液体にBTB溶液やフェノールフタレイン溶液を加えて色の変化を見る程度である。

　9年生から12年生（中3から高3）ではEarth Science（地学）、Chemistry（化学）、Physics（物理）、Biology（生物）の各教科をそれぞれ1年間に渡って受講することになる。ただし、実際には使用する専門語彙の比較的少ないEarth ScienceやBiologyを受講する日本人が多いようである。

　アメリカの高校（9thから12th）で学習する物理は、一般のPhysicsのみならずAP Physics (Advanced Placement Physics)という高度な内容を学習するものがあり、AP Physicsはアメリカの大学でもその単位を認めているほどの高レベルである。その分野の成績が優秀であると判断された生徒に、学校側が履修を命じるHonorsクラスに対して、APクラスはある一定の成績を修めた生徒が自主的に選択する授業である点が異なっている。一般的にはHonorsクラスよりも、APクラスのほうが高度な内容を学習することになる。

　日本・アメリカを問わず大学で理科系の学部に進学しようとするのであれば、AP Physicsまで受講することが望ましい。なお、小数ではあるが高校によってはAP PhysicsやAP Chemistryのクラスがない公立高校もあるので、帰国生枠で日本の大学の理系学部に進学しようという生徒は注意する必要がある。次ページに、理科系学部志望の場合の模範受講例を挙げておく。

物理のカリキュラム

　各州に統一されたカリキュラムというものは存在しないが、物理のカリキュラムについてはどの学校もほぼ同様であるといっても過言ではない。その理由は大きく2点あげられる。ひとつは物理法則を理解するにはそれに応じた数学の知識を必要とするため、数学の

進度に左右されるという点である。高校範囲で指導される数学の範囲は、カリキュラムに差はあるが総合すると大差はない。よってそれに応じて指導される物理の内容にも、大差はなくなるのである。2点めは、その後現代物理学を学習する際、以下にあげる単元はどれも基本的な概念として必要であるということである。現代物理学はいろいろなジャンルに分類されるが、どの分野を専門にするにせよ、以下にあげる単元は基礎知識として必要になる。このため指導しなければならない単元について、学校によってそれほど差が生まれるわけではないのである。

　では日本のカリキュラムと比べて、アメリカのカリキュラムはどう違っているのだろうか。下の一覧はアメリカのある公立高校で使用されている、物理教材に載っている内容を単元別に表わしたものである。

力学
・速度・加速度・ベクトル（力のつり合い）・エネルギー保存の法則・慣性の法則
熱
・熱による物質の変化・熱エネルギーの利用・熱力学
原子
・物質の構成・原子力・核運動・高エネルギー物理
波
・振動・振幅・音波・自然光・反射・屈折・回折・偏光

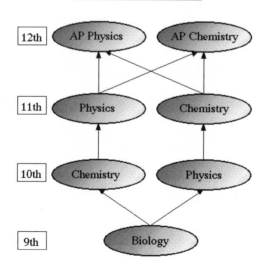

理科系志望　模範受講例

電磁気学
・電気・直流電流・磁界・電磁誘導・交流電流・電気装置

　これを見ると、日本の高校物理の範囲と大差はないが、日本の物理では指導しない現代物理学についても、導入部分のみではあるが触れられている。またベクトル、物質の構成については、日本ではそれぞれ数学、化学に含まれている分野であるが、アメリカでは物理の授業でしか指導しないので、物理を履修しない者で日本の大学に進学を考えており、数学、化学が受験に必要な場合は注意しなければならない。
　また、上にあげた単元は、いわゆるAP（Advanced Placement)の物理を履修した者しか学習しないものも含んでいる。このため、入試で物理を受験する者は、ほとんどがAPを履修しているというのが現状である。

日本とアメリカの授業の違い

　日米で指導範囲に大きな違いはないが、授業の進め方には大きな違いが見られる。日本の物理の授業は一般に、法則を利用して特定された現象を例に、与えられた物理量から他の物理量を求めるといったいわゆる「法則から出発する授業」が中心に行われる。それに対しアメリカでは、いろいろな実験や自然現象を法則を含めて説明する、いわゆる「現象を解析する授業」が中心になっている。このため物理を試験科目に含む帰国枠での大学受験を考えている者は、以下のことに注意して学習を進める必要がある。

1.法則を用いて他の物理量を求める練習をする
　物理法則を求める過程は現地校でも行うことが多い。よって自宅での学習は問題集などを用いて、その物理法則を変形したり、具体的な数値を用いて他の物理量を求めたりする練習が必要となる。

2.ひとつひとつの用語を日本語に直しておく
　帰国枠入試では設問内の単語を英訳してくれているところもあるが、問題集には日本語でしか記載されていない。自分で勉強する際にそれがはじめて聞く用語なのか現地校で習ったことがあるのかを確認できないと、学校で学習した内容が利用できなくなり、無駄な時間を費やすことになる。面倒でも学校で新しい用語が出てきたときに、日本語でそれが何と呼ばれているか確認しておくとその後の学習に効果的である。

（ひのきインターナショナルスクール・ニューヨーク：おがたようすけ）

◆ イギリスの教育制度

●教育制度の概観

ナショナル・カリキュラムの導入

　ここ数年間のイギリスにおける教育改革は、第二次大戦後最大規模のものである。

　その中心的なものは、1989年に導入されたナショナル・カリキュラムであろう。これにより義務教育年齢に当たる5歳から16歳までの生徒に、必須科目として英語、数学、理科、技術、歴史、地理、外国語（11歳以上）、美術、音楽、体育の10科目を、また選択科目として宗教を教えるように義務づけることになったのである。

　また、ナショナル・カリキュラムは学年ごとの目標ではなく、各科目を10段階のレベルに分け、それぞれのレベルに対して達成目標を設定している。学年ごとの目標ではないため、特に数学や理科においては、同じ学年でありながらまったく違ったレベルの内容を学習しているというケースも起こり得る。そのため、各クラスを達成度別に分けて授業を進めたり、個別指導をする必要が生じてくる。

　このナショナル・カリキュラムを導入する以前は、授業科目、授業単元などの決定については、各学校、各教師に一切任されていた。授業内容において学校の独自性を出したり、生徒個人の達成度を見たうえで自由に進めていくという点では優れていたのだが、地域や教師の力量により学校間の格差が生じてしまったのも事実である。低学年でのことであるが、1年間に算数の授業がたった2回しかなかったというのも実際にあった話である。低学年の場合、日本と同じようにひとりの先生がいくつかの科目を受け持つが、聞くところによると、この教師は算数が嫌いで社会が好きだったため、1年間を通して社会のプロジェクトをすることが多かったようである。算数の要素を社会のプロジェクトの中に取り入れながら、算数の指導をしていくこともできるだろうが、学年相当の知識を与えるには限界があったはずである。

　こうした状況を背景に、標準レベルを引き上げること、つまり語学、理科、社会のバランスよい学習を目標に、ナショナル・カリキュラムが取り入れられたのである。

公立校の運営が地域から学校自身に移行

　2番目の大きな改革点は、地域（区）によっていた学校の運営を、国から直接各学校に予算を振り分けるシステムに切り替えたことだ。これによって、公立学校も私立学校と同じように予算案を作成し、設備投資をしていくようになった。教育のことだけを考えて学校運営をしていればよかった校長たちにしてみれば、迷惑な話だったかもしれないが、こういう好機を長年待ち続けてきた校長たちは新たにやる気を奮い立たせたに違いない。は

じめのうちは慣れない業務に手こずっていたようであるが、最近では地域住民が中心になる学校管理責任者の手助けにより、経営手腕を思う存分振るい、活気のあるより魅力的な学校作りに成功しているところも多いと聞く。国からの予算だけで足りなければ、放課後、地域に学校を開放して得られる教室のレンタル費用などにより予算の補充をおこない、自在に設備投資ができるようになった。これは、校長および教師だけでなく、父母にとっても公立学校を見直すいい機会になったに違いない。さらに、父母にとっては、地域の学校の中から気に入ったところを自由に選べるようになったことも、大きな利点である。現在では、優秀な生徒に自分の学校に入ってもらおうと、公立学校の教師も学校説明会などを盛んに開いている。

<u>高等教育をより重視する方向に</u>

　3番目の大きな改革点は、高等教育により力を注いでいくという方針を打ち出したことだ。いままでイギリスには、大学（University）と呼ばれるものは47校しかなかったが、1992年の教育法案によりポリテクニック（Polytechnic）が新たにUniversityへと名称を変更し、現在では唯一の私立大学University of Buckinghamを含めて国内に90の大学が存在している。

　Polytechnicはキャリアに直結する実践的な知識・技術を中心に高度な教育内容を追求してきた。それにもかかわらず、Universityと比較され、十分な人気を獲得できなかったのが、この改革を実施した大きな理由である。もうひとつ、これを機に高等教育の必要性を訴え、より多くの生徒に高等教育の機会を与えることで、標準レベルの学力向上を図ろうという考えがある。政府は、今世紀末までには大学への進学率を30パーセントにまで引き上げたいと考えている。

● 学校制度

<u>義務教育は、5歳から16歳まで</u>

　イギリス国内の学校を公立、私立で大きく分けた場合、公立校は約3万500校、私立校は約2500校である。生徒数で見ると、全体の約10パーセントが私立校に通っている。公立、私立を問わず、授業をするのは月曜から金曜までの週5日である。新年度は9月からはじまり、年間をAutumn Term、Spring Term、Summer Termの3期に分けている。冬、春、夏の長い休みのほかに、各タームの半ばにHalf Termの休みがある。

　イギリスの義務教育は5歳からはじまる。それ以前は、幼稚園、または保母の経験者などが地域にある教会などを利用して開いているプレイグループなどに参加する。5歳から7歳まではInfant Schoolに通い、7歳から11歳まではJunior Schoolに、11歳から16歳まではSecondary Schoolに通い、16歳で義務教育が修了する。

これは一般的な公立校の進み方であるが、5歳から8ないし10歳までをFirst Schoolに通い、8歳から14歳までをMiddle Schoolに通う場合もある。Secondary Schoolの90パーセントはComprehensive Schoolと呼ばれる入学試験のない学校であるが、このほかに、試験により選ばれた生徒だけが進学できるGrammar Schoolと呼ばれる学校（一部の地域にだけ残っている）がある。

Public Schoolの入学試験

　イギリス人または現地で学んでいる外国人が、私立校に進む場合には、5歳から13歳までPreparatory Schoolに、11歳または13歳から16歳もしくは18歳までをPublic Schoolに通う。ただし、Public School（この呼び名は政府からの援助を一切受けていない学校という広義で使うことにする）に入るためには、入学試験を受けなければならない。この入試には、コモン・エントランスと呼ばれる共通試験を利用する学校が多いが、日本から来て数年の生徒には非常に厳しい内容である。

　入学試験の時期は春、夏、秋に各1回ずつ、対象学年（年齢）は、女子の場合は女子校のほとんどが11歳からはじまるため11歳時に、男子校の場合13歳からはじまることが多いため13歳時に、それから12歳時から編入する女子のために12歳時に実施される。毎回、上記3つの年齢に合わせて問題が用意される。試験科目は、11歳時には英語、数学、理科、口頭試問、12歳時には英語、数学、フランス語、理科、オプショナルとしてラテン語、13歳時には英語、数学、フランス語、理科、地理、歴史、宗教、オプショナルとしてラテン語かギリシャ語になる。正式には上記のすべての科目を受験する必要があるが、イギリスに来て数年の生徒の場合には英語と数学の2科目での受験を認めている場合もある。また、学校によってはコモン・エントランスを使わずに、学校独自の問題による入学試験を実施しているところもある。ただいずれにしても、厳しい入学試験であることは間違いない。子どもを希望の学校に入れたい場合は、1、2年前から家庭教師をつけてしっかり勉強させるのが一般的である。

　一方、日本の学校からPublic Schoolへ留学する場合だが、以前までは、イギリス人や現地で学ぶ外国人と同様、上記のような過程を経なければ入学を認められなかった。しかし、最近では多くのPublic Schoolで、校長面接と入学願書、推薦状、成績証明書の書類審査で合否を決定するようになってきている。しかし、学校によっては独自のテストや英語力の証明を求めたり、英語力を補うために、ESL（English as a Second Language）と呼ばれる英語コースで一定期間学ぶことを条件に入学を許可する学校もある。なお、留学生に対しては、ガーディアン（Guardian＝イギリスで生徒の親代わりとなる後見人、休暇中の滞在先として、また緊急時の連絡先として対応してくれる人のこと）のいることが義務づけられていることも忘れてはならない。

大きなふたつの試験－16歳時のGCSEと大学入学資格試験のGCE-Aレベル

　16歳の最後には、GCSEという試験を受けなければならない。これを最後に社会に出ていく者もあるが、この試験であるレベル以上の成績を収めることができれば次の6th Formに進学することができる。6th Formというのは、16歳から18歳までの年齢に当たる学年を総称していうが、その学年だけを専門に受け入れる学校もあり、こうした学校を6th Form Collegeと呼ぶこともある。この6th Formでは、大学入学のための資格試験であるGCE-Aレベル（以下"Aレベル"と呼ぶ）という試験にパスすることを大きな目標にしている。

　イギリスの大学は、通常3年間である。これは、日本の大学に比べ1年間少なくなっているが、イギリスの場合、日本の大学の一般教養に当たる内容をAレベル試験の受験までに学習し、そのうえで大学に入学すると考えればいい。それだけAレベル試験は難しいものになっている。したがって、イギリスの大学には一般教養のようなものはなく、1年めから専門分野の学習に入る。

●カリキュラムと達成度評価

カリキュラムは、GCSEとAレベルに備えて組まれている

　イギリスの学校のカリキュラムは、16歳時におこなわれるGCSEまた18歳時におこなわれるAレベルという試験に合わせて組まれているといっても過言ではない。GCSEの試験局は全部で5つ、Aレベルになると7つもある。各学校の各教師はこの中から適当な試験局を選ぶ。各教師はというのは、教科によって異なる試験局を選んでもよいからである。各試験局はナショナル・カリキュラムに基づき、出題範囲の単元細目を作り、発表している。各試験局の出題範囲は、同じナショナル・カリキュラムに基づきながらもかなりの差がある。各学校の各教師は採用する試験局の出題要項に基づき、さらに学校内での授業カリキュラムの詳細を決定する。このことは「隣の学校では教えないが、うちの学校では教える」という単元も出てくることを意味している。

　14歳から16歳にかけての学年であるYear 10、Year 11（4th Form、5th Form）では、GCSEの受験に向けて学習を進める。通常10科目を学習し、Year 11（5th Form）の最後に当たる6月に試験を受ける。試験結果の判定はこのペーパーテストの結果と、さらに学校内でおこなわれたコースワークを基になされ、8月中旬に判定結果が試験局から送られてくる。煩雑な仕事であるにもかかわらず、ペーパーテストのほかにコースワークや、科目によっては面接を取り入れて、より正確に各生徒の実力を判定しようという点は非常に評価できる。コースワークは個人個人が異なったテーマで取り組むレポートのようなものだが、この内容が成績判定の少なくとも20パーセント以上を占めるという点も注目すべきところである。

イギリスの学制

右記の学制はごく一般的なものである。公立校の中でもこれに当てはまらない First School や Middle School もある。なお、公立の Comprehensive School や Grammar School という名称は Secondary School のひとつとして使われるものである。私立校の場合でも、低学年だけ、高学年だけなど、右記と異なる幅の学年で受け入れを行うところもある。Public School という名称は、私立校のどの範囲で使うかは定かではないが、一般的には私立校は Public School で通っている。

私立校	公立校		年齢	学年名
Preparatory School	Primary School	Infant School	5 6 7	Year 1 Year 2
		Junior School	8 9 10 11	Year 3 Year 4 Year 5 Year 6
Public School	Secondary School		12 13 14 15 16	Year 7 (1st form) Year 8 (2nd form) Year 9 (3rd form) Year 10 (4th form) Year 11 (5th form)
	6th form		17 18	Year 12 (Lower 6) Year 13 (Upper 6)

GCSEを間近かに控えた生徒の時間割例

		月	火	水	木	金
1時限	9：10～9：50	英語	物理	技術	独語	英語
2時限	9：50～10：30	数学	物理	技術	独語	英語
3時限	10：50～11：30	仏語	ラテン	体育	英語	化学
4時限	11：30～12：05	生物	ラテン	宗教	数学	
5時限	12：05～12：45	生物	仏語		物理	
ランチタイム	12：45～14：05					
6時限	14：05～14：42	技術		英語	仏語	独語
7時限	14：42～15：20	技術	数学	化学	ラテン	数学
8時限	15：20～16：00	独語	体育	化学	生物	仏語

1コマの授業時間が短いのが、特徴的である。時間数は35分から40分が一般的である。また、科目ごとに教室を移動するにもかかわらず、授業と授業の間に休憩時間をとるところは少ない。上記の例は、Aレベル受験の際、語学系の科目を選ぶことを考えているため、語学の割合が大きくなっている。アミがけは自由時間である。

354

海外からイギリスに来て間もない生徒に対しては、International GCSEという試験を作成している試験局もある。日本から来て3年程度である場合には、科目としての英語はかなり厳しいものであるため、このGCSEのEFL（English as a Foreign Language）を英語として受験させることもある。

大学進学には、GCSEとAレベルで一定の成績が必要

　イギリスの大学に進学を希望する場合は、通常GCSE 5科目とAレベル3科目の相応の結果が必要である。しかも一般的には、少なくともC以上の成績がついていることが望ましいとされている（Aレベルの成績はA～Eまでが合格の評価で、Nがついた場合は不合格となる）。

　GCSEの結果が出ると、次のAレベルの試験の準備のため、6th Formに進学することになるが、GCSEを受けていればだれもが進めるというわけではなく、通常Aレベルの受験科目となる教科においてC以上の成績を収めていることが必要とされる（GCSEの成績はA～Gまでの7段階で評価される）。

　Aレベルの内容は難しすぎるという場合には、Aレベルの半分の内容で済むASレベルというのも用意されている。ただし、このASレベルの結果は、2科目をもってAレベルと同等とみなされる。Aレベルの試験は6月におこなわれるが、特に6th Formの最後の学年に当たるUpper 6後でないと受験できないという決まりはなく、6th Formの最初の学年であるLower 6が終了する段階でASレベルを受け、Upper 6のときにほかのASレベルを受験することもできる。

海外からの生徒は、Aレベルの代わりにIBを受けられる

　イギリス内には、インターナショナル・スクールやアメリカン・スクールも数多く存在するが、そこではAレベルの代わりにInternational Baccalaureate（IB）の試験に備えたコースを用意しているところがほとんどである。

　このIB受験のコースもAレベル同様、大学入試前の2年間をその準備期間に当てている。試験内容はAレベルに比べ、海外から来た生徒に対応しやすいものになっている。といってもAレベルに比べ決してやさしいというわけではない。通常2科目から4科目の受験を必要とするAレベルに対し、IBでは必ず6科目を受験しなければならない。ただし、3科目ないし4科目をHigherレベルで、残りの科目はSub（Subsidiary）レベルで受験することになる。6科目の内訳は、母国語、第2言語、歴史／地理／経済／哲学／心理学／社会学／経営学の中から1科目、生物／化学／一般化学／応用化学／物理／環境学の中から1科目、4種類に分けた数学の中から1科目、さらに工芸／音楽／ラテン語／ギリシャ語／コンピュータの中から1科目となっている。

IBの成績は、Higherレベル、Subレベルともに、1から7までの7段階評価でおこなわれる。6科目の合計評価点が24以上であれば、IB事務所から合格証書が交付される。ペーパーテストだけでなく、6科目中のひとつの科目については論文を提出しなけらばならない。さらに課外活動として、社会に出て2週間程度のボランティア活動が義務づけられている。これらの結果が特に優秀である場合には、ペーパーテストの評価にボーナスポイントが追加されることになる。逆にいい加減な論文が提出されたり、普段の学習態度が悪い場合には減点されることもある。

理科教育のナショナル・カリキュラム

　5歳から16歳までの義務教育内において指導要項（ナショナル・カリキュラム）では次の4つの分野を履修することを義務づけている。ひとつはScientific Investigation（Skills）、他にLife and Living Processes (Biology)、Materials and Their Properties (Chemistry)、Physical Processes (Physics)がある。日本での地学 Physical Geography は、地理(Geography)として扱われる。なお、理科として扱うべきか地理として扱うべきか長く議論されていた天気については、近く地理に移行されることになっている。
　さて、イギリスの理科教育において非常に特徴的なのはScientific Investigation の存在である。日本では夏休みの自由研究にあたるかもしれない。ただ、特別に指導を受けるわけではなくまた全員が参加するわけでもない日本のそれと違い、Year 1（5歳／6歳）のはじめから理科の大きな柱のひとつとして履修を義務付けている。具体的な教育目標を簡単にまとめると次のようである。

　「Activities を通し、次の3つの技術を身に付けさせる。それによって、テーマを決め計画を立て準備をし、調査、研究をするための能力も高める。また、Activitiesは科学的な現象、自然現象の理解を深めるために役立つものである。
1・質問し、仮設を立てる。
2・違いを見つけ測定し、整理しまとめる。
3・結果を解釈し、科学的根拠があるものであるかどうか判断する。」

　研究内容は各先生に委ねられるが、ナショナル・カリキュラムにも参考例があげられている。ここでは、レベル9（あとで説明）の研究例を紹介する。
◆研究テーマ：酸度の違う食物を料理したときの、アルミニウムでできた鍋の腐食の割合について。
◆研究方法：アルミニウム以外の金属についても同様の実験をする。さまざまなpHの酸、アルカリの食物について実験する。
◆考察・応用：信頼できる範囲のデータに基づいて分析し、家庭用品の使用に応用する。

いろいろな種類の食物をアルミニウムの鍋で料理することについてはなんらかの対策が必要であり、健康に害をもたらす危険性があることを考えさせる。

　以上は、化学で金属の性質について学習したあとでおこなわれるInvestigationの例である。その目的は生物、化学、物理の学習において習得した知識をより確かなものにすること、またその知識をどう利用するかを考えることにある。

理科学習の流れ

　Year 1 ～ Year11 における理科学習の流れについて簡単に触れておく。まず、第1に理解しておかなければならないのは日本での指導要項と違い、各学年ごとの学習単元は決められていないことである。第2に理科の学習分野である。Scientific Investigation (Skill)、生物、化学、物理にはそれぞれレベル1からレベル10の達成目標がある。また、義務教育期間を4つのKey Stageという期間に分けており、Key Stage 1 （5歳～7歳）ではレベル1～レベル3を、Key Stage 2 （8歳～10歳）ではレベル2～レベル5を、Key Stage 3 （11歳～14歳）ではレベル3～レベル7を、Key Stage 4 （15歳～16歳）ではレベル4～レベル10まで達成することが目標にあげられている。ここで注意したいのは、各Key Stageごとに目標レベルの重なりがあるということである。これは単純にレベルアップしていくのではなく、次のKey Stageでもう一度同じ内容の復習を進めながら徐々に内容を深めていったり、個人個人の達成度に合わせながら進めるということを意味している。このシステムは他地区から転校してきた生徒（特に日本人海外子女など）には有利に動くものと思われる。ただ、特に公立の学校などでは、Year10の同じ教室にレベル2まで達成した生徒とレベル10まで達成している生徒が一緒に入っているようなこともあり、指導する側には大変難しい面もあることを付け加えておく。

　第3に、Year 7 またはYear 8 までは日本と同様、ひとりの先生が生物、化学、物理と学習内容をミックスして教えるのが一般的であることをあげておく。学期ごとに生物、化学、物理と学習内容を分け、各専門の先生の授業を受けるようになるのは通常 Year 9 からである。

　第4に各Key Stageにおける達成度を知るためにKey Stageテストが実施される。これは各ステージの終了時にあたる7歳時、10歳時、14歳時、16歳時にイギリス国内で一斉におこなわれるものである。16歳時におこなわれるものがGCSEである。

GCSEにおける理科の出題内容

　GCSEにおける出題内容は各試験局により多少異なり、また同じ試験局でも何種類かの試験問題がある。さらに付け加えると同じ種類の試験でも3つのレベルに分けられている。これはすべて先生により選択されるものなので特に心配はいらないが、次に概要をあげて

おく。

◆試験コース名（試験局により異なる）
● modular
生物、化学、物理の各単元がひとつひとつ独立して構成されているもの。double award と single award があり double では GCSE の単位が 2 個分、single は GCSE の単位が 1 個分になる。なお、double は single よりも出題範囲が広くなっている。
● balanced
生物、化学、物理の各単元はそれぞれ明確に分かれているが互いに関連づけて指導された場合のテスト。double award と single award がある。
● separate
生物、化学、物理が別々に出題されるもの。3 つのテストを受けなくてはならないが GCSE の単位は 3 個分になる。

※以上および選択する試験局は、各学校の指導方針により決定される。よって、学習内容は学校の選択するテストにより左右されることになる。

◆試験レベルおよび成績評価
試験レベルはそれまでの達成度と先生との話し合いにより決定される。また、受験できる試験により、取得できる成績にも限りがある。これは、試験の種類により異なるものであるが、大まかな例を以下に挙げておく。

段階	試験番号	到達レベル	取得可能な成績
1	Paper 1	レベル 3 ～ 6	Grade E ～ G
	Paper 2		
2	Paper 3	レベル 5 ～ 8	Grade C ～ F
	Paper 4		
3	Paper 5	レベル 7 ～ 10	Grade A' ～ D
	Paper 6		

※ GCSE の成績の 75 パーセントは上記の paper により決定されるが、残りの 25 パーセントはコースワークの結果が考慮される。コースワークとは Scientific Investigation の延長上にあり、担任の先生および試験局に生徒がレポートを提出し、その内容が評価されるものである。

（ひのきインターナショナルスクール・ロンドン　数学主任：きむらよしのり）

◆ イギリスの物理教育

　イギリスにおける理科教育のところでInvestigationについて述べたが、物理教育を考える上でもこの存在を抜きには語れない。ナショナル・カリキュラムが実施された1991年以前の授業形態はこのInvestigationが主体だったといっても過言ではないかもしれない。つまりInvestigationはイギリスの伝統ある学習スタイルなのである。しかし、ナショナル・カリキュラムが実施される以前には、先生が内容を自分自身で決めていたため、知識が偏りがちであった。そのため、Key Stage内でやるべき内容が決められている現在のような形に落ち着いたようである。実際に指導にあたっている先生方からは昔のほうがいいとも聞く。先生自身がカリキュラムを組むことができ、じっくりと指導することができたからであろう。現在は日本と同様、カリキュラムの消化に追われ十分に考えさせる余裕はないという。以前は生物、化学、物理のうち2科目学習すればよかったのに比べ、3科目を必須にした現在は、とにかくたくさんのことを学習する必要がある。

　忙しいなかでのInvestigationなので、どこまで内容を充実させられるかという問題はあるにせよ、社会に出てからその知識をどう利用したらいいのかを学生時代に考えさせるシステムは大変すばらしいものである。以下には具体的な物理の学習内容について触れてみる。

GCSEで扱う物理の専門分野

　以下に、GCSEで扱われる物理の専門分野について、各レベルにおける達成目標を取り上げてみる。

レベル1：電気、力、音、光、および太陽や星の動きなどの簡単な性質を理解する。

レベル2：磁力の性質、熱の意味、力と運動の関係を知る。

レベル3：電流、燃料、熱について理解する。光や音が反射することを知る。月や太陽の周期を理解する。

レベル4：電気回路を作れるようになる。エネルギーや力の働きを知る。光と音の速さの違いを知る。地球の運動を理解する。

レベル5：電気回路と論理ゲートの関係を知る。エネルギーの移行および再利用を知る。音と波の関係を理解する。太陽系の惑星の運動を理解する。

レベル6：電流、電圧、抵抗の関係および距離、速さ、時間の関係を把握する。エネルギーの保存則を知る。太陽系、銀河系、そして宇宙の存在を知る。

レベル7：電磁力の関係、エネルギーの伝わり方を理解する。エネルギーの効率を考える。力、運動、時間、仕事の関係および運動量の法則を理解する。光と波の性質を理解する。重力の存在を知る。

レベル8：エネルギーと温度の関係を知る。力の法則を理解する。波の速さ、周波数の関

係を知る。振動の性質を理解する。

レベル9：エネルギーと物質について考える。質量、重さ、位置、エネルギー、運動エネ
　　　　ルギーおよび仕事の関係を理解する。電磁波の簡単な性質を知る。重力と惑星
　　　　の運動の関係を理解する。

レベル10：発電の仕組みを知る。エネルギー損失の仕組みを理解する。運動量の保存則を
　　　　理解する。電磁放射の仕組みを知る。宇宙発生の仕組みとその検証を考える。

<u>GCE-A レベルで扱う物理の専門分野</u>

　次に、物理のA レベル試験における出題内容を、ロンドン大学に本部を置く試験局の場
合を例に検討してみることにする（A レベル試験は各試験局によって出題範囲が若干異な
っている）。1996 年度のA レベル試験の出題単元を見てみよう。A レベル試験はP1、P2、
P3、P4（Paper 1, Paper 2, Paper 3, Paper 4）の4 つから構成されている。P1、P2、P3、P4
は段階別に分けられたものである。

　A レベル試験の出題形式は毎年若干異なっている。1996 年度を例に述べてみると、P1、
P2 が全員必須で、P3 とP4 はどちらかを選択することになる。P1（90 分）は40 問の選択問
題からなり、評価の30 パーセントを占めている。P2（180 分）は約25 問の筆記問題からな
り、評価の50 パーセントを占める。P3 は生徒のコースワークにおける学習内容を問うよう
な問題が出題されるのに対し、P4 は生徒のコースワークの結果を教師が試験局に提出する
ものである。P3 あるいはP4 が評価の20 パーセントを占める。コースワークの評価とは、
すでに説明したように、Investigation についてその方法、過程、結果、結論、考察などが採
点されるものである。ここでは、実験などで得たデータの解析、それをグラフにしたとき
の誤差の求め方などの知識も必要になる。

　P1 からP4 で扱うトピックは以下のようなものである。

● Syllabus topic ●

1　　**Structures and forces at rest**
　　　Scalar and vector quantities ------------------------------P1
　　　Moments and torques ------------------------------------P1
　　　Equilibrium --P1
　　　Structures --P1
2　　**Forces at work**
　　　Linear motion --P1
　　　Linear dynamics --P1
　　　Work, energy and power ---------------------------------P1
　　　Rotation: circular motion---------------------------------P1
　　　Rotation dynamics --P3

　以上を日本の高校物理の指導範囲と比較してみると、7のTransfer phenomena（輸送現象）を除けば、ほぼ一致している。輸送現象は一般には非常に難しい理論なのだが、Aレベルではごく初歩的な連続方程式の考え方を理解すればよい程度にとどめている。各単元

の内容について述べておくと、Aレベルでは日本の高校物理以上に微積分学の理解が求められている。通常、Aレベルに物理を選択しようとする者は、数学でPure mathematicsおよびMechanicsを学習する必要があることを付け加えておく。Pure mathematicsは日本の高校数学で学習する内容よりも若干高度なレベルまで、Mechanicsは日本の大学数学で学習する物理数学の基本的なもの（積分をふんだんに使った力学、および剛体の力学）まで必要である。

イギリスの教育の現状

　最後に、イギリスの教育全体について、その学ぶべき点とともに最近の問題点を述べておきたい。まず、日本と大きく異なるのは、イギリスの教育には多種多様な選択肢が含まれる点である。日本では一般に高校へ進学した後、文系と理系に分かれるが、イギリスではGCSEとAレベルの受験準備を通して、幅広い科目の中から興味のあるもの、自分の好きなものを選んで学べる制度になっている。特に注目したいのは、ひとつの科目にさまざまなレベルの学習内容が用意されていることである。したがって、先に進める子どもはどんどん高度なレベルまで到達させることができ、そうでない子どもに対してはわからないところを繰り返し学習させることができる。これは試験についても同様であり、子どもたちはそれぞれの到達レベルに合わせて受験することができるようになっている。個人を尊重するイギリス人と集団の同調を重視する日本人の国民性の違いが、こうした相違を生み出しているのかもしれない。

　こうした理想的に見える教育制度だが、さまざまな問題を抱えているのも事実である。そのうち最も深刻なものは教育者の質の低下である。これは政府の大幅な教育予算の削減により、教員への人気が著しく低下したことによると思われる。余談ではあるが、スコットランドではいまでも教育重視の伝統を守っているため、イングランドほど問題にはなっていない。これは、スコットランドの教員資格はイングランドでも通用するが、その逆は通用しないことからもうかがえる。日本では創造力を身につける教育を目指す動きにあるが、イギリスでは逆にしっかりと知識を身につける教育を目指す動きにあるなど、まったく反対の方向を向いていたりする。どこの国でも理想的な教育を実現するのは難しいようである。

　　　　　　（ひのきインターナショナルスクール・ロンドン　高校部　物理担当：Dorje Brody）

●海外で使って便利な日本の物理参考書・問題集

選定：JOBA（日本海外放送アカデミー）

［参考書］

海外の教育を見ていると、同じ内容を指導するのに先生による指導方法の差が物理ほど大きいものはないように思う。そのため、参考書を変に使って学習すると、余計にわからなくなるということが起こりうる。物理は問題集で学習する教科といっていいだろう。

これを踏まえると、日本の大学へ進学して理系の専門分野に進むためには、まず問題集での学習をおすすめする。さらに、海外での物理の学習を保完し、強化する必要がある際に、参考書を併用されるとよいだろう。

・『理解しやすい物理IB・II』　近角聰信　文英堂

レベル：全般

内容：基礎からしっかり学習するための参考書で、わかりやすく解説してある。特に図をうまく使って解説しており、説明が理解しやすい。海外現地での物理の学習を保完し、文系・理系の志望にかかわらず利用できる。

・『親切な物理IB・II（上・下）』　渡辺久夫　正林書院

レベル：中級～上級

内容：参考書の形をとりながらの問題集といった体裁である。解説が詳しく、分析がしっかりしている。説明の仕方が独特で、特に物理について深く理解するのには最適なものが多い。内容としては高度なところも含んでおり、日本の大学で理系に進学を希望する人には適している。

・『基礎からよくわかる物理IB』　竹内　均　旺文社

レベル：初級～中級

内容：基礎をしっかりと理解するには最適で、海外の学校で学習した内容を確認したり、予習時に読んだりすると効果がある。海外と日本での物理の学習内容の差を理解するのに適している。

[問題集]

物理は問題を解くことで理解が深まるものである。海外で学習する生徒にとって、日本で作成された物理の問題は自分の学習している物理とは大きく違っているように感じるかもしれないが、日本の問題を解くことでより幅広い力がつくことを理解していただきたい。問題を解いた後で解説を読み、そのうえでもう一度類題を解くことで、学習内容の理解を確かなものにしてほしい。

・『ゼミノート物理IB』　　物理問題研究会編　　数研出版

レベル：初級～中級

内容：穴埋め形式のサブノートスタイルの問題集で、問題に解答を記入していくだけでまとめとなり、参考書としても使用できる。内容が簡単で、物理の基本からしっかりと学習するのに適している。

・『体系新物理IB・II』　　下妻　清　　教学社

レベル：全般

内容：解説が簡単すぎるのが若干問題ではあるが、厳選された問題が順序よく並んでいる。ある程度自学自習できる人には効果的だろう。物理が苦手な場合は、この問題集と詳しい解説つきの問題集を併用する必要がある。

・『物理IB・II標準問題精講』　　前田和貞　　旺文社

レベル：上級

内容：この問題集に収められた精選問題91問をしっかりと理解できれば、物理の学習については問題ないといっていい。解説も詳しく、問題を解きながら実力をつけることができる。理系志望者にはぜひ使ってほしい。

英和
物理 学習 基本用語辞典

1995 年 12 月 10 日　初版発行
2004 年 1 月 30 日　第 3 刷発行
★ ★ ★ ★ ★ ★

用語監修者　藤澤　皖
用語解説者　北村俊樹
発行人　平本照麿
編集人　原 修一
編集・DTP　高田圭子／小磯勝人／百瀬大志／安藤昭子
図表・中村・治 (blue)
装幀　加藤正美
発行所　株式会社アルク
〒 168-8611 東京都杉並区永福 2-54-12
カスタマーサービス部 TEL: 03-3327-1101
留学・キャリア編集部　TEL: 03-3323-3801
印刷製本　大日本印刷株式会社
★ ★ ★ ★ ★ ★

地球人ネットワークを創る
株式会社 アルク
http://www.alc.co.jp/

禁無断転載　落丁・乱丁本はお取り替えします。
本体価格はカバーに表示してあります。

PC: 7095738

留学ぜったい実現！ TOEFLを攻略する!!

TOEFL® テストマラソン

厚生労働大臣指定通信講座（教育訓練給付制度受給対象）

TOEFL®テスト攻略とともに
留学生活で必要な英語力を身につける

TOEFLテストは英語圏への正規留学に必要となる英語力を判定するテスト。TOEICとは異なりアカデミックな語学力が要求されます。「TOEFL®テストマラソン」は実際の試験形式に対応。付属のCD-ROMで、ペーパーテスト（PBT）だけでなく、コンピューターテスト（CBT）にも慣れることができ、さらに日本人が苦手とするライティング力を基礎から養成します。

また、学習する内容が、履修登録や図書館の利用法など留学生活に沿っているので、試験対策とともに、留学を成功させる英語力が着実に身につきます。

自宅で自分のペースで学習しながら、スコアアップを目指し、留学を実現させましょう。

自宅で自分のペースでスコアアップ！

受講開始レベル
英検準2級、TOEICテスト450点以上

到達目標
英語圏の大学留学への目安となるCBT 213点以上を目指す

学習時間の目安
1日60分×週5日

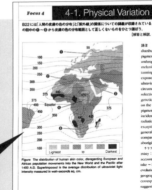

Focus 4　**4-1. Physical Variation**　ver.3 CD B22

B22 には「人類の皮膚の色の分布」と「紫外線」の関係についての講義が収録されている。講義を聞いたあとで、下の図中の①～④から皮膚の色の分布範囲として正しくないものをひとつ選びなさい。

[解答と解説、スクリプトと訳▶p.111]

Figure: The distribution of human skin color, disregarding European and African population movements into the New World and the Pacific after 1400 A.D. Superimposed is the average distribution of ultraviolet light intensity measured in watt-seconds sq. cm.

POP QUIZ
Q Aside from natural selection, what factors must be taken into account?

語注
- distribution：分布
- pigmentation：色素沈着、着色
- anthropologist：人類学者
- melanin：メラニン、黒色素
- tanning：日焼け
- expose A to B：AをBにさらす
- ultraviolet：紫外線の
- circumstantial：状況からの
- tanning：日焼け
- on the whole：概して
- pigment：～を着色する
- incidence：発生率[範囲]
- radiation：放射
- exception：例外
- generalization：一般化
- comparatively：比較的
- aborigine：アボリジニー（オーストラリア原住民）
- misty：霧の深い
- account for：～を説明する
- take ~ into account：～を考慮する
- geographical：地理的な
- correspondence：一致
- suggestive：示唆に富む
- conclusive：（争点などが）決定的な
- basic：初歩、基礎
- layer：層
- scatter：～を分散させる
- harmful：有害な
- disregard：～を無視する
- superimpose：～を重ね合わせる
- intensity：強烈さ
- watt：ワット（電力の単位）
- sq.：square

4カ月の留学生活シミュレーション学習で、計画的に効率よくスコアアップ！

4カ月の学習内容	Campus Life 短文リスニング対策	Lecture 長文リスニング／リーディング対策	Gift of Grammar 文法対策	Writing Master ライティング対策
1カ月目	ショッピング／履修登録／オリエンテーション／銀行／歓迎パーティー など	映画／生物科学／政治学・法学／言語・文学	主語・動詞／時制・態／文の要素・修飾／助動詞・仮定法	TOEFLのライティングとは？／エッセーの基本形／アウトライン など
2カ月目	天気予報／通学／料理／ランチ／図書館／期末試験 など	経済学／科学技術／物理科学／音楽	不定詞・動名詞／名詞・代名詞／冠詞・前置詞 など	設問内容の理解／時間配分
3カ月目	スポーツ／寮の規則／欠席・遅刻／コンピュータ／病気／共同発表 など	コミュニケーション学／教育学／現代美術／社会科学	関係代名詞・関係副詞／接続詞／比較・倒置／語順	実践問題演習
4カ月目	カウンセリング／レストラン／成績・単位／住居探し／引っ越し など	人類学／心理学／医療／環境学	並列構造／否定・強調／同意語句の重複／共通関係・省略	実践問題演習

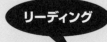